Volverás a Región

Juan Benet:
Volverás a Región

El Libro de Bolsillo
Alianza Editorial
Madrid

© Juan Benet
© Alianza Editorial, S. A. Madrid, 1974
Calle Milán, 38; ☎ 200 0045
ISBN 84 - 206-1542-0
Depósito legal: M. 32.516 - 1974
Papel fabricado por Torras Hostench, S. A.
Impreso en A. G. Ibarra, S. A. Matilde Hernández, 31. Madrid
Printed in Spain

Aun cuando en la última página de este libro se seña-
la que fue escrito entre 1962 y 1964, entre Madrid y el
Pantano de Porma, en la provincia de León, la historia
y los orígenes del mismo distan de ser tan simples y se
remontan a algunos años atrás. Lo cierto es que hacia
1951, y bajo el influjo sufrido por la lectura de «La rama
dorada», comencé a escribir una novela —que terminaría
un par de años después— en la que se narraban unos cuantos acontecimientos situados en un mismo medio rural
(que a falta de una precisa localización geográfica bauticé
con el nombre de Región) dominado por la lejana, nocturna y omnipotente presencia del guarda de una finca, una
suerte de vicario en nuestras tierras del guardián del bosque sagrado de Nemi. La novela se titulaba «El guarda»
y aparte de tal protagonista —que *in absentia* atormenta-
ba todas sus páginas sin jamás asomar a ellas, sin llegar
a ser algo más que una conjetura— por ella desfilaba
una bien surtida serie de personajes anormales: una mujer enloquecida por la pérdida de su marido —picado por
la curiosidad de atravesar los límites de la finca maldita—

a los dos días de su matrimonio; un viejo aristócrata, asesino de perros, lanzado al maquis por despecho; un joven
alcoholizado, último vástago de una gran familia, empe-
ñado en transformar su casa en un laberinto cretense
del que ya no acertaría a salir y en lo más recóndito del
cual cavaría su sepulcro; una tribu de enriquecidos gitanos que poco a poco se va apropiando de toda la comarca gracias a la destilación de un alcohol repugnante y,
en fin, el abogado venal que se engaña a sí mismo con
sus propias trapacerías. Como fácilmente se comprenderá,
todo un muestrario, un museo atiborrado de toscas re-
producciones de Lee Goodwin, de Sairey Gamp, de Ber-
tha Mason, de Pechorin, y hasta del pastelero de Ma-
drigal.

A pesar de hallarme bastante seguro acerca de sus virtudes literarias, estaba tan convencido de que no se podía
publicar en España que no me molesté en enviar el original a cualquiera de los premios entonces en boga. En
cambio, me las arreglé para hacerlo llegar a algunas casas
de Sudamérica y Francia, a las que tenía cierto acceso, y
al no obtener ninguna respuesta positiva me permití en-
viarlo directamente por correo al editor de París que entonces me pareciera más alambicado y exigente, José
Corti, de la rue de Médicis. Para mi asombro recibí al
poco tiempo una breve carta autógrafa que aún hoy me
sigue enterneciendo como un modelo de cortesía; no
sólo el editor demostraba en ella haber leído el manuscrito, sino que, sin necesidad de recurrir a los elogios tó-
picos, hacía gala de toda clase de excusas ante la imposibilidad de encajar en su catálogo un libro semejante. En
aquellas fechas yo había terminado ya mi carrera y estaba
decidido no sólo a ejercerla fuera de Madrid, sino a considerar aquella aventura literaria como el frustrado, can-
celado y ocioso empeño de un estudiante descontento y
sobrado de tiempo. Pero, con todo, a la hora de hacer las
maletas guardé con cuidado todos mis manuscritos —tenía cuatro de cierta entidad— con el propósito de volver
a leerlos el día que el olvido me pudiera deparar alguna
sorpresa.

No los volví a ojear hasta 1962, cuando trabajaba en

el Pantano de Porma. Pero durante ocho años había estado recorriendo una buena parte del noroeste de la península y en cada comarca, en cada sierra, en los arrinconados y podridos burgos y en los quejumbrosos monasterios, había seguido espiando la presencia de aquel guarda maldito, el fundador de la lúgubre dinastía que mantenía a raya tantas extraviadas comunidades sujetas a su depauperada tierra por su propio temor. Semejante experiencia viajera me llevó a aclarar algunas ideas y —antes de abrir las carpetas— a entenebrecer otras que, por demasiado contundentes, se me antojaban inexactas. Entonces llegué a la conclusión de que rara vez la verdad alumbra; o, en otras palabras, que de semejarse a algo es a las tinieblas que se cierran tras el relámpago del error.

En aquella circunstancia encontré tiempo y disposición de ánimo no tanto para volver sobre el texto antiguo cuanto para escribir otro nuevo cuyo parentesco con el primero se limitaba a la personalidad del guarda, a ciertas toponimias y descriptorias locales y a algunas anécdotas de carácter ornamental. De forma que, entre 1962 y 1964, escribí otra novela que titulé «La vuelta a Región», apoyada en un trípode (como la Iglesia de Cristo) de patas perfectamente heterogéneas, a saber: el mito del guarda y del bosque prohibido, el desarrollo y las consecuencias de la guerra civil en una comunidad apartada y los desórdenes causados por un pseudomatrimonio frustrado en el corazón de la montaña. Con todo, el texto seguía siendo demasiado extenso, prolijo e impertinente aun cuando un buen número de insolencias habían sido mitigadas y edulcoradas a fin de hacer posible la publicación. Y gozaba de una particularidad: se trataba de un discurso seguido, con muy escasos diálogos y sin otras cesuras que unos cuantos —no muchos— puntos y aparte.

Haciendo uso de los buenos oficios de algunos amigos, lo envié a algunas editoriales que por aquellas fechas jugaban al papel de vanguardia, si no literaria al menos ideológica. No tengo noticia de que despertara la menor atención. En algunos casos traté de facilitar la gestión enviando al asesor de la casa un volumen de relatos que yo había publicado a mi costa en 1961 y que, por lo menos

en ese aspecto, demostró ser ese embajador de pésimas
dotes que tanto echaba de menos Talleyrand. Lo mejor
que obtuve fue un par de cartas (bien distintas de la de
Corti) firmadas por señoritas que no contentas con dicta-
minar la imposibilidad de la publicación se recreaban en
señalarme los vicios en que yo había incurrido como na-
rrador. «Su novela —decía una— carece de diálogos. No
olvide que el público lee casi exclusivamente los diálogos
que suelen ser además los mejores exponentes del arte de
un novelista». Creo que a principios de 1965 pasé el original a dos amigos, Dionisio Ridruejo y José Suárez Ca-
rreño, quienes sorprendidos por algunas de sus páginas
insistentemente me animaron a corregirlo y aligerarlo.
Recuerdo que al principio me opuse con toda la vehemencia de quien seguro de su obra empero ha llegado al
límite de su paciencia con ella; no en balde, entre unas
cosas y otras, el texto había sido escrito cuatro veces.
Y sin embargo, me decidí a hacerlo por quinta y última,
buena prueba de que mi paciencia aún podía aguantar una
exigencia más por parte del apetito de gloria. En aquella última transcripción las modificaciones fueron míni-
mas; suprimí todo un pasaje que resultaba muy dudoso
(la historia de un niño que abandonado en un internado
de religiosos, para entretenerse creaba tal cizaña que toda
la comunidad terminaba por morder el polvo o ahorcar
los hábitos o caer en brazos de los más abominables pecados), dividí el conjunto en cuatro capítulos y —no pu-
diendo apartar de la mente la censura de aquella secreta-
ria que tan bien conocía los deberes de un escritor— eli-
miné todos los diálogos salvo uno. Y sustituí el título por
otro un poco más dinámico. En una agenda del año 1965,
en la entrada correspondiente al día 14 de septiembre,
tengo anotado: «Hoy he acabado la transcripción de
«Volverás a Región». Espero que sea la última». Hallán-
dome en Barcelona un día de aquel verano entregué per-
sonalmente el manuscrito en la oficina de recepción de
un conocido premio literario, donde fue recibido y re-
gistrado con el número 51. Aguardé durante tres meses
el fallo, convencido de que si no el premio al menos logra-
ría llamar la atención del Jurado y conseguiría la tan

ansiada publicación. Ni conseguí el premio ni el texto logró alinearse entre aquellos veinte más sobresalientes que habían merecido una calificación previa y sobre los que exclusivamente deliberaría el Jurado. No tomé la precaución (porque ignoraba esa triquiñuela) de introducir entre sus páginas un apenas perceptible virgo para deducir luego si había sido desflorado, pero ciertos indicios me llevan a sospechar que nadie lo leyó cabalmente. A partir de entonces mi decepción fue tan supina que decidí no tomarme más molestias con aquella novela que parecía tan maldita como la tierra que describía y a la que ninguna intervención sacaría del marasmo en que había sido engendrada; así que empecé otra nueva.

Un año después, en febrero de 1967, y gracias a la insistencia y capacidad de persuasión de Dionisio Ridruejo, Ediciones Destino se decidió a lanzar al mercado «Volverás a Región», con un tiraje muy modesto. Las consecuencias, de muy distinto orden, de semejante decisión no vienen al caso; sólo diré que para hacerlo posible tuve que sacrificar las últimas impertinencias palmarias. Hacia finales de 1968 el libro llamó la atención de dos personas —Pere Gimferrer y Rafael Conte— que repararon en él cada cual por su lado. Y ahí empezó otra historia.

Para esta segunda edición me he limitado a corregir y subsanar dentro de lo posible unos cuantos errores de dicción demasiado elementales como para ser respetados y a reponer unos pocos hiatos que incomprensiblemente pasaron inadvertidos en 1967.

J. B.

Febrero de 1974

1

Es cierto, el viajero que saliendo de Región pretende llegar a su sierra siguiendo el antiguo camino real —porque el moderno dejó de serlo— se ve obligado a atravesar un pequeño y elevado desierto que parece interminable.

Un momento u otro conocerá el desaliento al sentir que cada paso hacia adelante no hace sino alejarlo un poco más de aquellas desconocidas montañas. Y un día tendrá que abandonar el propósito y demorar aquella remota decisión de escalar su cima más alta, ese pico calizo con forma de mascarilla que conserva imperturbable su leyenda romántica y su penacho de ventisca. O bien —tranquilo, sin desesperación, invadido de una suerte de indiferencia que no deja lugar a los reproches— dejará transcurrir su último atardecer, tumbado en la arena de cara al crepúsculo, contemplando cómo en el cielo desnudo esos hermosos, extraños y negros pájaros que han de acabar con él, evolucionan en altos círculos.

Para llegar al desierto desde Región se necesita casi un día de coche. Las pocas carreteras que existen en la

comarca son caminos de manada que siguen el curso de
los ríos, sin enlace transversal, de forma que la comunicación entre dos valles paralelos ha de hacerse, durante los
ocho meses fríos del año, a lo largo de las líneas de agua
hasta su confluencia, y en sentido opuesto. El desierto está
constituido por un escudo primario de 1.400 metros de
altitud media, adosado por el norte a los terrenos más jóvenes de la cordillera, que con forma de vientre de violín
originan el nacimiento y la divisoria de los ríos Torce y
Formigoso. Segado al oeste por los contrafuertes dinan-
tienses da lugar a esas depresiones monstruosas en cuyos
fondos canta el Torce, después de haber serrado esos
acantilados de color de elefante que formaron hasta el
siglo pasado una muralla inexpugnable a la curiosidad ri-
bereña; por el contrario, en la frontera meridional que
mira al este el altiplano se resuelve en una serie de pliegues irregulares de enrevesada topografía que transforman
toda la cabecera en un laberinto de pequeñas cuencas y
que sólo a la altura de Ferrellan se resuelven en un valle
primario de corte tradicional, el Formigoso.

Casi todos los exploradores de cincuenta años atrás,
empujados más por la curiosidad que por la afición a la
cuerda, eligieron el camino del Formigoso. Más arriba
de la vega de Ferrellan el río, en un valle en artesa, se
divide en una serie de pequeños brazos y venas de agua
que corren en todas direcciones sobre terrenos pantanosos
y yermos en los que, hasta ahora, no ha sido posible construir una calzada. El camino abandona el valle y, apoyándose en una ladera desnuda, va trepando hacia el desierto
cruzando colinas rojas, cubiertas de carquesas y urces; a
la altura de la venta de El Quintán la vegetación se hace
rala y raquítica, montes bajos de roble y albares de formas atormentadas por los fuertes ventones de marzo, hasta el punto que en más de cinco kilómetros no existe
otro lugar de sombra que un viejo pontón de sillería por
donde —excepto los días torrenciales que pasa una tu-
multuosa, ensordecedora y roja riada —corre un hilo de
agua que casi todo el año se puede detener con la mano.
A medida que el camino se ondula y encrespa el paisaje
cambia: al monte bajo suceden esas praderas amplias (por

donde se dice que pasta una raza salvaje de caballos enanos) de peligroso aspecto, erizadas y atravesadas por las
crestas azuladas y fétidas de la caliza carbonífera, semejantes al espinazo de un monstruo cuaternario que deja
transcurrir su letargo con la cabeza hundida en el pantano; surgen allí, espaciadas y delicadas de color, esas
flores de montaña de complicada estructura, cólchicos y
miosotis, cantuesos, azaleas de altura y espadañas diminu-
tas, hasta que un desordenado e inesperado seto de salgueros y mirtos parece poner fin al viaje con un tronco
atravesado a modo de barrera y un anacrónico y casi indescifrable letrero, sujeto a un palo torcido:

Se prohibe el paso.
Propiedad privada

Es un lugar tan solitario que nadie —ni en Región ni
en Bocentellas ni en el Puente de Doña Cautiva ni siquiera en la torre de la iglesia de El Salvador— habla de
él aun cuando todos saben que raro es el año que el monte no cobra su tributo humano: ese excéntrico extranjero
que llega a Región con un coche atestado de bultos y aparatos científicos o el desventurado e inconsciente cazador
que por seguir un rastro o recuperar la gorra arrebatada
por el viento va a toparse con esa tumba recién abierta por el anciano guardián, que aún conserva el aroma de
la tierra oreada y el fondo encharcado de agua.

El viaje, sin duda, no puede ser más desconsolador:
una llanura sin encanto, una meseta pobre y seca cortada
al norte por el farallón calizo —donde anidan unas águilas
pequeñas como vencejos— que sólo puede coronarse con
la cuerda; y por el este un desierto de ardiente yeso salpicado de rocas basálticas, descompuestas y afiladas, que
al parecer la Sierra ha ido soltando con desgana para distraerse en sus largas y solitarias jornadas a lo largo de
siglos y huracanes; tan sólo mitigado por pequeñas char-
cas de agua milenaria rodeadas de juncos y piornales de
malsano aspecto y extensas llanadas cubiertas a lo más de
matorral, la jara violenta y silbante y la mata del advien-
to, de formas leñosas, tenaces y concentradas, habitadas

solamente por los pequeños reptiles, esa raza extraña (una
estirpe no desesperada, que parece consciente de su próxima extinción) de hermosos, negros, hambrientos y silenciosos pájaros que ya sólo confían en la fosforescencia
para su manutención, y una multitud de insectos tan abi-
garrados de corazas y erizados de armas que siempre parecen dirigirse a Tierra Santa. Cuando al fin —en un
aroma inesperado, en el zumbido premonitorio de un insecto o en el susurro de las espadañas (el melancólico
canto de su anhelante virginidad y de la lejana gloria del
Monje, esa cima con forma de mascarilla que de tanto
en tanto envía su soplo desdeñoso y esterilizador)— se
adivina la proximidad del bosque prometido, el viajero
se encuentra de pronto con un seto de espino, un palo
torcido y un letrero semiborrado que le advierte de la antigua prohibición. Cabe pensar que el viajero decidido
no se ha de volver con las manos vacías —después de
tantos esfuerzos— porque así se le antoje a un aviso anacrónico, colocado allí hace más de cien años, y que se
puede echar abajo de un solo puntapié sin que nadie se
aperciba de ello. Sin embargo, la realidad debe ser algo
distinta porque aun cuando a la gente le consta que un
cierto número de personas ha tratado de subir allí, no se
sabe de nadie que haya vuelto: se dice que es un país tan
salvaje y desierto que sólo quien se prepare a una aventura arriesgada puede concebir esperanzas de llegar a él:
porque los farallones infranqueables, los elevados e interminables desiertos donde silba el tártago, los cañones
cortados a pico donde cantan los arroyos de montaña bajo
el manto de una vegetación lujuriante y hostil (bosques
de helecho gigante y fosos infranqueables rellenos de
acebo, viburno y hierbabuena) no representan ni con mucho las mayores dificultades de la excursión. En Región
apenas se habla de Mantua ni de su extraño guardián; no
se habla de él en ninguno de los pueblos de la vega, ni en
Región ni en Bocentellas ni en el Puente de Doña Cautiva
ni siquiera en la torre de la iglesia abandonada de El Salvador esas pocas noches —tres o cuatro cada década—
en que unos cuantos supervivientes de la comarca (menos
de treinta vecinos que no se hablan ni se saludan y que

a duras penas se recuerdan, reunidos por un instinto común de supervivencia, exagerado por la soledad, o por un viejo ritual cuyo significado se ha perdido y en el que se representan los misterios de su predestinación) se congregan allí para escuchar el eco de unos disparos que, no se afirma pero se cree, proceden de Mantua. Lo cierto es que nadie se atreve a negar la existencia del hombre, al que nadie ha visto pero al que nadie tampoco ha podido llegar a ver y cuya imagen parece presidir y proteger los días de decadencia de esa comarca abandonada y arruinada: un anciano guarda, astuto y cruel, cubierto de lanas crudas como un pastor tártaro y calzado con abarcas de cuero, dotado del don de la ubicuidad dentro de los límites de la propiedad que recorre día y noche con los ojos cerrados.

La gente de Región ha optado por olvidar su propia historia: muy pocos deben conservar una idea veraz de sus padres, de sus primeros pasos, de una edad dorada y adolescente que terminó de súbito en un momento de estupor y abandono. Tal vez la decadencia empieza una mañana de las postrimerías del verano con una reunión de militares, jinetes y rastreadores dispuestos a batir el monte en busca de un jugador de fortuna, el donjuán extranjero que una noche de casino se levantó con su honor y su dinero; la decadencia no es más que eso, la memoria y la polvareda de aquella cabalgata por el camino del Torce, el frenesí de una sociedad agotada y dispuesta a creer que iba a recobrar el honor ausente en una barranca de la sierra, un montón de piezas de nácar y una venganza de sangre. A partir de entonces la polvareda se transforma en pasado y el pasado en honor: la memoria es un dedo tembloroso que unos años más tarde descorrerá los estores agujereados de la ventana del comedor para señalar la silueta orgullosa, temible y lejana del Monje donde, al parecer, han ido a perderse y concentrarse todas las ilusiones adolescentes que huyeron con el ruido de los caballos y los carruajes, que resucitan enfermas con el sonido de los motores y el eco de los disparos, mezclado al silbido de las espadañas al igual que en los días finales de aquella edad sin razón quedó unido al sonido acerbo y evocativo de triángulos y xilófonos. Porque el conocimiento disimula al tiempo que el recuerdo arde: con el zumbido del motor todo el pasado, las figuras de una familia y una adolescencia inertes, momificadas en un gesto de dolor tras la desaparición de los jinetes, se agita de nuevo con un mortuorio temblor: un frailero rechina y una puerta vacila, introduciendo desde el jardín abandonado una brisa de olor medicinal que hincha otra vez los agujereados estores, mostrando el abandono de esa casa y el vacío de este presente en el que, de tanto en tanto, resuena el eco de las caballerías. Cuando la puerta se cerró —en silencio, sin unir el horror a la fatalidad ni el miedo a la resignación— se había disipado la polvareda; había salido el sol y el abandono de Región se hizo más patente: sopló un aire caliente como el aliento senil de aquel viejo y lanudo Numa, armado de una carabina, que en lo sucesivo guardará el bosque, velando noche y día por toda la extensión de la finca, disparando con inefable puntería cada vez que unos pasos en la hojarasca o los suspiros de un alma cansada turben la tranquilidad del lugar.

Medio centenar de personas, todo lo más: un par de veces cada década el vecino arruinado de Región, de Bocentellas o de El Salvador, despierta de su siesta y, sin esperar la orden del eco, descorre con inmutable indiferencia la persiana de canutos o los estores agujereados para observar la nube de polvo en el horizonte de un camino. Con los ojos cerrados su mano abre un cajón lleno de viejas fotografías amarillentas, borlones de seda y bandas de raso de una congregación desaparecida para extraer, de una vieja caja de frutas donde guarda los retazos, un pequeño trozo de cuerda satinado por el uso y anudado en varios puntos como un rosario, en el que, con un gesto diestro y rápido, hace una nueva cuenta cuando el sonido del motor alcanza sus oídos. Imperturbable reanuda la siesta que solamente suspende, dos o tres horas más tarde, para observar la maniobra que se ve obligado a hacer en una estrecha encrucijada del pueblo una tarde de cielo despejado, surcado de nubes hacia el oriente, un viejo, desvencijado y renqueante vehículo de motor, atestado de bultos cubiertos con lonas. En su mirada, a través del visillo, no hay curiosidad ni asombro ni esperanza, pero —al recostar de nuevo su cabeza en un respaldo comido por las ratas, al acariciar el brazo de terciopelo raído— no puede ocultar un destello de malicia y una cierta sonrisa de alivio cuando, al término de la calle y con el cambio de marcha, el sonido se sitúa en un indefinible descenso que parece preludiar su próxima desaparición y abrir el compás de silencio antes del redoble del destino. Nunca, ni en la ciudad abandonada ni en lugar alguno de la vega, se oye decir que ha pasado un coche en dirección a la sierra; no se propaga el hecho ni el rumor corre, pero acaso el presentimiento se extiende —ese estado polar del aire y ese súbito aroma a pólvora virgen, salitre y algas marinas, esa repentina vitrificación del silencio en una mañana de otoño preparada a recibir al viajero, empavesada de augurios y muecas y susurros funerales— antes y después de que el ronquido de un motor, tranquilo, extratemporal, indiferente, incapaz de saber que en su propio jadear se acumulan sus últimos estertores, haya podido alterar la tranquilidad del valle.

Esa misma noche las gentes que lo sintieron pasar acuden con puntualidad a la solitaria torre de la iglesia de El Salvador, para esperar el momento de la confirmación. De noche refresca y en primavera y otoño llega el soplo de la sierra impregnado con el aroma de la luisa y el espliego en el que se mezclan, reviven y vuelven a huir las sombras descompuestas y viciosas de un ayer tantalizado: padres y carruajes y bailes y ríos y libros deshojados, todas las ilusiones y promesas rotas por la polvareda de los jinetes que con la distancia y el tiempo aumentarán de tamaño hasta convertir en grandeza y honor lo que no fue en su día sino ruindad y orgullo, pobreza y miedo. No hacen sino escuchar: la torre es tan chica que en el cuerpo de campanas no cabe más de media docena de personas, colgadas sobre el vacío: el resto se ve obligado a esperar en la escalera —y aun en el corral, en aquellas ocasiones en que ciertos hechos inusitados atraen una mayor concurrencia. No pronuncian una palabra, atentos tan sólo a la dirección del viento y al eco que ha de traer, desde los parajes prohibidos. La espera acostumbra a ser larga, tan larga como la noche, pero nadie se impacienta: unos minutos antes de que las primeras luces del día apunten en el horizonte —ese momento en el que los cautivos congregados para emprender un viaje común deciden, pasada la primera desazón, desentenderse de sus inquietudes para entregarse al descanso— el sonido del disparo llega envuelto, entre oleadas de menta y verbena, en la incertidumbre de un hecho que, por necesario e indemostrable, nunca puede ser evidente. La evidencia llega más tarde, con el alba, la memoria y la esperanza aunadas para repetir el eco de aquel único disparo que debía necesitar el Numa; que sus oídos habían esperado como la sentencia de la esfinge al sacrilegio y que, año tras año, aceptaban sin explicaciones ni perplejidad.

No quedó ningún resto ni explicación alguna. Ni siquiera el rumor, flotando entre el polvo ardiente del valle de Región en otoño, prorrogando para otro momento la respuesta al desafío permanente de sus montes; nadie ha vuelto ni nada parece haber quedado de aquellos viejos vehículos renqueantes que un día cruzaron el pueblo y se alejaron rugiendo por las colinas blancas para ir a violar el alambre de espino y la arcaica barrera que nadie ha logrado ver más que en su legítima posición. Sólo queda el silencio continental de la sierra, testimonio del disparo que un día lo desgarró, y las huellas de unas cubiertas gastadas que, unos metros más allá del tronco, se pierden bajo un bosque de helechos gigantes y bromelias de color de sangre.

En aquella ocasión no se trataba de una vieja camioneta cargada de bultos y cuerdas, sino de un coche negro, de modelo antiguo pero con empaque. No por eso, ni el hecho de ser conducido por una mujer, despertó la curiosidad de los que lo vieron pasar a la caída de la tarde, un día dorado de septiembre, sublimación, éxtasis y agonía de un verano sediento y de un anhelo de agua; más bien vino a aumentar el recelo por los extraños y la confianza en su tierra, capaz de atraer hacia su fin a un género de personas hasta entonces nunca vistas.

Un día del antiguo verano había llegado hasta su casa un coche semejante; a la sazón vivían allí solamente su madre, la vieja Adela y él, con pantalones cortos, que arrastraba su soledad en un jardín recoleto en compañía de unas bolas de barro y unas chapas de botella de cerveza con las que se desarrollaba el combate entre un yo incierto, torpe y tímido y un adversario desdoblado, idealizado y magnificado que las hacía correr con precisión y seguridad. Desde la balaustrada su madre le llamó, vestida con un traje de calle, ofreciendo en la mano su merienda. No parecía descompuesta; él no era entonces capaz de adivinar su emoción debajo del colorete, el traje blanco de ciudad que despedía un cierto tufo al arca y los zapatos de tacón, una indumentaria con la que ya no la recordaba. Se acuclilló junto a él, le entregó la merienda, le atusó el pelo y le sacudió el polvo de los pantalones y el barro de las rodillas. El no dijo una palabra; al ir a tocar un dije que llevaba en la solapa se apercibió de que su labio vibraba. Ella le arregló de nuevo el cuello de la camisa y le besó varias veces; le dijo que se iba de viaje a buscar a su hermano y le susurró al oído, mordiéndole el lóbulo, unas cuantas palabras maternales —oración, amor y bondad, recuerdos, lecturas y limpieza— mientras él jugaba con el dije. No fue entonces para él un momento de separación tanto como un compromiso: ya había pasado la mejor hora de la tarde y se avecinaba la espera en la cocina, jugando con las chapas en la mesa de color hueso y profundas arrugas rellenas de polvo de asperón.

—¿Mañana? —le preguntó, mirando el dije.

—Pasado mañana.

Su madre sabía que más allá del mañana no existía en la mente del niño una noción del tiempo y que por consiguiente sería una separación llevadera, agudizada por un par de momentos, en la jornada del niño, de añoranza y cansancio. Pero el niño ha trocado su desconocimiento en temor y trata de retener el broche en su mano no para impedir la marcha de su madre, sino para guardar algo de todo lo que va a ser destruido en un inmediato futuro de incertidumbre y soledad. O tal vez por eso no es capaz de retenerlo —ni de llorar— porque obediente a sus premoniciones no espera sino librarse de ese vínculo involuntario para poder combatir la amenaza del miedo y, en su doblez, abreviar el momento de la separación para reintegrarse a un juego con el que la soledad del niño —incapaz de hacer comparaciones, incapaz de disfrazarla— se cierra sobre él mismo, protegiéndole y abrazándole con mil ramificaciones silenciosas unidas a su tronco como un rodrigón parásito. Al cabo de los meses, echado en el suelo en un rincón del jardín jugando a las bolas —mientras del otro lado de las tapias las radios lanzan al aire las noticias del frente y los aires populares con letra de guerra— la vuelta de la madre se transforma poco a poco en el único síntoma de su abandono, una emanación nocturna del miedo y una ocupación del vacío producido por la retirada del jugador gemelo en las horas malvas de la tarde, por el espectro siniestro, el estigma de una condición aciaga. No sabía rezar y apenas lloraba; es posible que su propia perdición comience por el hecho de no saber otra cosa que verse a sí mismo, distraído por el solitario combate con el jugador gemelo y embriagado, por la quimérica transposición de su propia imagen a una actividad ficticia, con esa acumulación de deseos en el potencial pasado donde sitúa un reino —regido por el «yo era», «yo estaba», «yo tenía» y «yo llevaba» que comienza allí donde termina el de las lágrimas. Pero hay horas sin duda en que la soledad lo es todo porque la memoria, alejada del juego, no sabe traer sino las imágenes del hastío y los signos de aquella condición: los débiles reflejos de la calle en los cristales húmedos, los pasos bajo la lluvia, los coches que pasan sin detenerse y el sonido del agua que cae en la pila mientras Adela cose; sin saberlo empieza a uncir con odio todos los síntomas de aquella condición: la cama, la estampa piadosa que refleja la luz de debajo de la puerta y el ruido del agua, los suspiros de la vieja Adela y el plato de arroz cocido, sin apenas sal, que parecía surgir en el centro de la mesa de color hueso, fregada con asperón, con la luz propia de su oculto poder,

y todo el orden fantasmal de la casa medio vacía que
—como el templo abandonado, saqueado y sumido en las
sombras y reducido al laconismo de sus piedras y sus
enigmáticas inscripciones— parecía imponer con mayor
severidad su propia disciplina y su propio ceremonial que
en los días de sus fastos. En ese trance el niño se acostumbra de tal modo a su soledad que sólo en su seno es
capaz de reconciliarse con una imagen cabal de sí mismo
y necesita —a fin de robustecer y cuidar un crecimiento
deforme— aborrecer las leyes del hogar: no odiará el
plato de arroz o de lentejas de guerra por su sabor sino
porque su presencia en la mesa ha conjurado el juego y
preludia las largas horas de cama, al igual que el jugador
en el ático de un casino aborrece el resplandor de la mañana en los cristales y esos primeros y entumecidos ecos
de la actividad callejera; el plato sí, y los suspiros, y esa
mano invisible que con gesto samaritano parece salir del
mismo recóndito tabernáculo donde se guardan los secretos del dogma doméstico para depositarlo frente a él
con todo el rigor del rito y la disciplina del penal. Pero
él no lo sabe, lo teme: su conciencia no reconoce todavía
como odio lo que una memoria ahorrativa atesora a fin de
capitalizar los pequeños ingresos infantiles para el día en
que tenga uso de razón; no, no va unida a ella porque
aun cuando la razón demore o suspenda ese día la memoria mantiene abierta la cuenta y entrega a un alma
atónita los ahorros de una edad cruel: un broche de oro
y una mano con un plato de arroz amargo y las reverberaciones de un sueño en las marismas, el horror con que
los dos vieron pasar, con la nariz pegada al cristal y la
atención hechizada por el miedo, los desfiles y manifesta-
ciones de la guerra civil; apenas aparece, entre los brillos
de la noche y el tableteo de las armas, entre los resplando-
res de la batalla en la sierra y los susurros de la vieja Adela a través de las cortinas desflecadas del recibidor, el final de la guerra, la mañana de sol con todas las ventanas
abiertas por primera vez en más de dos años, y los gritos
de la gente, apiñada en la plaza agitando banderas y pañuelos. Sólo fue una mañana y la memoria se negó a acep-
tarla, tal vez porque no venía avalada con los pasos de su

madre. O tal vez porque vino, disfrazada con una gabardina varonil y cubierta con un pañuelo atado a la cabeza, pero no quiso verle. Cerró primero la puerta de la cocina, luego la del pasillo, corrió la cortina de colores ajados del recibidor y cerró todas las ventanas, volviendo a introducir en la casa el hedor polvoriento de la guerra, el aroma acerbo de las viejas tapicerías, las habitaciones deshabitadas y los pasillos en penumbra. No es la memoria la que odia; es ciertamente la que cree, la que diez o veinte años más tarde se complace en presentar a una razón sin recuerdos todo un balance de tardes en los pasillos, de esperanzas frustradas e inversiones inútiles; es más, ni siquiera necesita comprobar el balance de esas primeras y últimas energías que no vacilaron en sacrificar su razón para mantener la integridad de una persona balbuceante, desorientada y abandonada. La mano sí y sus palabras también: la vieja Adela que cortaba sus primeros pantalones largos o removía el potaje al fuego lento, tan lento como para conservarse encendido durante los dos años largos que hubieron de necesitar las tropas para entrar en la ciudad, sin duda el plazo que debía permanecer inmovilizada ante la mesa o la cocina de carbón para que la memoria del chico la fijara para siempre impresionándola en la película no del rencor, sino del insaciable y frustrado apetito de esperanza. Y las palabras que, mientras cocinaba de espaldas a él, subían con la misma irreprimible y gratuita fluidez del humo, todo aquel maremagnum de reyes cristianos y moros sanguinarios y estandartes que seguían flotando al viento en las breñas más recónditas de la sierra, todos aquellos combates de caballería que habían de terminar con una intervención milagrosa, anticipación de aquella vengativa cabalgata de viejos señores desbaratada por el guardián del bosque al que se dirigen todavía las lágrimas y lamentaciones de esas viejas damas que, por miedo a enfrentarse con las ruinas que las rodea, esconden sus miradas hipnotizadas por las carboneras de las mansiones abandonadas, como si ella, abrasada por la historia local, celara esa lenta y última combustión de una brasa a la que un leve giro o un débil soplo transforma en un instantáneo haz de llamas, y con las que, a falta de otras historias, trataba de distraerle durante la cena o sumirlo en el sueño que los ecos lejanos del combate en la sierra le mantenían despierto en la cama, con los ojos brillantes clavados en el techo. Así estaban la noche que siguió a la partida de su madre y así —se puede decir— seguían dos o tres años después, esperando su vuelta. Ella decía que sabía distinguir el ruido de un carruaje antes, incluso, de que los perros se pusieran a ladrar porque durante media vida no había hecho sino acostumbrar y acomodar el oído a lo que pudiera venir; no le dijo nunca: «Esta noche», «Mañana», «Ya oigo algo, hijo, que se acerca»; tampoco le dijo: «Duerme tranquilo, hijo, mañana será un hermoso día» o «Pronto volverá tu madre»; tal vez solamente: «Locura, es locura», «Les van a matar a todos», «Como al buen José, como a tu padre, como a todos», «Ya verás como han de volver», «Ya te digo en qué estado volverán»: un carruaje fúnebre y grotesco, devuelto por la sierra como los restos de un naufragio por la marea, cargado con los restos mortales de todos los antepasados deslumbrados por su propia ambición, conducido por un postillón borracho o un cadáver o un par de mulas enloquecidas. Si algo sabían era oír —por encima de los susurros de la noche, el eco del combate y los desolados ladridos de los perros— «como si ellos mismos comprendieran la futilidad de su acto» * —o el amenazador gemido del monte— sino el signo inconfundible devuelto por el éter para restaurar la paz de sus conciencias. Los carros que se acercaban, hundidos hasta los ejes, cargados de cal en lugar de paja; en las calles desiertas los ayes y los gritos intramuros de las abuelas abandonadas que en los lechos polvorientos trataban de resucitar los dolores del parto; la imagen vacilante, fosforescente y cenicienta del marido, envuelta en el aurea de la mañana con un rictus siniestro y una sonrisa macabra al abrir a sacudidas la puerta y, con un gesto de espanto, rasgar su camisa para mostrar las terribles heridas y el agujero negro en el centro del pulmón, que todos los años volvía a visitarla en la fecha de su aniversario para desaparecer momentos antes de que el viento

* Stephan Andres.

introdujera por la puerta abierta el testimonio de su
muerte: una pelota formada por papeles de periódicos
atrasados que el viento deshacía en el umbral de la casa
para dejar en el suelo la esquela arrugada publicada por
un diario de provincias, unos días antes de su marcha.
Porque si algo habían desarrollado era un cierto sentido
de la anticipación que les permitía escuchar el sonido
del carruaje antes de que hubiera alcanzado el límite de
la provincia, y el único a la postre en el que podían confiar tanto para no hacer caso de las furiosas llamadas
nocturnas del inoportuno visitante que podía confundir
la puerta del hogar abandonado con la de una partera
fallecida, como para esperar el tiro, la sanción, el vere-
dicto pronunciado por el Numa a las demandas de su
ansiedad. No se trataba nunca de espejismos: porque el
prófugo, el marido, el amado o el padre siempre habían
llegado después —como ese tardío y exento de interés
texto escrito de un telegrama cursado por teléfono—,
con la cara empolvada y el gesto, no de dolor ni asombro ni decepción, sino de aversión hacia aquel pasado
momento de inconsciencia que les indujo a desestimar el
fallo que el monte les tenía reservado. Pero a la vejez,
tanto más impaciente y medrosa cuanto más se prolonga
la espera, lo único que le importa es ese testimonio y ese
reconocimiento de su falta que a última hora viene a
justificar y revalorizar una juventud y una madurez me-
diocres, consumidas en el holocausto a las virtudes do-
mésticas, las dificultades económicas, el horror a los viajes invernales y la firmeza para con los hijos. Adela había
tenido un hijo que, sin duda, a su vez había tenido un
padre quien, pocos días antes de alcanzar esa condición,
había abandonado a su mujer —no para huir al monte
ni refugiarse en la mina ni jugarse el resto de su hacienda
en el casino— para establecerse en un país donde tratar
de prosperar: por esa razón no se sabía nada de él ni se
mencionó jamás en la casa, aun en los límites de la cocina. Pero como Adela se había educado en la vecindad
y compañía de buenas familias antes de ser madre había
adquirido un sentido muy estricto de la honestidad y los
deberes del criado por lo que en cuanto su hijo llegó a la

edad de entenderla le inoculó esos desechos de la educación burguesa que las clases humildes han de recibir
como la ropa usada de los señores: abrigos que es preciso convertir en chaquetas y camisas con las que hay
que hacer un pijama. Por eso su hijo debió comprender
desde muy corta edad que si un día debía abandonar el
hogar al menos debía acarrear alguna tragedia, porque
añadir la prosperidad al abandono era algo que se salía
de los límites de la moral de contagio. Abandonó el hogar en dirección opuesta al padre: antes de cumplir el
servicio militar huyó al monte y no se le volvió a ver,
con lo que Adela, en su soledad, se vio en parte recom-
pensada con la posibilidad de esperar un hijo prófugo,
un privilegio de las buenas familias y de la gente educada. Le veía algunas noches; cuando la señora se retiraba a descansar, escondida en su cuarto encendía un cirio
ante la fotografía del hijo vestido de uniforme y, sacando
una botella de vino que todo el día colgaba bajo las sayas, dialogaba con él durante largas horas. A veces can-
taba también, en una voz muy queda, aflautada y temblorosa, adaptando las tres o cuatro letras que conocía
—«vosotros, los querubines» o «cubierta por el polvo
de las tumbas» o «lo mismo que el metal»— a una larga, lenta y primitiva melodía que parecía conjurar el susurro del viento, el murmullo de los árboles y los ladridos nocturnos de los perros y que, sin duda, el Numa —y
toda su corte de víctimas y querubines— debía escuchar
extasiado en una pradera prohibida de Mantua. Nunca le
había dicho nada de él; de pronto quedaba detenida en
actitud de escucha —un dedo en el aire, el oído vuelto a
la sierra y la mirada hacia él, sin verle, mezclando esa
supina y absorta atención del perro de caza con la expresión idiotizada y soñadora de la cocinera que después de
varias horas de limpiar lentejas levanta hacia el techo la
vista para suspirar. Él, con la boca abierta y los ojos juntos detrás de los gruesos cristales de sus lentes, había
aprendido a respetar su atención: las pocas veces que en
el curso de la guerra había tratado de ser informado no
había recibido más respuesta que el «calla, calla» o el
signo del dedo de Adela, negando en el aire o apoyado

en sus labios. También él quería escuchar —cuando Adela, alarmada por la carencia de signos, abandonaba el fogón para pegar su oreja al cristal de la ventana— pero no sabía el qué. Cuando volvía al fuego, para revolver de nuevo el potaje o secarse las manos con el paño, le preguntaba: «¿Los van a matar? ¿Los han matado ya?» porque, sin que ella le hubiera dicho nada, sabía que no se podía tratar de otra cosa. Como no había aprendido a escuchar —una facultad o un privilegio exclusivo de quien tenía un padre, un hijo o un amado enterrado en el monte— y como tampoco Adela sabía decir nada acerca de lo que oía, había llegado a desarrollar una ciencia de interpretación de sus gestos —como si se tratara del vuelo de las aves o el lenguaje de las entrañas— con la que traducir el significado que ella guardaba tan celosamente. Por la manera en que detuvo la cuchara de palo, retiró la olla y se desató el delantal —luego se secó las manos en el paño, le ordenó que permaneciera sentado y callado y, dejando el delantal sobre una silla, abrió la ventana para atisbar en la noche: unos pasos sonaron sobre el pavimento y alguien llamó en la puerta de la calle. Aspiró profundamente y se arregló el moño: «Aguarda aquí, no te muevas». Encendió las luces del corredor y la escalera, se iluminaron los rincones de la casa que habían permanecido en sombras durante dos años, un resplandor opalino invadió el comedor cubierto de lienzos y guardapolvos, como un pequeño cementerio, y los pasos volvieron a sonar en la escalera, pesados y pausados— comprendió que la guerra había terminado pero que su madre no había vuelto. Había un hombre en la cocina —mientras Adela vertía el potaje en las tazas— cubierto de polvo, vestido con una cazadora de cuero oscuro y una gorra de chófer, que se sentó en un taburete frente a él, jadeando. Se quitó la gorra y de un bolsillo interior sacó un envoltorio cubierto con papel transparente, manchado de grasa. Tomó un pedazo de pan seco y lo metió en la sopa pero no debió ablandarse. No habló nada. Mientras tomaba la sopa fue deshaciendo el envoltorio y revisando un montón de cartas y papeles arrugados y mugrientos. Apartó el plato y plegó el último sobre en muchos dobleces.

Se levantó, retiró la chapa del fuego y, lentamente, fue
introduciendo uno a uno todos los papeles sin decir una
palabra. Luego volvió a sentarse en el taburete, quitán-
dose la cazadora.

—¿Y su madre?

—Calla, calla.

Los ojos del niño, aumentados por los cristales de las
gafas, no parpadearon. No eran expresivos y, encerrados
tras el cristal y deformados por el aumento, parecían en-
carnar esa melancolía de la pecera donde no se añora la
libertad y abundancia de otras aguas, donde el pez no se
lamenta de la pérdida de una condición porque no ha
alcanzado el nivel de la añoranza y el ansia de libertad y
que, por consiguiente, sólo sabe mirar con esa muda, profunda e impenetrable seriedad en el fondo de la cual un
brillo apasionado, pugnando por atravesar mil tardes de
abandono, se traduce en la superficie en una expresión
de asombro. Allí se mide la soledad que sólo el niño
—no interesado en dar un nombre a cada cosa e incapaz
de expresar con el gesto el estado de ánimo— puede medir; allí está la respuesta no a la ausencia aceptada dos
años atrás ni a la nueva moratoria, ni siquiera a la ortan-
dad impuesta por el destino con la misma falta de explicaciones y escrúpulos con que la naturaleza le impuso
la miopía y las dificultades para el habla, sino a la recusación del anhelo de libertad y al deseo de olvidar ese
anhelo a fin de, en la reclusión o en el abandono, edificar
sus propias leyes y su código propio y su propia razón
de ser aunque sólo sirvieran para hacer correr unas bolas
por un pasillo en penumbra. No se había movido, sentado en la silla con los brazos encima de la mesa y la cabeza sobre ellos mirando fijamente al intruso, tratando tal
vez de retroceder a una de aquellas tardes sombrías de
la guerra en las que, con ayuda del lenguaje de los signos, era dado esperar y era posible dormir y despertar a
sabiendas de que un día terminaría la lucha y volvería
su madre. O tal vez no, porque la misma tarde que se
despidió su madre una parte cruel de su memoria le
había inducido a perder toda esperanza de volverla a ver
(aquella parte que deesaba seguir jugando a las bolas, sin

duda) y a hacerse fuerte en aquella actitud del hombre
que —tras haber enajenado su libertad para constituir su
propio código— desprecia la revocación del fallo impuesto por un error judicial porque ha encontrado en sus propios recursos la sublimación de una libertad que ni siquiera su madre será capaz de pignorar. El hombre se quitó
las botas y sacó una pistola negra; extrajo el cargador y
media docena de balas, que el niño observó con la indiferencia e integridad con que un juez integérrimo hubiera
contemplado un montón de monedas, corrieron por la
mesa. Cogió unas pocas, las puso en la palma de la mano
y se las plantó delante de la nariz, pero aquellos dos ojos
inexpresivos apenas vacilaron, mirándole de frente, exento de miedo y de sorpresa.

—¿A ti qué te parece?

Le levantó la barbilla.

—¿Qué te parece todo esto?

—¿Por qué no dejas en paz al chico?

Recogió las balas e introdujo de nuevo el cargador en
la pistola.

—Te voy a dejar en paz, eso es.

—Deja al chico, ¿qué culpa tiene él?

Se levantó, cogió la cazadora y guardó la pistola en
el bolsillo del pantalón. Del otro bolsillo extrajo unas
cuantas balas que contempló despacio, como si contara
un montón de calderilla.

—Vete al sótano —dijo Adela—, allí podrás estar.
Ahora bajo yo.

—La culpa —dijo, al tiempo que volvía a meter las
balas en el bolsillo—, siempre la culpa.

El chico no dijo una palabra ni movió un músculo
pero comprendió que la guerra había terminado. Ya
debían estar terminados —Adela los había estado plan-
chando— sus primeros pantalones largos, aprovechados
de otros de su hermano; se diría que aquellos dos largos
años de guerra no habían constituido para él otra cosa
que el intervalo de alboroto provocado en las habitaciones traseras por las personas de edad para mudar su traje
de niño por las ropas de un hombre. Así lo había orde-
nado su madre el día de la partida. Abandonó las bolas

en el jardín para ir a darle un beso y recibir las enco-
miendas de costumbre. Luego, casi todo el tiempo lo pasó
acuclillado, por el suelo de la cocina o el pasillo en penumbra. Se levantó rara vez para seguir a Adela y asomar
la nariz tras las persianas, escudriñando una manifestación de hombres y mujeres vestidos de mono y tocados
con gorros y boinas que, en torno a unos coches pintarrajeados a los que se habían encaramado unos cuantos de
ellos, gritaban vivas y mueras, entonaban unas letras y
agitaban pañuelos, fusiles y bayonetas. Al intruso sólo
lo vio una vez más; demacrado y sin afeitar, sentado en
el taburete de la cocina sostenía con la mano la punta
de la persiana para espiar la calle; jadeaba con mucha
violencia y en cada expiración salía de su garganta un
silbido ridículo y monótono. Hasta que un día le vino a
despertar Adela, con una bolsa en la mano y un pañuelo
anudado en la cabeza. «Ponte esto», le dijo, dejando en
la cama los pantalones largos. «Vamos, no te duermas»,
un hombre vestido de militar le miraba apoyado en el
quicio de la puerta y unos pasos apresurados sonaron en
la escalera. Les llevaron a una casa donde estuvieron
mucho rato esperando, sentados en un banco cogidos de
la mano. Un hombre vestido de militar vino por Adela y
entonces se durmió en el banco, con la cabeza apoyada
en la bolsa. A la mañana siguiente volvió Adela para darle un beso; la acompañaba el doctor Sebastián. Le dijo
que tenía que ir a su casa adonde ella, a la vuelta de un
corto viaje, le iría a buscar. En efecto, unos meses después apareció en la vieja clínica, con el pañuelo anudado
en la cabeza y la bolsa de viaje. Pero por poco tiempo
porque aquel mismo invierno murió Adela a consecuencia de una congestión pulmonar.

Los primeros combates en la Sierra de Región tuvieron lugar a comienzos del otoño del año 1936, como consecuencia de los ataques llevados a cabo contra los pueblos de la vertiente oriental de la cordillera por unos
pocos insurrectos de Macerta. La guarnición de Macerta,

un regimiento de ingenieros, se había unido al alzamien-
to desde los primeros días, sofocando con diligencia la
revolución proletaria que unos cuantos campesinos trataron de llevar a cabo a su manera. Tomaron Macerta
como base de operaciones y, con el primer objetivo puesto en Región, tras requisar todos los vehículos que encontraron a mano, iniciaron una campaña montaraz que,
mediante rápidas incursiones, sumarias emboscadas, arres-
tos y medidas de seguridad que se prolongaron durante
todo el verano, debía llevar la atrición a todos los pueblos
de la ribera opuesta, mal comunicados y demasiado ale-
jados para poder ser ocupados por una fuerza militar tan
exigua. A mediados de septiembre habían ocupado toda
la carretera de Macerta a Región hasta el puerto de Socéanos al objeto de llevar en meses posteriores, con la
llegada del buen tiempo y refuerzos de toda índole, la
guerra en gran escala a una Región que, con sus débiles
recursos y agonizantes energías, había decidido permanecer fiel a la causa del gobierno republicano. Aun cuando
por aquel entonces se trataba de una ciudad casi desierta, el verano influyó no poco en aquella postura; no quedaba nadie importante y muy poco que defender, un
nombre, un instituto de enseñanza media, tres casonas y
unos cuantos gallineros. Ciertos intelectuales de Región
—y la revolución de julio vino a poner de manifiesto que
aún quedaba alguna gente que no sólo se atribuía tal
título sino que sabía contraponer, con orgullo, la profesión de las ideas a la de las armas y a la del dinero—
había hecho público durante el verano un llamamiento
a la conciencia nacional «para dirimir con la palabra,
vehículo del entendimiento, toda clase de diferencias»
que pronto quedó tan invalidado y anacrónico que hubo
de ser sustituido por «una enérgica protesta ante ese intolerable gesto de desprecio hacia la vida ciudadana de
la nación y que, en su empeño, ni siquiera ha vacilado
ante el sacrificio de la vida humana». A la sazón vivía
en el pueblo un hombre alto, entrado en años y canas,
y con el aspecto —quizá exagerado por el hecho de salir
todas las tardes a pasear, acompañado de su mujer, con
un abrigo raído, una boina negra y la cara casi oculta

por unas gafas oscuras— de estar muy acabado de salud.
Todas las tardes de sol paseaba junto a la orilla del río,
cogido del brazo por aquella mujer que apenas le llegaba
al hombro y que, lanzando a todos lados miradas de furor parecía poseída de esa domesticada pero irreprimible
fiereza de un perro en todo momento dispuesto a lan-
zarse sobre los transeúntes para celar la seguridad de un
amo que vive en las nubes. Había asentado en Región
un par de años antes de la guerra, en una modesta pensión del barrio viejo, para buscar sosiego y restablecerse
de una antigua lesión pulmonar que había vuelto a entrar
en actividad. Se llamaba Rumbal o Rombal o algo así;
Aurelio Rumbal; no tenía don, en todas partes se le conocía por el señor Rumbal. Había estado en América
pero no movido por el dinero sino por el afán docente;
había vuelto pobre pero inflamado de cierto ardor jacobi-
no, aureolado de un nombre de luchador —ya que no de
profeta— a quien ni siquiera la lesión pulmonar era capaz de domeñar. Eso, en parte, lo debía a una melena
leonada que había blanqueado prematuramente y a aquellas gafas oscuras detrás de las cuales, al parecer, tenía
su guarida una mirada feroz. Se ganaba la vida como
profesor, como intelectual; daba clases en el instituto;
recibía muchos impresos, escribía cartas a los periódicos,
enviaba artículos que al parecer se publicaban en América
y mantenía el último vestigio de tertulia adonde acudían
unos pocos jóvenes que esperaban, con el tiempo, poder-
le llamar maestro. Su saber, con no ser muy profundo,
abarcaba casi todo el campo de la cultura: sabía qué condiciones se deben dar en una sociedad para que la revolución sea posible, conocía el arte de vanguardia lo bastante como para llamar retrógrado al que no lo era y tenía en su haber unos rudimentos de matemáticas suficientes para dar clases de bachillerato. Aun cuando la
educación había caído en desuso en Región, desde la segunda década del siglo, aún seguían abiertas dos escuelas
públicas y un instituto de enseñanza media; el patio,
ciertamente, se había convertido en una cochera, los por-
teros habían ido, poco a poco, transformando casi todas
las dependencias en corrales pero aún se daba clase y en

casi todos los agujereados encerados de las aulas seguían dibujadas con tiza, más indeleble que el pirograbado, hipérbolas y elipses, frases de francés y fórmulas de química del tiempo de la monarquía. Aún acudía por las mañanas algún profesor que, conservando su amor por la la enseñanza, había perdido la memoria para llevarla a cabo y trataba —en compañía de tres o cuatro alumnos envejecidos, entristecidos y empujados a la bebida— de resolver un enigma de la física que (en los años de prosperidad, en el primer cuarto de siglo) habría servido a lo más como prueba de suficiencia en un examen trimestral pero que para aquel entonces suponía el límite de la ciencia y el umbral de la esperanza. No se sabe si el señor Rombal o Rembal llegó a resolverlo; tal vez ni siquiera reparó en ello porque no fue necesario para acreditar su prestigio. Apareció en la puerta del aula, acompañado de su mujer, y después de contemplar con disgusto la escena de meditación cruzó el escenario con paso decidido y, tomando la bayeta, trató de borrar las fórmulas escritas sin que saliera de los bancos la menor protesta. No era fácil borrarlas; ni siquiera pudo con ellas su mujer que quiso hacerlas desaparecer al día siguiente con agua y jabón pero, más apagadas, como fondo de un encerado rutilante que descubrió su color verde sombrío, las fórmulas quedaron allí para siempre, momento de una hora de dolor, vergüenza y desolación de una tierra agotada y vencida. Pero no por eso tuvo un memento de vacilación: con soltura, con letra enérgica y elegante, con gran aplomo y cierto desprecio a lo que había escrito debajo, ocupó toda la anchura del encerado con una verdad incontestable que, rebosante de frescura y vigor (algo así como «existe en todos los gases una relación constante entre la presión, el volumen y la temperatura»), introdujo en el aula un nuevo espíritu que pronto se propagó a la calle. A partir de entonces se prodigaron sus conferencias en aquel lugar; no enseñaba grandes cosas ni se preocupaba en absoluto de la originalidad de sus ideas sino que tuvo el supremo acierto —sin duda escarmentado de los efectos desastrosos de toda enseñanza que se enfrenta con unos problemas sin contrastar previamente su capacidad para resolverlos— de limitarse a verdades palmarias e incontestables que para aquel público —escaso pero en cierto modo selecto, apegado a las viejas costumbres, que había vivido el desahucio de sus creencias más firmes y tan necesitado de un alivio— constituían una fuente inapreciable de confianza y seguridad, tras tantos años de inútiles sacrificios, de incertidumbres y malestar. Y además estaba su mujer que siempre se sentaba junto al orador, de cara al público, para lanzar a la concurrencia miradas furiosas en las que se combinaba su amor a la disciplina, la complacencia y el desafío y con las que logró abortar —al tiempo que los discursos fueron haciéndose más enigmáticos y duros de tragar, cuando (una vez restablecida la confianza) pasó de las verdades simples a las compuestas, de la mera exposición a la exhortación— una cierta afición a las lágrimas y a la bebida que empezó a cundir entre los bancos de la gente madura. Un día de junio pronunció unas palabras de agradecimiento y nadie sabía por qué, ya que el agradecimiento debía partir más bien de la concurrencia; entonces dijo «...nosotros, los intelectuales, tenemos el deber»... creando una denominación y un vínculo que, bajo la mirada autoritaria de la señora Rubal, fue aceptado por el asombro y ratificado por el silencio. Antes del final de julio acudieron de nuevo al aula —maltrechos, acobardados y vacilantes trataron de buscar refugio entre los últimos bancos, para disimular sus lágrimas y esconder el vino— a fin de escuchar, aprobar y firmar el manifiesto redactado por el señor Rembal. Cuando terminó todos habían comprendido que era llegado el momento de abonar la deuda que habían contraído con él, pocos meses antes. Luego dejó el documento sobre el pupitre y, a una orden de su mujer, se alinearon tras la mesa mientras ellos dos, sentados en el primer banco, observaban los mapas orográficos y la figura anatómica del hombre, una mitad mostrando las vísceras y la otra los músculos, con esa involuntaria y forzosa atención con que el espectador de cine debe presenciar durante el entreacto el anuncio de un colchón. Pero nadie quiso leerlo, era demasiado terrible; lo más terrible era, después de tantos años, volver a encontrar una finalidad de los actos y un motivo de lucha. Las firmas no eran reconocibles, la tinta se corrió, las lágrimas lo dejaron más empapado que si hubiera caído en un charco pero al fin fue firmado y sellado con un tampón que la señora guardaba en el bolso. El señor Rubal lo leyó otra vez, en voz baja, levantando sus gafas sobre la frente y recorriendo las líneas con parsimonia hasta que, con aire de fatiga, de un solo y enérgico trazo que abarcaba toda la anchura de la hoja, lo firmó también. Y después lo hizo su mujer, con vindicativo desenfado, y de regalo dirigió a todos los presentes —apelotonados y apretados contra la pared como ese grupo de colegiales del que ha salido una pedrada, y que trata de defender el anonimato con el abigarramiento— una sonrisa artificiosa y descarada con la que daba a entender —de sobra lo sabían— que a partir de entonces existía entre todos ellos un vínculo secreto e inquebrantable, una sola voluntad y un destino común. Las fórmulas apenas cambiaron aun cuando la política vino a sustituir, durante casi todo el verano, a la ciencia física. Una vez más el señor Robal supo hacer uso de su habilidad para convertir la fórmula del interés, de la amortización o de la ley que rige la conducción eléctrica, con sólo cambiar el Capital en Comité, el Rédito en Región y el Tiempo en Trabajadores, en unas siglas que, nacidas en el instituto, invadieron todas las calles de Región en forma de grandes carteles pintados con cal o alquitrán que habían de prevalecer durante todo el curso de la guerra: CRT, TIR, TDAP, UTE. Durante un cierto tiempo apenas se les vio; recluidos en su pensión renunciaron al paseo vespertino y a la tertulia del mediodía, quizá porque el acto que habían provocado era demasiado trascendente como para no alterar su régimen cotidano o quizá porque aquella acumulación de manifiestos y consignas exigía de ellos dos una tal dedicación que no dejaba lugar al ocio. Pero a principios de septiembre, cuando la situación fue empeorando y las noticias de Macerta tomaron un cariz inquietante, aparecieron de nuevo; ya por aquel entonces la gente salía de casa lo menos posible, las calles desiertas y apacibles, las casas y los comercios cerrados, se vivía en la ciudad con esa falta de quehacer que sólo se da durante una guerra civil; aparecieron encabezando un pequeño grupo de personas que recorrieron casi todo el pueblo a un paso muy rápido, tan rápido que nadie llegó a creer nunca que se trataba de una manifestación; a la cabeza de todos marchaba su mujer, lanzando miradas de desafío hacia los balcones cerrados y arrastrando de la mano al señor Rumbás (forzado a marchar a un paso demasiado violento para su salud) que parecía obedecer a la voluntad de su mujer con la ciega mansedumbre (no había olvidado sus gafas oscuras) de un elefante conducido por un enano vestido de húsar, en el número final del espectáculo. Debieron pasar el día marchando tanto porque carecían de meta cuanto porque una detención habría supuesto el colapso: un pueblo que durante treinta años no había deseado otra cosa que carecer de deseos y dejar que se consumaran los pocos que conservaba, que como mejor solución a las incertidumbres del futuro y a la sentencia de un destino inequívoco, había elegido el menosprecio del presente y el olvido del pasado; que había cerrado las escuelas, había levantado las vías del ferrocarril y tumbado los postes del telégrafo para silenciar los lamentos y las pavorosas advertencias de aquellos que —abandonando su piso en la calle del Císter— se echaron al monte a buscar un montón de fichas de juego o a vivir del pastoreo; y que —más doloroso y significativo todavía— una mañana ardiente y polvorienta del último verano de la dictadura había visto cómo se clausuraba el último cuartelillo y cómo por la carretera de Macerta se alejaba el último destacamento de la guardia civil —un cabo y cinco números, con sus mujeres e hijos, los fusiles, los colchones y los bultos en un par de carruajes que les enviaron al efecto— como un grupo alegre y ansioso de abandonar una tierra que les negaba la subsistencia; ese pueblo —refugiado en los establos y carboneras de las grandes casas vacías, atenazado por las deudas de un pasado en bancarrota y ayuno de toda esperanza que el destino pudiera guisar a su antojo para servirla como desesperación— tenía que ser sacudido, conmovido en su fibra más sensible y movido a la acción por un

matrimonio de ideas avanzadas que recorría las calles a
paso picado para pedir el castigo de los culpables y el poder para los trabajadores. Pero... ¿qué culpables?, ¿qué
poder?, ¿qué trabajadores?

Sin duda que el señor Rumbás había meditado sobre
ello. Su instinto le había dicho que había llegado el momento de levantarse con el poder pero —por su formación— tampoco le era posible olvidarse de la diferencia
entre un golpe de estado y una revolución; primero era
necesario inventar el poder —de una manera automática
la clase trabajadora adquiriría conciencia de tal para reclamar su verdadero puesto— a fin de poderlo derribar en
una primera revolución política que había de abrir las
puertas a la transformación social del estado. Y además
todavía vivían en Región los Asián y los Mazón y los
Robert, los últimos vástagos de las familias liberales a
los que sin duda no sería difícil convencer de que el país,
ahora más que nunca, tenía necesidad de ellos. Nada
era más sencillo, de acuerdo con las previsiones del señor
Rubal, que sacarlos de aquella bodega de la casa de
Mazón donde desde el triunfo de la CEDA, parecían
haberse refugiado para jugar al naipe, beber castillaza,
esperar al otoño para escuchar los disparos de Mantua
y enseñar a cantar al pájaro del capitán Asián. Así que
—tras un día entero de dar vueltas por las calles— se
reintegraron al instituto en una de cuyas aulas, con cierta solemnidad, y tras despachar un propio a fin de cursar la invitación a que se unieran a él a unos cuantos jóvenes principales de la ciudad, se constituyó el Comité
de Defensa de Región que había de influir tan decisivamente en el destino de la ciudad durante los dos años de
guerra y quién sabe si para el resto de sus días.

La primera campaña que emprendió la fuerza republicana de Región —agrupada y organizada por el Comité
de Defensa— fue librada en los alrededores del puerto
de Socéanos, en los primeros días de noviembre del año
1936. Se trataba de cortar el avance de una columna, en

su mayor parte formada de falangistas, que había salido de Macerta por la carretera real con la intención de alcanzar el valle del Torce. En verdad más que la lucha entre dos ejércitos aquello fue la pugna de dos caravanas de coches y camiones anticuados (automóviles amortizados, viejos ordinarios y camionetas de lecheros y leñadores) que saliendo de los valles respectivos del Torce y del Formigoso trataron de encontrarse y enfrentarse en el «divortium aquarum». Pero ninguna de las dos se mostró capaz de coronar el puerto, por cualquiera de las vertientes. La republicana no era una fuerza sino un muestrario: de hombres, de motores, de camisas, de canciones, de mosquetes. Mandada por Eugenio Mazón —por su calidad de conductor más experto y generoso (fue el primero que puso a disposición del Comité aquel viejo sedan que tanta importancia tuvo en la política local de los primeros años de la república)— y conducida por Luis I. Timoner (I. de incógnito), como mejor conocedor del monte, ni siquiera aprovechó la lección para aprender la necesidad de la unidad de mando. Los combates —los coches se abandonaron en las cunetas con las cubiertas acuchilladas, los motores y radiadores ametrallados, los depósitos llenos de agua, las baterías reventadas y los cables sueltos— se prolongaron con ayuda de las caballerías (y con una desgana muy comprensible en quienes se vieron obligados a renunciar a un deporte y un lujo hasta entonces desconocidos) hasta la llegada de las primeras nieves en el mes de diciembre, cuando ambas fuerzas decidieron retirarse, por toda la duración del invierno, a sus respectivas bases de Región y Macerta, manteniendo levantadas las espadas y dejando el puerto al cuidado de los leñadores.

La Sierra de Región —2.480 metros de altitud en el vértice del Monje (al decir de los geodestas que nunca lo escalaron) y 1.665 en sus puntos de paso, los collados de Socéanos y La Requerida— se levanta como un postrer suspiro calcáreo de los Montes Aquilanos, un gesto de despedida hacia sus amigos continentales, antes de perderse y ocultarse entre las digitaciones portuguesas. El **encuentro** de la cordillera cantábrica con el macizo galaico-portugués se produce a la manera de un estrellamiento que da lugar a la formación de esos arcos materializados en terrenos primarios que, al contacto con el sólido hipogénico, discurren en dirección NNE-SSW con una curvatura que se va incrementando a medida que descienden hacia el oeste, apoyándose en las formaciones eruptivas y cristalinas que, en dirección y convexidad opuestas, presentan sus pliegues hacia el Atlántico. En aquel sector la cordillera pierde esa continuidad lineal que, a lo largo de cuatrocientos kilómetros, ha mantenido desde los Pirineos vascos —incluso asimilando a su estructura el secundario de San Vicente de la Barquera— para resolverse en un abanico que se abre en tres direcciones principales: el eje original paralelo a la carrera del sol que, constituido por los plegamientos del ciclo herciniano va avanzando y concentrándose frente al antepaís cantábrico hasta encontrar un punto de máxima resistencia en el extremo oriental de Asturias, a la altura de los Picos de Europa, manteniendo la divisoria de las aguas y estrechando al mínimo la faja costera en el meridiano del Eo; el frente de resistencia apoyado en el antepaís cantábrico e introducido en la península por la extremidad gallega —en dirección a Extremadura— que se mantendrá presente actuando de yunque durante todo el paroxismo herciniano; y por fin el de las líneas principales de rotura, producidas por el conflicto entre los dos ejes dinámicos anteriores y que vienen a coincidir —como una demostración a escala tectónica del efecto de Poisson— con las dos familias de bisectrices de los ángulos formados por aquéllos, que define los límites occidentales de la meseta y que se reitera, en la reproducción del conflicto a escala menor, en las direcciones dominantes de todas las pequeñas formaciones, cordilleras y cuencas que la accidentan. Pues bien, los esfuerzos hercinianos del momento westfaliense han tomado forma (al parecer) en la región astur-leonesa a lo largo de un geosinclinal cuyo eje debía pasar por algún punto de Galicia para resolverse en una familia de arcos de plegamiento de dirección E-W que paralelos entre sí en el occidente de Asturias se van cerrando al contacto con el macizo resistente para mostrar una acusada convexidad en su extremidad gallega. Se supone, en resolución, que con anterioridad al plegamiento existían y convivían dos macizos que han funcionado, durante el paroxismo, como los cratones del geosinclinal: el primero —que se ha dado en llamar «el antepaís cantábrico»— había de ser un yunque formado en su mayor parte de gneis y que situado en el occidente de Asturias y centro de Galicia sirvió de estrelladero de los empujes orientales; el segundo, situado sin precisión al este de los Picos de Europa, no podía ser sino un potente promontorio con una acumulación de rocas ácidas y gneíticas cuyo continuo arrasamiento durante el paleozoico da lugar a esos depósitos periféricos de muy distinta potencia y naturaleza, en los que se adivina el compás y la influencia de las invasiones marinas. Este martillo, introducido en la península a modo de punta de lanza de la plataforma europea y cortado al sur por el mar de Tetys, será el agente ejecutivo de los empujes orientales hercinianos y moldeará, en su carrera de igual signo que la del sol, los pliegues septentrionales de Asturias. Sin embargo, ¿qué fue de él? Es posible que el propio macizo —vehículo del empuje— sufriera en su carrera una parcial o total disolución al contacto de los sedimentos periféricos pero también es verosímil que en su marcha hacia Poniente lograra atravesar el mar de Tetys para —tras una aceleración, como un vehículo por una cuesta abajo, por los terrenos de escasa cementación, lo que justifica la carencia de residuos— incorporarse parcialmente al macizo homólogo del antepaís, creando una confusa superposición de terrenos de parecida naturaleza pero diferente origen y originando en el escudo leonés todo un sistema de pliegues que —desde el Mampodre hasta Babia, de Rañeces a Láncara— presenta cierta analogía con el oleaje de un navío que hubiera zarpado de Liébana para echar el ancla en las riberas del Eo. Este sistema multivario de pliegues será con posterioridad soliviantado y laminado por los empujes alpinos, lanzados enérgicamente en dirección NS, esto es, en el sentido de la máxima fragilidad de la arquitectura posthercipiana cuyos espinazos lineales —coincidentes con

las líneas cresta del oleaje— serán fragmentados como
un teclado, superpuestos como un tejado, desplazados y
dispersos como unas cartas de baraja, para dar lugar a
ese maremágnum tectónico de las montañas cantábricas,
leonesas, zamoranas, regionatas y portuguesas. La sierra
de Región se presenta como un testigo enigmático, poco
conocido e inquietante, de tanto desorden y tanto paroxismo: un zócalo y unos alrededores cársticos y permea-
bles inducen a pensar en una tardía mudanza, un viaje
al exilio; su corona calcárea define —al igual que la concha dejada por la marea sirve de testimonio del nivel alcanzado— el límite meridional de la regresión estefa-
niense que, bajo el influjo herciniano, eleva la caliza de
Dinant a las cumbres más altas de la comarca; el amplio
cinturón de cuarcitas, pizarras y areniscas de cuarzo nos
habla de aquellas largas, profundas y tenebrosas inmer-
siones silúricas y devónicas con las que el cuerpo azotado
y quebrantado del continente se introduce en el bálsamo
esterilizador de la mar para recubrirse de una coraza
de calcio y sal. En planta la Sierra presenta esa forma
de vientre de violín, cruzada por un puente de formaciones detríticas y carboníferas que la enlaza a los arcos
de plegamiento que apuntan hacia el lejano Eo, que al
estrecharse —se diría, por un prurito femenino del talle
o por un impulso masculino de emulación— cobra con
el Torres, el Monje y el Acatón, la importancia y la envergadura de una cordillera. En el estrangulamiento se
sitúa el nacimiento —y el divorcio— de sus dos ríos
principales: hacia levante el Torce, un arroyo saltarín
que inicia con malos pasos una breve y equivocada trayectoria que sólo a la altura de la confluencia con el
arroyo Tarrentino (una impresionante, sombría y negruz-
ca formación de cuarcitas en planos verticales y bordes
en dientes de sierra) se cuidará de enmendar para que
rinda sus aguas donde son necesarias. Y hacia poniente
el Formigoso que, en comparación con su gemelo, observa desde su nacimiento una recta, disciplinada y ejemplar
conducta para, sin necesidad de maestros, hacerse mayor
de edad según el modelo establecido por sus padres y re-
cipiendarios. Tal diferencia de carácter y costumbres pa-

rece inducirles a separarse bruscamente interponiendo
entre sus madres ese escudo primario de planta torturada
en cuya frontera oriental se alzan las cumbres —erizadas, rotas, atormentadas y escoradas— más impresionantes de la serranía: el esquinado Torres, el Monje, el Malterra y la pelada montaña de San Pedro. Adelantada
hacia el sur, como una torre albarrana de la muralla cantábrica, esa sierra parece presumir de la jaque y arrogante soledad del baluarte que ha sido evitado por los inva-
sores septentrionales en su carrera hacia el norte y de esa
prestancia que guarda, con la mayor vigilancia y celo, los
misterios y la virginidad de unas tierras conservadas sin
mancilla durante el milenario cerco. Porque la curiosidad,
la civilización, han tratado siempre de alcanzarlas por el
sur utilizando el curso de ambos ríos como caminos de
penetración; pero ese avance se ha visto detenido, a lo
largo de la historia, aproximadamente en el paralelo
42º 45" de latitud N, a los 800 metros de altitud, más
al norte del cual la exploración sólo se ha llevado a cabo
mediante unas cuantas incursiones esporádicas, ineficaces
y desastrosas. Al norte de Región, sobre el Torce, y de
Macerta, sobre el Formigoso —situadas ambas en el
límite septentrional de los terrenos cretáceos y miocenos
característicos de la meseta—, se despliega esa banda
avanzada de pisos primarios y complicada topografía que
ni siquiera es frecuentada cuando se levanta la veda y a
la que solamente las guerras, de cincuenta en cincuenta
años, son capaces de liberar de su merecido olvido. Cuando se abandonan las vegas bajas y los valles cuaternarios
las márgenes se estrechan y surgen las primeras cerradas,
pudingas y conglomerados de color ocre y vegetación
rala. Por un sarcasmo tectónico la margen derecha del
Torce, a lo largo de esos veinticinco kilómetros del curso
encajado en el paleozoico, parece coincidir con la línea
de mayor resistencia de toda la formación, definida por
una acumulación sucesiva de casi todos los pisos primarios
superpuestos en varias hojas de corrimiento detenidas
allí no por el antagonismo de otras formaciones más jóvenes y resistentes sino por el agotamiento de su impulso
de avance. De forma que muy pronto, a la altura de El

Puente de Doña Cautiva, a menos de quince kilómetros
al norte de Región, el valle adquiere su perfil en V cerrada, tan característico de las cuarcitas, y la presencia
de la Sierra —tan nítida y definida desde las terrazas
de Región— se oculta súbitamente tras sus propios ale-
daños. Menudean los cerrones, cubiertos de una vegetación de pequeños arbustos de raíz somera y ramificación
económica, y los valles transversales, de muy escasa
cuenca, se cierran al pronto por un frontón de caliza de
montaña; el camino —imposibilitado de atravesar la hoz
que el río ha cavado para su uso exclusivo—, remonta un
pequeño cerro y, al tiempo que aparece de nuevo —más
cercana, inesperada y majestuosa— la silueta de las cumbres (alineadas como las unidades de una flota en orden
de batalla) se extiende ante el viajero toda la inmensa
desolación del páramo: una llanada estéril (a la que los
rigores del clima le niegan incluso la vegetación de los
desiertos y donde sólo aciertan a arraigar algunas plantas
de constitución primitiva, crucíferas y equisetos, helechos
y cardos que han perdurado desde las edades paleozoicas
gracias, en parte, a su infecundidad) orlada en su horizonte por un festón cambiante, casi imaginario, de robles enanos. En ese páramo, todos los caminos se pierden, divididos y subdivididos en un sinnúmero de rode-
ras alucinantes cada una de las cuales parece dirigirse hacia una mancha que espejea en el horizonte: lagunas de
aguas muertas y milenarias, carentes de drenaje, que según las épocas del año se extienden y recogen con el
mismo avasallador y efímero ímpetu que la floración de
sangrientas bromelias o los fétidos yezgos. De pronto una
barranca —en la que se pone de manifiesto la naturaleza
hermética e impermeable de la terraza, formada de es-
quistos, pizarras y cuarcitas, gredas feldespáticas de color de ladrillo recocido y colocadas en sardinel, recubiertas de una capa de arena de cuarzo de un palmo de espesor—, pone fin a muchas horas de viaje que ya no será
posible recuperar ni prolongar. El Viajero advierte entonces la realidad del desierto donde apenas quedan señales del hombre: caminos fantasmales y campos baldíos,
montones de papeles que corren empujados por la brisa

superficial y que parecen haberse agrupado en una colonia para buscar de consuno el camino de su migración, observada con desdén y tristeza por un trozo de periódico desteñido por la lluvia y tostado por el sol, enmarañado entre las ramas espinosas que nacen en un médano; hace tiempo que dejó de ver la última alquería abandonada, cuatro paredes de piedra en seco —porque la cubierta se la llevó el viento un mes de marzo—, montones de huesos, carbones vegetales a medio quemar y señales de fuego de pastores y nómadas. Tras la orla de robles (ya no se recuerda la vertiente del río ni se sabe en qué dirección correrán las aguas) el suelo cambia: encima de un farallón calizo desplomado de cuarenta metros de potencia, ornamentado de vegetación colgante, brillan las hayas y graznan unas aves de vuelo lento y pesado, en torno a las troneras naturales, teñidas y manchadas por el curso y la caída de las aguas. Los escalones se suceden, interrumpidos por los cortados y los paquetes de cuarcita, los bulbos de pudinga, para prolongarse y enlazarse con laderas abruptas cubiertas por la vegetación característica del monte bajo y las rocas silíceas; urces y carquesas en una maraña continua de casi dos metros de altura; bosques estrechos en el fondo de los valles que en planta —vistos desde el avión— no son sino líneas sutiles apenas más perceptibles que los regueros del agua que los engendra y que solamente parecen definir la complicada geometría y organización de los tahlweg; pero en la realidad no es posible atravesarlos y recorrerlos longitudinalmente: toda la vegetación que la naturaleza ha negado a la montaña y economizado en la meseta, la ha prodigado en los valles transversales donde se extiende y multiplica, se comprime, magnífica y apiña transformando esas someras y angostas hondonadas en selvas inextricables donde crecen los frutales silvestres —los cerezos bravíos, el mahillo, los piruétanos, el arraclán y el avellano— entre salgueros y mirtos, acebos arborescentes y abedules susurrantes, robles y hayas centenarios, confundidos todos bajo el abrazo común del muérdago y del loranto. Y, sin embargo, esos estrechos y lujuriantes valles también están desiertos, más desiertos incluso que el pá-

ramo porque nadie ha sido lo bastante fuerte para fijarse
allí. Porque si la tierra es dura y el paisaje es agreste es
porque el clima es recio: un invierno tenaz que se prolonga cada año durante ocho meses y que sólo en la
primera quincena de junio levanta la mano del castigo no
tanto para conceder un momento de alivio a la víctima
como para hacerle comprender la inminencia del nuevo
azote. A primeros de octubre comienzan las lluvias hasta
que una mañana soleada y fría —entre San Bruno y Todos los Santos—, tras unos días cerrados de lluvia y niebla, la sierra aparece cubierta de blanco. Si el año es húmedo los temporales de nieve acostumbran a menudear
pasada la Navidad con tanta frecuencia que rara es la nieve que —entre enero y abril— no cae sobre el hielo dejado por la anterior. En la montaña y en el páramo los
síntomas de vida se reducen en esa época a las huellas
de un zorro, de un rebeco o de un lobo, el itinerario de
un paisano —denunciado por las señales de fuego— que
ha buscado durante largas semanas el rastro de una no-
villa perdida. Pero si el año es seco hacia el día de San
Bruno empieza a caer la temperatura por debajo de cero;
no hay otro termómetro que el espesor de la capa de
hielo, la profundidad de la helada en la tierra, en las raíces y en la roca, la fuerza expansiva del agua intersticial
que al congelarse fragmenta y revienta los lisos de cuarcita; todo el páramo se convierte en una inmensa nevera,
los cadáveres de los perros que mueren en diciembre no
se descomponen hasta el mes de mayo, cuando la primera
floración viene a coincidir con un hedor tan extenso e in-
soportable que, sin duda, ha inducido a la imaginación
popular a relacionar el color de la bromelia y la amapola
con la sangre y las vísceras de los difuntos invernales. En
las laderas que miran hacia el norte, a lo largo de muchos valles —los más frecuentes— que corren en dirección ortogonal a la carrera del sol sus rayos no entran ni
tocan la tierra durante cuarenta o cincuenta días y las heladas se suceden e incrementan en profundidad lo mismo
que la nieve en altura. Por lo general enero y febrero
acostumbran a ser los meses más crueles, en los que —por
muy benigno que venga el año— no es fácil que amanez-

ca un solo día grato. Luego vienen los ventones de marzo; tampoco hay anemómetros en la comarca, no existen otros testigos ni registros de la fuerza del viento que esa flora de aspecto austral, de formas peladas y atormentadas por el continuo azote, esos robles desequilibrados y descarnados que sirven de percha al muérdago, cuyas ramas sólo han crecido por la cara que mira al sur, opuesta al soplo dominante, y que parecen alucinadas de su propia condición; y las dunas detríticas en torno a los anfiteatros ·de los farallones quebrantados ·por esa intemperie atroz. En los años de nieve la ventisca de marzo es más temible que la propia tempestad. Cuando a la caída de la tarde se levanta una ligera brisa marcina, a duras penas capaz de sacudir la nieve de las ramas y las cornisas, el horizonte parece esconderse tras una pálida neblina que —en los días despejados— en menos de una hora ha cubierto la sierra con un aparente telón de nubes; el paisano de la vega o el pastor del páramo saben entonces a qué atenerse: cierra todas las ventanas y las contras, retira el ganado de las cubiertas inseguras, recoge todo el grano y la leña que cabe en el interior y, frente a las puertas que miran al septentrión, apoyados en el suelo y en la pared a modo de tornapuntas, coloca cuantos tablones y rollizos tiene a su alcance a fin de formar un jabalcón que le permita salir al exterior bajo un túnel de hielo, cuando amaine el ventón; con la ventisca —en contraste con la nevada— la temperatura baja mucho; el tiempo, el sol, el día y la noche desaparecen bajo un torbellino opalescente de hielo en polvo que gira y sopla en todas direcciones y no conoce obstáculo, alterando y deshaciendo a su antojo esa distribución superficial e igualitaria de la nevada. Nadie es capaz de saber por dónde soplará, qué es lo que va a mover porque no parece obedecer más que a los designios destructivos de un Bóreas enemigo que sabe introducirse por las rendijas, soplar por un portillo, crear un remolino y un vacío para barrer una era y colocar sobre la cubierta de un corralón dos metros de nieve, sepultando animales, carros y personas; o sesgado, para concentrar toda la carga a un solo lado de una tapia y hundirla en toda su longitud; o frontal, para acumular frente a una puerta toda la nieve recogida en diez leguas de páramo y arrasar la vivienda bajo un alud que tiene el don de la oportunidad para elegir los momentos de parto, las cubiertas recién retejadas, el ganado adquirido una semana antes de la feria. Es el viento de marzo el verdadero diseñador de esa arquitectura paisana de cubiertas pinas y lisas, de muros ataluzados y pequeños y altos huecos, como puestos de vigilancia de unos baluartes rudimentarios que sólo conocen la tregua durante los sedientos meses del verano. La naturaleza impermeable de los terrenos, la violenta topografía y la sequedad y el rigor del verano dan lugar a una desecación tan rápida que la mayoría de los años, entre junio y septiembre, sólo en los cauces del Torce y del Formigoso es posible ver correr el agua, un espectáculo que en el resto del páramo va siempre acompañado de daño y violencia, del acorde final y el estruendo catastrófico del colofón de la tormenta. Porque la pluviometría de la primavera y el otoño más que inútil es dañina: los pocos predios y sernas que han sido susceptibles de cultivo quedan arrasados pronto bajo unos palmos de azulada arcilla cámbrica o de greda roja en la que no crecen sino unos famélicos piornales; a la rápida erosión del escaso manto vegetal sucede la invasión tormenticia de los subsuelos sueltos, una masa de lechada parduzca que arrastra bolos de cuarzo y cantos rodados para avanzar incontenible por las vaguadas y cañadas en las que un reguero de agua de nieve y una sedimentación aluvial de arcilla permitirá un principio de cultivo, un espejismo de vega y una fraudulenta esperanza de iniciar una cultura con la que el pastor aspira siempre a redimirse de su condición alimentando unas cabezas de ganado.

Los tres meses de verano son, por lo general, rigurosamente secos. Sólo en las zonas altas de la montaña se mantienen los pastos: la totalidad del páramo en diez días de sol de mayo o junio queda más seco, hirsuto y apagado de color que un estropajo olvidado en el antepecho de una ventana. Tampoco hay higrómetros pero es tal la sequedad de la atmósfera y tan violenta la evaporación (cuando la calina hace temblar la silueta de la

sierra) que los perros que mueren en esas semanas ardientes (y a veces mueren ahorcados, para colgar de los
árboles, como sacos de grano, todos los paquetes visce-
rales acumulados en los cuartos traseros) se momifican en
un par de noches y se conservan amojamados durante
toda la época seca para servir de alimento a las alimañas
que bajan del monte con las primeras nieves. Porque en
verano allí sólo vuelan los insectos: ese monte bajo, cubierto de brezo, carquesas y roble enano que no da sombra, guarda e irradia de tal forma el calor que los jóvenes
y desprevenidos aguiluchos y cornejas que, abandonando sus frescas alturas, bajan al páramo en busca de
comida (aromas sofocantes, vapores tósigos, misteriosos
destellos) pierden a menudo sus sentidos y caen desvane-
cidos para servir de instantáneo pasto a un enjambre de
moscas zumbantes, azuladas y plateadas que pueden de-
vorarlo en menos de una hora con el frenesí y el fragor
de una lluvia de cationes.

Es una tierra que por exclusión —no por recursos—
ha encontrado cierta compensación ganadera a costa de
tantos desengaños agrícolas. Refractaria al arado, alérgica
al fertilizante y renegada del árbol busca todavía en las
mansas y verdes praderas y lagas la riqueza que un subsuelo prometedor y engañoso supo arrebatarle: terrible
venganza de una comarca entregada de nuevo a una ga-
nadería ridícula y a una mesta arcaica para curar y saldar
las heridas abiertas por los pozos, las bocas de mina
abandonadas, las torres podridas, las pardas y estériles
escombreras donde sólo crecen unas tenaces y esporádicas ortigas, de malsana apariencia. Todos los fracasados
intentos de reforma de la economía de esa tierra de pastores y burgos podridos, no han servido a la postre
—desde 1771 y 1836— sino para exagerar el mal estado
de cosas de la propiedad, el laboreo y el aprovechamiento
rural: los bienes de propios, arrebatados a unas comunidades abúlicas y sacados a la pública subasta, fueron adquiridos por los mismos lejanos y desconocidos potentados
que llegaron a tiempo para adquirir los bienes ecle-
siásticos a un precio tentador. Entonces se produjo esa
conocida inversión, consecuencia de una ley abrumada

por la idea fija de la colonización de las tierras incultas y
amortizadas y la parcelación de las grandes dehesas, privadas o comunes. Las tierras bajas, propiedad de la co-
muna o de la iglesia, donde en el siglo XVIII trabajaba el
pueblo afecto y pastaba el ganado en proximidad a los
establos, fueron entregadas al mejor postor, un aristócrata de Castilla, Cataluña o Extremadura, mientras que las
dehesas altas, sólo aptas para el ganado lanar —que eran
propiedad de los grandes señores que controlaban la meseta—, fueron parceladas y distribuidas entre los expro-
piados vecinos, previa entrega del dinero que habían recibido en la transacción anterior. Tras quince o veinte años
de esfuerzos estériles para alimentar entre aquellas breñas unas puntas de ganado bovino o por cultivar un centeno raquítico, agrio, amarillento y granular —responsable de la desnutrición, la degeneración de la raza y la pérdida del vigor físico— el paisano agotado y arruinado, no
vacilará un día en aprovechar la visita anual del adminis-
trador de las fincas bajas para devolverle su parcela del
monte a cambio de la enfiteusis de una insignificante
parte de su antigua propiedad. De forma que la ley no ha
servido —a la vuelta de los años— sino para convertir al
pequeño propietario rural en el enfiteuta de los grandes
señores; y si antes no le daba para progresar, ¿qué será
ahora que tiene que compartir las rentas con un propietario que a la menor dilación en el pago rescinde el contrato? Tal es la fisonomía actual de los burgos, traduc-
ción sórdida y grotesca de esos orgullosos rotten bo-
roughs capaces, al menos, de alimentar un vástago cuya
voz suena en el Parlamento: en el fondo del valle, veinte
o treinta casuchas de piedra en seco —que han alcanzado
la última etapa del progreso en cuanto la paja de las cubiertas se sustituye por pizarra o teja— en torno a una
iglesia descomunal (y semejantes por su acumulación y
pequeñez a ese enjambre de barcas, juncos y saipanes de
los pequeños mercaderes que se arriman al costado del
trasatlántico que hace escala en un puerto exótico de
Oriente) y circundadas por un mosaico de insignificantes predios separados entre sí por enormes tapias de
fábrica, coronadas de alambre de espino y cristales de bo-

tella de bordes afilados, todos los instrumentos de defensa e intimidación que el enfiteuta ha ingeniado para proteger una higuera, dos carros de hierba y un corral con media docena de aves, de la voracidad de su vecino. Tal es el burgo, tal es su pacífica convivencia: una agrupación de enfiteutas temerosos unos de otros, asediados todos por la hostilidad de la geografía, la historia, la geología, la climatología y la mesta, dispuestos a resistir el sitio y mantener su status tanto para defender una economía paupérrima como para alimentar el miedo que inspira toda emigración y todo cambio de su condición y de sus lares. Y en lo alto de las sierras negras que rodean el pueblo las humaredas aisladas que delatan la presencia de esos ocultos, desconocidos y omnipresentes enemigos del paisano —los pastores— que, sin duda, aprovechan su estratégica condición y su apariencia pacífica para vigilar noche y día la actividad del pueblo y cursar a una lejana capital el aviso de evicción en cuanto un paisano levanta la vista del surco del arado. Porque ellos son el brazo secular del terrateniente extremeño o castellano; montados sobre pequeños borricos y encaramados sobre una pirámide de colchones, atados y sartenes (e incluso ahora llevan radio), en el centro de un rebaño maloliente y polvoriento —flanqueado por esos perros de majada que antes que otra cosa parecen celar la segregación de sexos— vuelven todos los años a principios de mayo, con esa supina, maligna, adormecida, bamboleante y enigmática expresión de un Tamerlán que, tras haber recorrido y conquistado todas las estepas asiáticas, apenas abre sus ojos llenos de malicia ante los verdes paisajes de las riberas europeas. Pero desde hace unos años algunos de ellos ya no emigran ni vuelven, con los fríos, hacia su tierra aun cuando persisten —en el espacio y en el tiempo— las leyes migratorias de la mesta; los que se quedan suelen ser muy viejos, quizá incapaces de hacer el viaje y su presencia solamente se delata por el humo; han trocado su tradicional traje de pana y su manta de Béjar y su blusa de fustán por una especie de armadura tártara de pieles curtidas y lanas crudas cosidas con cáñamo, una suerte de cabaña ambulante de la que, como

el bernardo de su concha peluda, ni siquiera en verano se
despojan. Sólo el fuego les despoja de ellas. Acostumbran a vivir a más de 1.500 metros de altitud, en las
laderas que miran hacia el mediodía, bajo unos montones de leña y hojarasca que, observados a distancia,
semejan termiteras. Se dice que, modernamente, con
el uso de la radio algunos de ellos han aprendido a
cantar pero nadie es capaz de abonar una afirmación
semejante; antes no cantaban pero sí entonaban unas
melodías muy singulares —del tiempo de las guerras
de religión o de las campañas napoleónicas— que (sin
duda por su sencillez, monotonía y tristeza) se podían
escuchar a algunas leguas de distancia. De cualquier
forma deben ser muy viejos, tan insaciables y crueles
que cuando en un pueblo se advierte su proximidad
las campanas tocan a rebato; y sin embargo —en contraste con lo que ocurre con el lobo o la alimaña—
nunca, como consecuencia de la llamada, se sale a dar
la batida del pastor. Por lo general mueren abrasados.
Su habitáculo no es más que un stock de leña, una
pila inmensa con un hueco central —el mínimo al
principio, que se va agrandando con el consumo—,
una chimenea y el espesor necesario para alimentar
un pequeño hogar cavado en el suelo durante ocho
meses; un par de cabras ternales, colgadas de una
cabria por las patas traseras (las dos cabezas negras
como dos enormes coágulos, donde se concentra y seca
toda la sangre del animal, son el último, más sabroso
y recio bocado que el pastor reserva para la Navidad
y para la noche de San Juan) constituyen, con veinte
azumbres de vino, toda su despensa. Y es cierto, no
hay fuego más acogedor ni más temible; no hay calor
como el que refleja una pared de raíz de roble seca,
calentada por un hogar cercano donde arde la leña;
no hay nada, en medio del invierno regionato, que
invite tanto al sueño ni nada que exija una vigilancia
más atenta porque al menor descuido —una vejiga
que chisporrotea, un remolino en la chimenea que al-
borota el tiro en el hogar, un leño que rompe y estalla
en cien brasas centelleantes— todo el rústico refugio,

con el pastor, las cabras y el vino dentro, puede pasar en un instante a formar parte de la hoguera, una lucernaria que se mantiene encendida durante toda la noche y que es recibida en los pueblos con júbilo y alivio, con disparo de bombas y toque de campanas.

Por eso se sabe que esa raza de pastores —a la que pertenece el Numa, su más fiero y terne hijo— se ha educado en la vigilia y el acecho; que apenas duermen y que —sin salir del refugio— lo oyen todo; ven en la noche y tienen, como todas las razas habituadas a la espera, un sentido de anticipación funeral del porvenir; pues ¿qué otra anticipación del porvenir que no sea la cita con la muerte cabe en esa tierra?

Así, pues, el viajero que partiendo de Macerta desea alcanzar Región puede optar por dos caminos muy diferentes: o bien descender todo el valle del Formigoso hasta la confluencia con el Torce para luego remontar el curso de éste, o bien cruzar directamente la divisoria de las aguas —a través del puerto de Socéano o el collado de la Requerida—, manteniéndose en la misma latitud en la dirección este-oeste. El primer itinerario es penoso y laberíntico, a menudo impracticable y en algunas estaciones benignas del año, fatal. El viajero que lo intente sin un conocimiento previo del terreno arriesgará muchas horas y leguas de inútil andar, a través de una maraña de caminos encharcados, utilizados durante las épocas de riego como cauces de agua que con frecuencia desembocan en un lagunazo, un pantano o una extensa balsa de cieno. Pues de todos los terrenos de las comarcas ninguno parace más desordenado y caprichoso que los regadíos de las vegas bajas; campos de alfalfa que centellean al mediodía, con dos palmos de agua, y donde, al ocaso, surge ese furioso, unísono y alucinante croar de las ranas al conjuro del cual cielo, crepúsculo, alfalfa, agua y horizonte parecen fundirse en un sonoro y sereno caos que confunde al viajero (con el fango hasta las

rodillas, juraría que el ruido es una nube de insectos
que oculta las estrellas y no deja entrar un asomo de
luz) y espanta a las bestias. La confluencia de los dos
ríos da lugar a una amplia vega, de lujuriante y descuidada vegetación, en la que las corrientes de agua
se dividen y subdividen en un sinnúmero de brazos y
venas que corren en sentidos opuestos y donde el viajero
—perdido entre pastos, praderas, setos de chopos y
abedules— no será nunca capaz de encontrar el sendero
acertado ni el abrigo seguro para pasar la noche al amparo de los mosquitos. Mortificado por un enjambre
de ellos —que le acompaña como un velo de novia—
toda su esperanza a la hora del ocaso se cifrará en esa
banda roja que a través de la espesura define las colinas miocenas que circundan la vega y que tratará de
alcanzar —antes que retroceder— cortando transversal-
mente por los campos anegados para ir a desfallecer
entre las robustas raíces de un alcornoque elevado sobre las mansas aguas.

Aunque de los dos caminos el segundo es más seguro también es más difícil: desde noviembre hasta
junio la nieve, la ventisca, las tormentas, los aludes,
los corrimientos y los ventones de marzo mantienen
cerrado el puerto que solamente en los albores de la
sequía los leñadores y pastores se aventuran a abrir,
con un criterio temporero, para el paso del ganado y
las carretas. De tarde en tarde un contratista de made-
ras —adjudicatario eventual de una corta que nunca
ha llegado a dar el menor beneficio— ha tratado en
vano de abrirlo también al tráfico rodado. Pero lo más
frecuente es que antes de que el acondicionamiento del
camino —unos troncos para cruzar los badenes, unos
golpes de pico para ensanchar una banqueta, un poco
de piedra plegada para salvar puntos blandos— alcance
el vértice del puerto, el contratista se haya arruinado
—o haya desaparecido sin esperar la rescisión— sin
saber cómo. Con media corta hecha los trabajos son
detenidos por la Guardia Civil y los troncos de tejo
y roble, junto con el arca que guarda la herramienta,
cerrada con un candado y sellada con un precinto des-

colorido e ilegible, quedan a disposición del Juzgado Comarcal de Macerta que ha cursado la orden de embargo con el propósito de conjurar la posibilidad de enlace entre dos poblaciones —enlace que nadie, en el fondo, apetece— mediante un insoluble expediente de la justicia que solamente se puede pasar por alto por la vía militar, en épocas de excepción.

Este segundo fue el camino que en la primavera de 1938 decidió seguir el coronel Gamallo —en franca oposición a la estrategia dictada por el Estado Mayor del Grupo de Ejércitos del Norte— en la operación destinada a liquidar la bolsa de Región que hasta esas fechas, aislada del resto de la República y reducida a sus propios recursos desde finales del año 1937, había logrado mantenerse y aun rechazar dos ataques sucesivos. Después de las efímeras intentonas de 1936 —y a comienzos del verano de 1937— el Mando encomendó el curso de la operación a un coronel navarro que con tres regimientos de infantería y una batería de artillería de montaña trató de llevarla a cabo (con la atención puesta en el anterior fracaso de la columna motorizada) sobre los lomos de las caballerías. Cuando la división alcanzó la collada —en cuya ascensión el joven coronel navarro hizo gala de una energía y unas dotes de mando notables—, a la vista del valle del Torce, el único hombre que conocía algo el terreno trató de poner una serie de objeciones al avance que solamente le proporcionaron ciertas dificultades con sus superiores. A sus espaldas, entre los jóvenes compañeros suyos, volvieron a correr ciertas afirmaciones poco agradables para su persona —su carencia de principios, sus fracasos en la vida familiar, su escaso sentido táctico, su falta de maneras, su mano agarrotada, su afición a la lectura y, en cualquier caso, su poca adaptación a la vida del monte y su manifiesto despego hacia los ideales caseros— a las que en verdad debía estar ya acostumbrado porque toda su madurez, en resumen, había estado dominada por su incapacidad para salir al paso de ellas. No había alcanzado el grado de capitán y era ya un hombre viejo, que se comía las uñas; la

mano derecha la tenía casi inmovilizada de resultas de
una antigua herida de arma blanca y para comerse las
uñas la agarraba con la izquierda y se la llevaba a la
boca como si fuera un bocadillo. Nunca había brillado
en su profesión; no era metódico ni enérgico ni tre-
pador ni siquiera seguro de sí mismo pero sí terco
y rencoroso, dotado de esa inalterable e inagotable capacidad de perseverancia —casi independiente de sus éxi-
tos o fracasos— del hombre que sólo conoce un oficio
y carece de toda posibilidad de mudanza y que pasados
los cincuenta años —reservado y hosco, su pecho exento de toda condecoración— se transforma en el símbolo de una seguridad profesional imprescindible —por
paradoja— para alcanzar la victoria en una lucha urdida
y comenzada por unas manos más jóvenes, fuertes y
fanáticas. Empezó a sentirse a disgusto cuando alcanzaron la collada; quizá su mano inválida tembló sacudida por uno de esos reflejos arcanos que hacen pal-
pitar el corazón del hombre cuando se cruza por la
calle a la mujer que amó, treinta años antes; cuando
—antes que la memoria lo advierta— el corazón delata
que por aquel portal y por aquella escalera, treinta años
antes, subió hacia su primera noche de goce; quizá el
corazón no hace sino repetir las palpitaciones de entonces, condicionado por un reflejo que adquirió en
una sola noche, treinta años antes. De acuerdo con el
rito, se celebró en el alto una misa de campaña ante
un escenario de erizadas y torturadas montañas, semi-
ocultas por una desordenada y canosa formación de
nubes, en un claro día de agosto. No vieron un alma
en el puerto, ni una huella ni el menor signo de actividad en las sendas que descienden al valle. Había sido
destacado a la división en calidad de ayudante del coronel, sin mando, como conocedor del terreno y en
cierto modo para justificar el ascenso que había merecido tanto para rehabilitarle de muchos años de ostra-
cismo como para premiar y ratificar su buena disposición en los primeros días del levantamiento. Una vez
allí sugirió hacer fuerte una posición en el collado —la
llave de toda la operación, a su entender, que por nin-

gún motivo debía ser perdida— con la posibilidad de
abastecerse durante unos meses por la vertiente de Macerta e iniciar en la otra —de la que todo, su instinto
y su pasado, le inducía a desconfiar— una serie de
reconocimientos antes de lanzar el ataque final a Región.
Pero eso suponía una campaña a largo plazo que era
lo último de lo que quería oír hablar el coronel. Apenas
le prestó atención ni —menos aún— le permitió entrar
en una discusión táctica que sólo se podría zanjar con
una serie de reproches y acusaciones, de superior a
inferior, que al coronel por decoro le atraía muy poco;
así que —fiel a la práctica cuartelera de encomendar
una función a quien pone reparos a ella— se decidió
a lanzar el ataque sin perder una fecha y le encargó
la organización de unos pequeños puestos defensivos,
casi carentes de enlace e información, que habían de
escalonarse en la retaguardia, sobre la vertiente occi-
dental, a medida que la columna avanzara hacia el
Torce. En los últimos días de agosto la columna —en
su descenso— comenzó a ser hostigada por la gente
republicana; hasta la mitad de septiembre se continuó,
empero, el avance, con muy pocas bajas, a pesar de las
constantes escaramuzas —enérgicos e imprevisibles contraataques lanzados con aquel inconfundible estilo gue-
rrillero de Eugenio Mazón (a la sazón ya eran tres, él,
Julián Fernández y el viejo Constantino) que en la misma
medida que ponían de manifiesto su temple y su fibra
descubrían la pobreza de sus medios— con que trataron
de rebajar la moral de la tropa navarra, desviar hacia
el sur la punta de lanza y contemporizar hasta la llegada
de las lluvias y los fríos. Por vez primera el coronel
picó el anzuelo: al llegar al valle en lugar de avanzar
sobre el río giró su flanco izquierdo hacia el sur y entró
en Burgo Mediano el día de la Virgen de Agosto, per-
siguiendo a la brigada de Julián Fernández a la que
tomó por el grueso de las fuerzas enemigas. Al tener
noticia de ello el viejo Gamallo fue a reunirse apresuradamente —a lomos de una caballería— con su coronel,
a fin de celebrar una entrevista y sugerirle que no con-
solidara aquella posición mientras no conquistara o

destruyera el Puente de Doña Cautiva, pero tampoco
en aquella ocasión su superior —su ánimo estimulado
por las facilidades que había encontrado hasta aquel
momento y por unos cuantos cerdos, mulas, animales
de corral y estampas piadosas que encontró en el pueblo—, situado ya a menos de veinte kilómetros de Región y sin más obstáculo natural interpuesto entre su
columna y la ciudad que el río Torce en su momento
de mayor estiaje— tomó la advertencia en consideración y se limitó a despacharle con buenas palabras porque no tenía ganas ni de modificar sus ideas ni de obligarle, jerárquicamente, a que se mantuviera en su sitio
y supiera guardar las distancias. La memorable acción
de Burgo Mediano tuvo lugar entre el 26 de agosto y el
3 de septiembre; aun cuando las fuerzas navarras orien-
taron su avance, de forma indudable, en dirección a Región, los republicanos, en previsión de un cambio cualquiera, se dividieron en tres grupos: la brigada de
Eugenio Mazón, en la margen derecha del río, aposta-
da en torno al Puente de Doña Cautiva y dispuesta a
cruzarlo en cuanto los navarros reanudaran la marcha
y abandonaran el Burgo; la gente de Constantino —el
viejo minero, el viejo capataz— a lo largo del camino de
Bocentellas a La Requerida, sobre la ladera de la montaña, dominando en altura y a distancia la vega del
Burgo; y, por fin, enfrentada al avance enemigo y es-
calonada a lo largo de la carretera de Región a la sierra
que enlaza Bocentellas, el Burgo y el Puente, el batallón
de Julián Fernández reforzado con los pocos alemanes
que quedaban de la brigada Theobald. Contaban con un
armamento heterogéneo: ocho piezas del 15,5, unos
cuantos 8,8 y howitzers; y en cuanto a la infantería,
las formaciones parecían haber salido de una estampa
de Epinal, de una vitrina de museo o de un desfile de
viejas y alborotadas glorias: campesinos calzados con alpargatas y salomónicos cacherulos en la cabeza, armados
con los viejos Mannlicher de la primera guerra de Africa, junto a los milicianos de gorrillo azul y mucha cartu-
chera, el casco ladeado y el barbuquejo caído, el máuser
o el Bren al hombro y atrás un par de acémilas con las

nuevas Vickers, sin depósito de refrigeración; y los herméticos extranjeros de las brigadas, con cazadora y gorra
de cuero y pistola al cinto, en cuyas caras ya había desaparecido, tras un año de combates, la sonrisa de la
arribada para ser sustituida por la mueca del deber; y
las escuadras de mineros, tocados con boina, marchando
con jactancia y moviendo la cintura atiborrada de bombas
de mano y granadas fabricadas en casa, con latas de
conserva y dinamita negra; y aquella postrera —apresuradamente formada y más que provisional— promoción
de oficiales y clases, estudiantes humildes que en el pasillo del sindicato adquirieron una guerrera y un entorchado y marcharon a la guerra con bufanda: jóvenes de
cuarto de estar y de pensión barata que avanzaban junto
al batallón andando por las cunetas, con los zapatos
abiertos y el pantalón de franela disimulado con unas
polainas italianas. Contra ellos se lanzó, en la madrugada del día 26 de agosto, el impulsivo coronel navarro.
La misma noche del 26 al 27 la fuerza de Eugenio Mazón cruzó el río, girando inmediatamente hacia el sur en
dirección al Burgo después de sorprender y arrojar a un
pequeño destacamento, de casi nula capacidad defensiva,
que había sido apostado a la escucha en la vecindad de
El Puente. Solamente un alférez logró escapar para dar
cuenta al Mando, al día siguiente, de la inminencia del
ataque por la retaguardia. Pero el Mando —en la creencia de que con tales expedientes disciplinarios se podía
garantizar la defensa cualquiera que fuese la naturaleza
del ataque— optó por pasarle por las armas, aquella
misma tarde y tras un juicio sumarísimo, por abandono
del puesto. Y el ataque y el avance navarros se prosiguieron, en la medida en que el enemigo lo permitió,
de acuerdo con el plan previamente establecido y previsto. No existe, para una división a pie, con escasa protección artillera, en todo el valle de Torce un frente de
ataque más ingrato que la llanada de Burgo Mediano;
un pueblo pequeño y apiñado en torno a la iglesia
—toda la edificación es de piedra a hueso— rodeado de
extensas y áridas eras, sin un árbol, donde a duras penas se puede encontrar un escondrijo y tan difícil es, en

esa época del año, hallar la sombra suficiente para cobijar ocho mil hombres. Ese hinterland de arena, sol y pequeñas cercas, de unos cinco kilómetros de diámetro, está rodeado de la foresta típica de la vega y una diadema de colinas rojas, atalayas rústicas, campanarios que surgen entre las choperas desde las cuales el menor movimiento de la tropa será observado día y noche. Toda la noche del 25 al 26 los escuchas exploraron el sector meridional de la llanada, sin advertir otros movimientos que los de las patrullas enemigas; en las primeras horas de la madrugada —antes de que apuntara el día— la columna avanzó en punta de lanza, apretando el paso a fin de alcanzar la vega con las luces matinales. Pero eso era lo que los de la república esperaban, abrigados entre los setos, entre los cauces, los sembrados de centeno sin cosechar, las hileras de chopos, distribuidos y organizados en una maraña de posiciones entre cuyas cuadrículas habían de caer forzosamente los navarros. Rodeados por casi todos los flancos y sorprendidos en aquel laberinto de cercas pronto perdieron todo sentido del avance y se limitaron a defenderse allí donde fueron detenidos, esperando en vano una resolución, una liberación o una tregua que no les fue concedida. A mediodía apenas había tiroteo en torno a media docena de grupos apiñados tras unos montones de cantos rodados que aguantaron hasta aquella hora de la tarde en que, con el fuego de morteros, fueron aplastados por las mismas piedras que les habían servido de refugio. Casi un tercio de la columna había sucumbido en menos de diez horas; el resto o logró alcanzar el Burgo de nuevo o no llegó a salir de él. Pero el coronel no se amilanó ante el revés; aquella misma noche el Mando, irritado y espoleado por el desastre pero no amedrentado, mantuvo la orden de ataque aun cuando se decidió a cambiar el rumbo para eludir la fatal llanada y proseguir el avance por la falda de las colinas donde esperaba la formación de Constantino —que durante la acción del día anterior se había cuidado de no señalar su presencia— con las piezas del 15,5. Tal fue el origen de la batalla de La Loma, el único triunfo real que obtuvieron los republicanos de

Región en dos años de guerra. En contraste con el día anterior la columna navarra salió del pueblo en masa, con el Mando a la cabeza. Unas pocas horas después que el último soldado abandonara el Burgo (porque con las pérdidas sufridas ya no era cuestión de dejar en la retaguardia guarniciones de escasa capacidad de cobertura), éste fue ocupado, sin que se cruzara un disparo, por la gente de Eugenio Mazón: se había cerrado la tenaza del dispositivo republicano, ya sólo faltaba saber si sería capaz de aguantar la embestida enemiga. Al mediodía, en las colinas de arcilla roja, entre las barrancas y pequeños cañones, por los caminos huecos, se había entablado ese combate que durante siete días se prolongará con el mayor encarnizamiento e intensidad. Acosados por todos lados los navarros se pegaron al terreno, estrechando sus líneas, obligados a luchar a media ladera; pero aleccionados por el desastre de la vega prefirieron pujar en la dirección del monte —la que estaba más desguarnecida— que volver a pisar el terreno llano. No por eso dejaron de presionar sobre la gente de Constantino y en los últimos días de agosto alcanzaron con fuego de fusil la venta de El Quintán, que iba a definir el punto de su máxima penetración. Los otros —sorprendidos sin duda ante tanta tenacidad y tanta capacidad de empuje— decidieron sacrificar su estrategia combinada para reforzar a la brigada del viejo Constantino y tratar de detener el avance en aquel punto. Se ordenó a los alemanes de la Theobald que abandonaran sus posiciones en la vega para subir hasta la quinta —donde establecieron su cuartel y alojamientos los propios hermanos Strausse, quienes tuvieron que disparar desde las ventanas en los tres días de acoso— y la gente de Eugenio Mazón, rebasando el Burgo, se internó en la vega para seguir de cerca, a una cota inferior, la progresión del enemigo. Pero sobre todo contaban con la movilidad de los 8,8 montados sobre los camiones del Canadá, de ejes muy altos y que, desplazándose por la carretera de La Requerida —que los mineros, apostados en las cunetas, defendieron con granadas— prestaron un apoyo rápido y definitivo en todos los sectores donde la posición republicana llegó a estar comprometida. Así que sometido a tan fuerte acoso el coronel tuvo que adaptarse a las circunstancias y se vio obligado a detener el avance el último día de agosto; creyendo que todavía guardaba en la mano las bazas suficientes para llevar a cabo una retirada controlada, a lo largo del mismo eje del avance, decidió replegarse sobre El Burgo que fue de nuevo ocupado en la noche del 31 de agosto al 1 de septiembre. Era lo que los otros esperaban: sabiendo que carecía de fuerzas para salir de allí no se preocuparon sino de completar el cerco; Mazón se volvió a replegar al Puente, el terreno que conocía como la palma de su mano; la fuerza de Constantino tras perder el contacto con los que se retiraban (un despegue que fue provocado y acelerado por las escaramuzas de los alemanes, al sur del bastión) pasó a ocupar la carretera de Macerta a fin de cortar el último camino de escape y consumar la destrucción de toda la división; situaron la artillería posicional en la falda de la ladera y a la vega descendieron con las piezas sobre camión. Entre el 1 y el 3 de septiembre el Burgo cambiará tres veces de manos; pero en la tarde del último día la gente republicana apenas se tomará la molestia de ocupar un montón de piedras calcinadas y humeantes, salpicadas de harapos y cadáveres, que al caer la noche se sumirá en el silencio —alterado solamente por el chisporroteo de las vigas, los lamentos de los heridos, el intempestivo y alocado tableteo de los peines quemados— del que no emergerá en el resto de los días. El viejo Gamallo tuvo noticias del desastre cuando el desenlace era irremediable; aun así supo hacer gala de toda la sangre fría, del coraje y de la ausencia de prejuicios necesarios para —en contradicción con su propio sentir, ya desahuciado— reunir sus desperdigadas guarniciones e intentar un ataque en apoyo de las fuerzas cercadas. Al frente de unos mil quinientos hombres sólo llegó a tiempo para contemplar, desde un punto elevado, el holocausto de la división; esperó durante dos días en aquel cerro a medio camino entre el Burgo y el Puente de Doña Cautiva, con los periscopios fijos sobre aquel montón de polvo y humo donde todo, incluso la guerra civil, parecía haberse consumado. Después de

presenciar, inmóvil y oculto, el paso de una columna republicana en dirección al Puente y convencido de que
todas las fuerzas enemigas se retiraban a sus bases de retaguardia sobre las mismas líneas en que habían llevado el
ataque, inició una cautelosa infiltración en dirección a
Región, en busca de unos supervivientes que los hombres
de la República abandonaron a su suerte, conscientes de
que el invierno, las heladas y los pastores acabarían con
ellos más económica y radicalmente. No logró encontrar
sino un centenar escaso de hombres agotados y barbudos,
los ojos hundidos y las caras desfiguradas por las ampo-
llas y que, tras una semana tirados sobre unas piedras o
con medio cuerpo metido en el agua de una zanja, eran
tan incapaces de apercibirse de la llegada de sus libertado-
res como de quitarse de la boca las hormigas o los mosquitos. Durante casi una semana merodeó por el teatro de
la batalla, tratando por todos los medios de pasar inadvertido y dispuesto a consumir el tiempo necesario para,
con el mayor ahorro posible, obtener la mayor cantidad
de información y reconocer el camino más práctico y expedito que le devolviera a la vertiente de Macerta. Casi
un mes duró aquella correría, ocultándose por los caminos y sendas, no respondiendo al fuego de las patrullas
enemigas, desandando una y otra vez el mismo itinerario, recorriendo las líneas de convergencia del dispositivo
republicano y, en fin, cavando las tumbas de sus doscien-
tas bajas. No pasó por Socéanos ni por la Requerida, sino
por un collado mucho más elevado y septentrional desde
el cual —de haber hecho una noche despejada— habría
alcanzado a ver el horizonte humeante de Región y el
resplandor de unas luces que por aquellas fechas apenas
se encendían. Aquel invierno en Macerta lo dedicó al estudio y a la redacción de un anacrónico informe dirigido
al Alto Mando para dar cumplida cuenta de las causas del
fracaso y de su posible enmienda en un ulterior ataque.
Quizá la persona a quien iba dirigido, a duras penas recu-
perada de las emociones de Teruel, paró poca atención en
él y solamente lo comentó con su superior jerárquico con
el piadoso reconocimiento de quien se ha visto en situaciones más apuradas y ha sabido salir airoso de ellas. Pero

en un cierto nivel del Alto Mando hubo sin duda alguien que vio en el informe de Gamallo —premonición que había de valer el coronelato del viejo— un plan cuyas posibilidades e implicaciones estaban vedadas a los ejecutores materiales de la guerra, a los hombres del frente que creen que la destrucción del enemigo es el único propósito de una guerra civil. En su informe Gamallo patrocinaba un ataque a Región en gran estilo, siguiendo en líneas generales el mismo itinerario del desgraciado coronel caído en la acción de Burgo Mediano y fundamentado no sólo en su experiencia de la campaña anterior, sino en otras muchas razones, en cierto modo evidentes para cualquier hombre que contase con un conocimiento sumario de aquellas tierras. En primer lugar porque se había demostrado de forma palmaria y en toda la amplitud posible que la conquista del puerto de Socéanos, con tiempo estable, no suponía otros sacrificios que los de una expedición montañera en gran escala; en segundo lugar porque la ocupación de todo el valle bajo del Torce —haciendo la progresión en el sentido opuesto al de las aguas para coger por su frente aquellos estrechamientos y puntos de resistencia en los que unos pocos hombres con una ametralladora y un howitzer podían detener el avance de una compañía— significaba cuando menos una campaña de cuatro meses y un número prohibitivo de bajas y daños. Por consiguiente una vez conquistado el alto de Socéanos, situado a los dos tercios de longitud del valle, las fuerzas de la República tendrían que optar por defenderse en Región y aguantar el cerco o, siempre que se les enfrentara una capacidad ofensiva que les obligara a renunciar a esa división de sus efectivos que tan buen resultado les dio en la campaña anterior, buscar refugio en el valle alto y en la montaña. Si se decidían por defender Región y retirarse hacia aguas abajo bastaba con perseguirlos, en el sentido favorable de la marcha, y aniquilarlos en las vegas bajas, destacando una fuerza que taponara la salida del valle, en la confluencia del Torce y del Formigoso. Por el contrario, si optaban por refugiarse en la montaña era posible afirmar que con sólo plantear la operación de tal suerte se habría conquistado Región y la zona más codiciada y valiosa del valle sin necesidad de disparar un tiro, reduciendo la bolsa a un sector montañero de ocho ayuntamientos y menos de mil vecinos, carente de los más imprescindibles recursos para aguantar una guerra organizada durante más de un par de meses. Todo el informe, en efecto, no era sino una cadena de sofismas que el más inexperto oficial de Estado Mayor —a sabiendas de que para aquellas fechas lo último que la liquidación del frente de Región exigía era una operación de gran estilo— podía echar abajo con un comentario marginal. Pero en marzo de 1938, tanto en el Grupo de Ejércitos del Norte como en el Alto Estado Mayor un cierto número de oficiales de la más alta graduación —que con fundado recelo observaban el hormigueo político en torno a los organismos del nuevo Estado— no pudieron eludir su propio temor ante los progresos de la ofensiva de Aragón: su frenesí triunfal había de trocarse, a mediados de abril de aquel año, con la espectacular toma de Vinaroz y la división en dos del mapa republicano, en apetito de velocidad primero y en vértigo ante el vacío después. Ciertos ejecutores materiales de la guerra comprendieron por aquellos días que hasta entonces no habían hecho sino procurar la victoria, descuidando sus consecuencias y su inevitable desenlace y dejando a los hombres de la retaguardia —que jamás empuñaron el fusil ni calzaron las botas— el aprovechamiento de su triunfo. Todas las ofensivas, si se pueden llamar así, que se plantearán en la primavera y verano del año 38 se traducirán, por deseo expreso del Mando, en batallas de usura, en ataques frontales con los que desgastar los cuadros —los cuadros de campo sustituidos a menudo por oficiales políticos—, en largas campañas de inútil atrición al único objeto de prolongar hasta sus últimas consecuencias una guerra concluida con un plantel de vencedores demasiado numeroso e inquietante. Los italianos del C. T. V. (en el momento en que se podían extraer sus largas espinas) y las divisiones marroquíes —todos los políticamente inofensivos— son apresurada e inexplicablemente retirados de las primeras líneas para sustituirlos por unas formaciones frescas procedentes de Valladolid, de Galicia, de Navarra y del Maestrazgo, hombres que ocuparon jubilosos las trincheras y que —antes que el manejo de las armas— aprendieron a cantar, a ensayar los aires triunfales con que se dispusieron a hacer su entrada en Madrid, en Valencia y en Región. El Plan Gamallo fue, por consiguiente, uno de aquellos de última hora que se estudió con severidad y rigor y que, a fin de cuentas, fue elegido como el más idóneo para terminar la campaña con la ayuda de un par de divisiones de navarros entusiastas y pugnaces, de vallisoletanos de honra y de flemáticos y reticentes gallegos cuyos nombres inscribieron en unas cuantas cruces y lápidas de mármol, los ornamentos con que el nuevo Estado se decidió a pagar la destrucción que había acarreado a aquella comarca refractaria a su credo. En unas pocas semanas el autor del plan fue elevado al coronelato y a Macerta comenzaron a llegar camiones —capturados al enemigo en el frente de Levante— atiborrados de soldados y capellanes, toda suerte de bastimentos y los pertrechos más inútiles para llevar adelante la ofensiva: cocinas de campaña, autoclaves, equipos de transmisiones, bengalas luminosas... pero nada de artillería. De cualquier manera aquella campaña deparó la oportunidad que el coronel Gamallo —que se había unido al lanzamiento después de ciertas vacilaciones—, tras tantos años de espera, había llegado a considerar como una extravagancia en el reino de las fantasías juveniles. Ya ni siquiera se trataba de venganza, hasta el rencor se había esfumado para dar paso a la curiosidad que había renacido en su ánimo y que —con el placet de su propia hija, detenida en Región como rehén, que le empujó al frente en un angustioso contacto personal que el servicio de canje arbitró en las postrimerías de la batalla —estaba dispuesto a satisfacer a cualquier precio y que, cuando era joven, ni su orgullo se atrevió a anticipar para reponer los agravios, ni su honor para saldar las deudas del juego ni su amor propio para cobrarse venganza de aquel donjuán de provincias que trampeó la apuesta y le quitó la mujer. Había confiscado en Macerta, en las afueras del pueblo, una casa de dos plantas muy semejante a la que habitó con sus tías cuando era estudiante. Una de las habitaciones —en la

que no entraba nadie sino él, cerrada con un candado en
su ausencia— había sido empapelada con todos los 50.000
del valle del Torce (muchos de los cuales no eran sino
áreas en blanco rodeadas de curvas de nivel, de dudosa
verosimilitud), pintarrajeados de cruces, rumbos, elipses
peludas e inscripciones enigmáticas: «Montón de fichas»,
«el burro muerto», «aquí la pastora», «volvemos». Todas las mañanas venía a buscarle un coche militar pintado
de color verde oliva, con un chófer y dos ayudantes de su
Estado Mayor a los que rara vez dirigía la palabra; apenas les correspondía con el saludo —una manera de llevar el dedo a la visera que ni era militar ni era civil, una
regla que, salvando las ordenanzas, se transformaba en un
modo de hacer elocuente su menosprecio— cuando le
abrían la portezuela y entraba en el coche después de mirar al cielo y al tiempo que apretaba el labio inferior con
un gesto de permanente pesadumbre. No confió con ellos
ninguno de sus planes y limitó su trabajo en común a
cuestiones de trámite. En secreto —aun cuando no eludía
ninguna oportunidad para manifestar el carácter personal
de toda guerra— recelaba de ellos y no tanto por su brillante porvenir —porque a ellos sin duda se referían los
diarios cuando hablaban del mañana—, no por su altivez técnica ni por su seguridad e intransigencia en cuestiones de patriotismo, sino porque carecían de un móvil
personal que les hubiera empujado a la guerra y porque
hablaban demasiado de principios. Además tenía que justificar aquel ascenso a deshoras y disimular su apetito cí-
nico de curiosidad con un repliegue hacia la parsimonia
cuartelera y —en algún modo— la prosapia guerrera. No
podía dejar entrever cuáles eran sus intenciones e imaginó
que una cierta hosquedad, una cierta repugnancia al mando y a la acción constituían el mejor disfraz para cobijar
una revancha de la que ya nadie tenía por qué acordarse
a pesar de desarrollarse en el mismo terreno en que una
mujer adúltera, un donjuán de provincias y una moneda
de oro sobre una mesa de juego destruyeron su carrera y
arruinaron su porvenir. Cuando en los años de la segunda República conocieron la misma suerte aquellos compañeros de armas que le habían repudiado y obligado a

despojarse del uniforme, no vacilaron en volverle a llamar a su lado, con protestas de reconocimiento y perdón, invitándole a unirse a ellos en la conspiración; respondió con evasivas, sus ojos puestos en aquella montaña de brezo donde un jinete con la mano vendada trata en vano de transformar su debilidad de carácter en un apetito de venganza y convencido, una vez más, de que no mediaba en aquella demanda un cambio en la estima, sino una necesidad de ayuda. Pero en julio del 36 las cosas cambiaron como consecuencia del provecho que podía extraer de la inquietud que animaba a sus colegas. Sabía que no ahorrarían ningún esfuerzo por desmantelar la situación del país en aquel entonces, que tanto les enojaba. Decididos a todo sólo parecían esperar el mejor momento para actuar —como corresponde a quien está acostumbrado, por su oficio, a calcular las probabilidades de éxito de una acción tan temeraria y decisiva como la que se proponían—. Contaban en primer lugar con el rencor de los privilegiados, con las vacilaciones de un gobierno inexperto y amedrentado y con la brutalidad de una colectividad inculta e ingenua, torpe y sanguinaria, poco menos que satisfecha de dejar saldada la cuenta de cuatro siglos con los incendios y asesinatos de una noche anticlerical. Aparte de todo ello nunca había sido un hombre de porvenir; la mejor oportunidad de su vida se produjo cuando era niño, cuando —como consecuencia de las enfermedades del pecho, de la esterilidad de sus tías— se convierte en el único vástago varón de una familia en la que abundaron los militares y que conservaba un cierto orgullo por el apellido. Su madre —la única hermana que casó y tuvo hijos— hizo un matrimonio desgraciado con un hombre sin carácter que vivía en una capital de provincia, separado de su mujer y de sus hijos acogidos de nuevo a la hospitalidad paterna, la única capaz de darles la alimentación y educación que necesitaban. Sólo una vez al año, durante una breve temporada por las vacaciones de Pascua, le iban a visitar: apenas recuerda un cuarto esquinado en un barrio humilde y desportillado, cercano a la estación. Al final de una tortuosa escalera de madera se abre una habitación estrecha con una mesa camilla, una cama turca y una lámpara de flecos; un único armario donde se guardan las dos camisas de calle, las medicinas y la fuente del postre, unas pocas mandarinas y algo de turrón sobrante de la Navidad. Y un padre triste, amargado y silencioso —sin una palabra de reproche—, sentado tras la ventana junto al visillo mugriento, leyendo el diario que dejaba encima de la mecedora cuando ellos llegaban de la calle para observar de pie, con miradas furtivas, la colocación del mantel y los platos en la mesa camilla. Era hombre de facciones finas y escasa corpulencia: no parecía tener otro don que el de transformar la luz —incluso la de un mediodía del verano castellano— en esa coloración pajiza y purpúrea de una frente melancólica. Pero su formación se llevó a cabo en Región, entre sus tías (todas las noches rezaban el rosario ante una lamparilla de aceite o espíritu del vino) que en primer lugar le enseñaron a andar derecho. En la casa de Región había dos palabras que predominaban sobre cualesquiera otras: dinero y hombre, la primera dominada por el disimulo, la segunda por el furor. La mayor de las tías —se recogía el pelo en dos bolas sobre las orejas que le daban un aspecto de precursor de telegrafista o piloto de pruebas— fue la que tomó a su cargo la responsabilidad de hacerle comprender lo que significaba cada una de ellas. Existía además la dignidad, el apellido: cada dos o tres meses rendían una visita al cementerio, a una sencilla lápida horizontal con tantos nombres masculinos que ya por sí sola constituía un memorial, ante la que se arrodillaban en fila india para persignarse, golpearse el pecho y contemplar el cielo siseando palabras semilatinas que al final de la pequeña ceremonia se traducían en la Oración del Soldado. Sólo salían de visita y andaban por la calle —dos, tres o cuatro en fondo, con el niño a un lado— con la barbilla alzada, haciendo girar sus cabezas a pequeñas sacudidas al igual que una procesión de cabezudos carentes de visión que recibían del éter —a través de las bolas de pelo brillante y alisado— mensajes cifrados acerca del apellido, la decencia, la compostura y la dignidad. Todos los años al llegar el buen tiempo volvían a regenerarse las esperanzas matrimoniales de la menor, ligada por un com-

promiso secular a un joven abúlico, de una familia de co-
merciantes, que sólo sabía andar en bicicleta. Así que en
verano también paseaban a menudo con el hombre de la
bicicleta que caminaba por la calzada, discretamente separado de su prometida —que en aquel trance se encar-
gaba de llevar al niño de la mano— por las tres hermanas
mayores que siempre llegaban sudadas a casa. Entraban
agotadas, embargadas sin duda por una sensación de futilidad y estancamiento provocada por las indecisiones del
ciclista o por el cúmulo de inhibiciones que imponía la
decencia, y, en el recibidor en sombras bañado en el aroma del pavimento y las aspidistras regadas al mediodía,
caían sin resuello en los viejos sillones de mimbre para
concentrar sobre el niño una unánime mirada en la que
se destilaba todo el encono, la esperanza diferida y el recelo de una condición que no se decidía a unirse al hombre
por temor a perder su dinero; he ahí el rayo que la mente del niño fijará para siempre en el negativo horrendo
—un corro de mudas y admonitorias miradas en el fondo
de la penumbra veraniega, con el zumbido de los abanicos y el agitado aliento de los pechos enlutados—, el
signo indeleble de su propia formación: volverá a reve-
larlo, años más tarde, en los momentos de combate; ante
la mesa de juego, al abalanzarse sobre el montón de fichas de nácar, ajeno, siempre ajeno, al gesto de una
mujer que retrocede por los salones vacíos mientras el público corre hacia la mesa donde su mano quedó atravesada por la navaja; a lomos de la mula holgazana, la
mente (espoleada por el eco vengativo y rencoroso de los
abanicos) preocupada tan sólo por el peso de la moneda
que nunca llegó a tener en la mano. Porque todo eso estaba previsto y decidido como consecuencia de una formación que descansaba sobre ese sobreentendido; tal era el
deber —a la sazón su padre había descendido ya al reino
de las sombras; nunca le había escrito y sólo de tarde en
tarde, entre sueños, asomaba la melancolía de una expresión, envuelta en una luz cerúlea que apenas iluminaba el
pómulo y la frente taciturna, en la que no había censura,
sino una mitigada pero insalvable retracción nacida de un
concepto diferente del dinero—, un correlato de la glo-

ria del apellido, un dogma para revestir de recelo el objeto de su afán, una forma hereditaria de defensa ante las imposturas del alma. Lo podía haber asumido el caballero de americana blanca y camisa rayada y sombrero de paja que todos los domingos por la mañana dejaba su bicicleta apoyada en la verja pero también él fue vencido, a pesar de su espíritu pusilánime. Y sin embargo... era también otra cara —aunque más risueña— de la misma corrupción y de la misma avaricia. Durante los inviernos, encerradas en un trastero del último piso desde donde se llegaba a columbrar la sierra, se ocupaban de poner a punto, con todos los ornamentos de seda y brocado que quedaban en el fondo de las arcas, un traje de soirée de color azul indigo que, un día al fin, se encargaría de poner fin al terrible combate entre los dos ídolos que luchaban en la casa. Lo habían encajado en un alto maniquí de abultadas formas —que la mujer jamás sería capaz de igualar— que, desde varios años atrás, presidía aquel cuarto de costura, convertido en templo y que parecía invadir toda la casa con los enigmáticos efluvios de un culto secreto y prohibido. Pero él parecía reírse de su propio culto y despreciar su feligresía. Algunas veces, a hurtadillas, subía a verlo: recortado contra la silueta de la sierra en la ventana, iluminada por la luna, se diría que cruzaba con ella un cambio de mensajes sibilinos y amenazadores, en un lenguaje de destellos entre el corpiño de raso y las cumbres de caliza. Era una conjura de la que tampoco debía estar ajeno el hombre de la bicicleta que tuvo que huir —sin despedirse ni hacer las maletas, la máquina la encontraron después en un bosque de alcornoques— tal vez al día siguiente de recibirse en el cuarto de costura el aviso más significativo: un disparo de fusil que vino a rematar, como la explosión del cohete, el viaje por una solitaria senda de la sierra de una bamboleante calesa envuelta en una nube de polvo. Luego vino la reclusión, los años de estudio y avaricia. Una tarde clara de octubre la mayor de sus tías le acompañó hasta la encrucijada donde paraba el coche de Macerta, una carretera flanqueada de chopos dorados y salpicada de hojas muertas de roble, del color de la sangre seca. Todos los años de internado

—corredores de azulejo chillón, delantales de mahón y un olor a rancho que emanaba de las cocinas y parecía impregnar todos los pasillos y las aulas, y los pasos susurrantes de los hermanos violentos y las tardes de los domingos lluviosos, contemplando cómo en el patio se formaban los charcos y los regueros— transcurrieron en la espera de un envío de dinero que no llegó nunca; no sólo estaba incapacitado para todos los extras, sino que al llegar la Navidad o la Pascua tenía que ver cómo se quedaba sólo a falta de un billete en el ordinario que todas las mañanas, más allá de la tapia de ladrillo recocido y carbonilla, pasaba en dirección a Región rompiendo el malva de la madrugada con su terrible fanal de sodio. Vivió en el internado durante ocho años, sin abandonarlo siquiera durante los períodos de vacaciones en los que todo el alumnado se reducía a cuatro internos menesterosos que dormían en un dormitorio semivacío y cenaban en silencio, al fondo del refectorio apenas iluminado, presididos por el lego tuerto que cuidaba de la huerta y separados por una cortina de los Hermanos charlatanes y gritones que, en ausencia de la disciplina, se congregaban en una sola mesa para disfrutar a sus anchas de la licencia. Entonces llegaba la carta: era una fórmula sencilla y breve, semejante a la que el banco emplea para dar cuenta al cliente del estado de su cuenta (y que al igual que ella parecía reclamar su conformidad con los números), por medio de la cual su tía le venía a demostrar que el sacrificio y el ahorro de hoy no son sino el bienestar y la hombría de mañana.

Más o menos como lo había previsto, en la primera decena de aquel mes de septiembre las fuerzas del coronel Gamallo clavaron de nuevo su bandera en el collado de La Requerida, a la cota 1640, tras seis días de marcha y sin otras bajas que los enfermos y lesionados de costumbre, un par de muertos y siete heridos de bala de fusil, caídos en una escaramuza nocturna con elementos republicanos no identificados. Era un sábado. El domingo por la mañana —un día despejado en que soplaba el viento norte y las nubes procedentes del Cantábrico venían a agruparse en el horizonte— se ofició en el collado una misa de campaña y se repartió un rancho especial, con carne de conserva de Mérida. El coronel no fue visto en todo el día; ni asistió a la misa ni a la comida de oficiales ni siquiera pasó revista a las tropas, anunciada para la media tarde, y se limitó a cursar —a través de un ayudante— la orden de romper filas después de cuatro horas de inútil formación. Los oficiales con mando de mayor graduación trataron de celebrar, después de la retreta, una entrevista con él a fin de confirmar y repasar las órdenes e instrucciones del día siguiente y que en ningún momento se había preocupado de trazar con el necesario detalle. Les hizo esperar durante unas cuantas horas, mientras bebía un vaso de leche sin cocer y contemplaba ensimismado —a la luz del carburo— una postal provinciana de antes de la Dictadura. No quería convencer ni discutir; no quería censuras, recomendaciones ni interrogantes; no tenía la menor intención de hacerles partícipes de un planteamiento táctico basado, en gran medida, en la independencia de los sectores y en el cumplimiento, por parte de cada unidad, del cometido asignado cualquiera que fuese el resultado vecino. Sabía que su plan más que censurable, era inexplicable y ni siquiera él tenía un deseo expreso de aclarárselo a sí mismo; era una locura, la única aventura que un capitán responsable se hubiera prohibido a sí mismo por poca que fuera su consideración de la fuerza del adversario. Pero en aquellas fechas el adversario apenas contaba: era el último considerando que se introducía en los cálculos y no porque la experiencia de la campaña anterior o la información más reciente hubieran inducido a menosprecio, sino porque tal factor, con no ser decisivo respecto al resultado de la campaña sí lo podía ser respecto a la definición de los móviles que la motivaban. Cuando se estudia y compara el desarrollo de las dos campañas de 1937 y 1938 no se comprende muy bien cómo dos ejecutorias tan semejantes condujeron a resultados tan dispares y cómo el viejo y lento Gamallo supo caminar con éxito allá donde, unos meses atrás, el coro-

nel navarro no hizo sino tropezar y caer. Sin duda el adversario no era el mismo aun cuando técnica y militar-
mente hubiera sabido conservar intactas sus fuerzas, ya
que no incrementarlas. Pero políticamente no; ya era un
cuerpo enfermo, carente de futuro, acosado por las deudas, desfondado por los desengaños, amedrentado por la
incertidumbre y entregado al progreso de su propio mal,
«sin más calor en su interior que el necesario para alimentar su fiebre». Todo el curso de la guerra civil en la
comarca de Región empieza a verse claro cuando se comprende que, en más de un aspecto, es un paradigma a
escala menor y a un ritmo más lento de los sucesos pen-
insulares; su desarrollo se asemeja al despliegue de imágenes saltarinas de esa película que al ser proyectada a
una velocidad más lenta que la idónea pierde intensidad, colorido y contrastes. Porque en Región no hubo
coincidencia de fechas; el intento republicano de sofocar
un levantamiento militar no fue simultáneo a la revolución proletaria que pignoró los recursos para llevar a
cabo el primero. Los efectos del levantamiento del mes
de julio que sacudió al país fueron apercibidos sólo en
agosto, con el eco de unos disparos en la sierra y la bara-
húnda de las bocinas de los coches requisados mezcladas
con el grito de las mujeres; y la revolución proletaria que
había de cambiar la faz de media España en aquel verano
sangriento vino a repetirse, por un efecto de mimetismo,
con los suaves y ajados matices del otoño. Hacia finales
del 36 empezó a cundir y prevalecer en la parte republicana una mentalidad más estatal que revolucionaria; en
todos los espíritus con las miras puestas en el triunfo militar —condición indispensable para cualquier otra aventura— empezó a abrirse paso una cierta intención con-
servadora de volver a la «amalgame» para, a costa de los
intereses de partido y de clase, crear el ejército por encima de la milicia y el estado por encima del sindicato. Pero
ese proyecto, penosamente elaborado y trágicamente hecho pedazos en los campos del Jarama y el Tajo, en Bru-
nete y Teruel, en cierto modo prevaleció en una Región
circundada de silenciosas montañas y pequeños predios,
habitada por una colectividad homogénea en la pobreza y

carente de un proletariado que había emigrado diez años
antes de que se clausurara la última casa-cuartel de la
guardia civil, y en la que el más tímido intento de colec-
tivización se emparenta con la locura, el anticlericalismo
será siempre un chiste, el sindicato una vanidad y la
anarquía, el respeto a la tradición. Fue republicana por olvido u omisión, revolucionaria de oído y belicosa no por
ánimo de revancha hacia un orden secular opresivo, sino
por coraje y candor, nacidos de una condición natural
aciaga y aburrida. Prevaleció un año y medio, de finales
del 36 al otoño del 38, acaso porque la unión republicana, que no tenía que mimar o paliar una revolución, se
formó ante una mesa de naipes y se preocupó tan sólo
—sin socializar industrias ni colectivizar las granjas ni
quemar las iglesias ni fomentar la formación política de las
masas— de salir al paso de aquellos que cruzaban las montañas para interrumpir una velada de amigos en torno a
una baraja o una botella de castillaza. Los sucesos de
agosto y septiembre que no nacieron violenta ni espontáneamente sólo sirvieron para la creación de aquel ridículo Comité de Defensa, presidido por el señor Rumbás, que
—tras colaborar en el aborto de la ofensiva falangista de
agosto— fue arrinconado y sustituido por un Ejecutivo
Popular en el que tomaron asiento casi todos los hombres que habían participado en la subida a La Requerida.
En el Ejecutivo no sólo estaban representados todos los
partidos, sino también todas las pasiones y facciones; no
cabía hablar de delegados porque nadie representaba más
que a sí mismo toda vez que un partido o una facción
—en la comarca regionata— apenas contaba con más de
seis miembros, si era numeroso, todos los cuales se creían
con derecho a asistir a las sesiones. Así, pues, más que
un Ejecutivo era un parlamento donde se sentaba aquel
que quisiera y donde fue posible —hasta una determinada fecha— no sólo solventar las diferencias entre los diversos grupos sin que trascendieran a la calle (que al fin
y al cabo no se preocupaba de esas cosas), sino adoptar
las grandes líneas estratégicas —la unión de fuerzas de-
mocráticas, la línea antifascista, el retorno al estatismo—
con un cierto tácito consenso popular. No es que el pue-

blo de Región se hubiera desinteresado de la política; en
realidad había pensado muy poco en ello y hasta la ju-
bilosa algarada del 14 de abril se vio en gran medida mitigada porque en todo el pueblo no existía una sola bandera que teñir de morada ni a nadie se le pasó por la
cabeza la idea de subir al balcón del Ayuntamiento —que
sin duda se hallaba en estado de ruina y se hubiera venido abajo, tiñendo de luto el día— para agitarla. La
política —o más bien la expresión de alegría y desenfado republicanos— entró en Región subida en un coche
grande y viejo que había adquirido Eugenio Mazón nadie sabe cómo. No podía ser con dinero —su madre no
se lo daba ni él lo tenía— aunque él afirmara, un tanto
evasivamente, que no era más que un premio a un naipe
afortunado. El coche permaneció durante un par de años,
las cubiertas podridas entre los cardos, los gatos cobija-
dos a su sombra, toda la capota cuajada de excrementos
blancos, en el jardín de la casa donde apenas servía para
otra cosa que para escondrijo de unos cuantos amigos
cuando se trataba de beber castillaza a altas horas de la
noche. Porque la casa —silenciosa, arruinada, casi todos
los huecos entablonados y el jardín salpicado de desper-
dicios, juguetes rotos y ropas miserables— seguía siendo
una de las más respetables del pueblo a pesar del suicidio
del padre y de ciertos pasos equívocos de algunos hermanos, gracias a la presencia de su madre que, todo el año,
vivía allí, completamente sorda y medio ida, sentada en la
penumbra en un sillón de mimbre, acompañada de una
vieja doncella, haciendo nudos incansablemente a una
cuerda de cáñamo o a una cinta de terciopelo. Pero aparte de eso el coche empezó a adquirir cierta inicua fama
como lugar de citas amorosas hasta el punto de que ciertas señoras giraban la cabeza al pasar junto al jardín y muchas mujeres se negaban a subir a él, incluso a media tarde y en compañía de sus amigos. No fue una cuestión de
reputación sino de práctica lo que indujo a Eugenio Mazón a ponerlo en marcha; pero sólo la mala fama les convenció de que, adquiriendo unas cubiertas y una batería,
podían utilizarlo para provecho de todos y para sacar de
él un fruto que les estaba vedado con la inmovilización.

Además era un coche en el que, bien arrimadas, cabían
ocho o diez personas que para hacer una excursión tenían que llegar a una cierta intimidad en común y olvidarse para siempre de ciertos requisitos del pudor, de
tantos tabús a los que la decencia impone el rigor de la
soledad. Luego, era justamente eso lo que trataban de
romper porque en aquellos años no hubo otro intento de
liberalización de las costumbres que el abandono de la soledad, una cosa que los jóvenes de Región sólo pudieron
hacer unidos entre sí y subidos al coche de Eugenio Mazón. Ocurrió también que uno de aquellos amigos logró
consolidar —nadie supo por qué medios— su imposición
como candidato independiente a las elecciones a Cortes
del otoño del 33. Aquella candidatura no sólo sirvió de
pretexto a muchos viajes de placer, sino que —como
consecuencia de la política expansionista de la CEDA y
su táctica de copar las circunscripciones olvidadas— constituyó un vínculo de unión y de esfuerzo para todos aquellos jóvenes que, en su entusiasmo, llegaron a encargarse
trajes oscuros en una sastrería de Macerta. Fue una campaña electoral breve pero intensa y hasta las mujeres se
acostumbraron a subirse a un asiento trasero del coche
para, en una plaza de El Auge o de Burgo Mediano o de
El Salvador y ante media docena de gañanes que habían
dejado la partida de dominó para escucharlas extasiados,
pronunciar su conocido discurso sobre la nueva libertad
sexual que ellos patrocinaban. Pero aun cuando un programa así tenía por fuerza que ser sugestivo —viniendo
de aquellos labios— por regla general (y salvo algunos
entusiastas que en medio de grandes extremos y abrazos
quisieron hacer efectivas y suyas las propuestas sin esperar el voto) fue recibido con hostilidad y sarcasmo cuando no con insultos y pedradas. En contraste con ellos los
candidatos adversarios demostraron que estaban a la altura de los tiempos: eficaces, diligentes y agresivos no
vacilaron un instante en salir al paso de aquellos aficionados inesperados en cuyo programa se reflejaba de manera palmaria la frivolidad de sus vidas. Para luchar
contra el dinero de la CEDA, contra la ideología socia-
lista o los bastones del partido radical —y a falta de un

programa político atractivo para el pueblo— decidieron
utilizar un pájaro amaestrado que el capitán Asián había comprado en Las Ramblas a muy buen precio. Era
un pájaro grande, torpe y negro y de aspecto poco sim-
pático, que con un aleteo frenético volaba un corto tre-
cho a dos metros del suelo para posarse y, con esas miradas impertinentes de las águilas de los blasones, lanzar
un agrio graznido que sonaba siempre a burla. Al principio lo soltaban en la calle, a la entrada de los mítines,
para atraer al público; poco a poco el capitán —que lo llevaba en una jaula disimulada bajo un sayo negro— se fue
atreviendo a soltarlo en las salas e incluso en aquellos me-
renderos a orillas del río, donde con frecuencia se reunían
los partidarios de un determinado candidato para, con
unas fuentes de jamón, unas jarras de vino y unas cuantas
sandías, celebrar la buena acogida de un discurso suyo.
No hubo acto que le resistiera, tal era su furor y su graznido; primero trataban de cogerlo, atraídos por su vuelo
bajo y sus patas abiertas, corriendo tras él por las calles
sin apercibirse de que sólo el capitán era capaz de co-
brarlo, tocando un silbato especial que le vendió también
el hombre de Las Ramblas. Más adelante se optó por
huir de él, pues al parecer al volar arrojaba un excremen-
to que quemaba la ropa y producía pústulas. Y por fin,
cuando los oradores se reiteraban y alargaban en exceso,
era requerido, buscado y recibido con alivio y alegría.
A la postre —y en gran parte gracias al pájaro y los discursos femeninos— el pueblo de Región, aunque se abs-
tuvo de votar, no pudo por menos de lamentar su alejamiento de una política que le podía proporcionar tan buenos ratos.

La ofensiva organizada por Gamallo se proponía no
sólo la captura de Región, sino la ocupación de todo el
valle medio del Torce, mediante una serie de ataques si-
multáneos: una primera columna, la más fuerte y colocada bajo su mando directo, apoyada con piezas 12/125
y algunos Schneider, debía desde La Requerida girar en
dirección al mediodía para, después de cruzar los collados por donde se había retirado el año anterior, descender al valle por algún camino situado entre Región y

Burgo Mediano, cortar la carretera que las enlaza, avanzar
hacia el río y proseguir la marcha hacia Región, por ambas márgenes, cualquiera que fuese la disposición enemiga. La segunda columna, gente bisoña y milicias de la retaguardia que no habían hasta entonces conocido el fuego,
agrupadas en torno a un núcleo de veteranos del Tercio,
con dos compañías de howitzers montados sobre mulas y
cuatro secciones equipadas con aquellas primeras ametralladoras Spandau —más impresionantes que eficaces—,
tenía cierto carácter defensivo y debía —de acuerdo con
el plan— establecer más o menos a la altura del Puente
de Doña Cautiva una fuerte y doble posición que atrajera
sobre sí la atención del enemigo y ocupara todas sus fuerzas situadas aguas arriba de aquel punto. De no existir
tales fuerzas debía, tras una demora prudente, apoyar el
avance de la primera escalonándose en el espacio y en el
tiempo. La tercera columna, algunos moros y voluntarios veteranos, equipada con armas cortas y automáticas,
granadas y morteros, debía derivar hacia el norte, manteniéndose aproximadamente a la cota 950, para cruzar el
río a unos 20 kilómetros de El Puente y, al dictado de la
oposición enemiga, hacerse firme allí o reanudar su ataque en la dirección de las aguas a fin de enlazar con
las otras formaciones. Con este plan Gamallo esperaba en
un plazo no mayor de diez días no sólo ocupar todo el valle medio —en una longitud de unos treinta y cinco kilómetros— sino descalabrar toda la defensiva republicana
y reducir sus fuerzas a un par de bolsas, sin comunicación con el resto del país, obligadas a rendirse o a proseguir la resistencia en el corazón de la montaña. Parece
evidente que sus intenciones no estaban exclusivamente
dictadas por la mejor estrategia para ocupar Región; si
ese hubiera sido su único propósito le habría bastado
—en aquellas fechas— o bien lanzar un único ataque
frontal en lugar de escalonarlo y fragmentarlo en tres fases
o bien repetir la vieja técnica —ensayada y reiterada tantas veces en el norte, en Málaga y en Madrid— de rodear
la ciudad, cortar sus suministros, hacer cundir el pánico
y dejar abierto uno de sus caminos de escape para que
por allí evacuara un enemigo con escaso ánimo de defen-

derse. En esa campaña del 38 hay varios enigmas, muchas cosas que no se comprenden si se analizan tan sólo a través del prisma de la economía bélica; persiste, se diría, no tanto el deseo de liquidar definitivamente —y en el menor plazo posible— la resistencia del enemigo como —una vez que se ha alcanzado el resultado inevitable que asegura la victoria, afianzada ya aun a pesar de algunos reveses locales— de asegurar la estabilidad política para llegar al fin de las hostilidades con el mínimo margen de amenazas y peligros y el máximo de seguridad interior. Toda la campaña del 38 se hubiera podido resolver con mayor economía y en menor plazo con un solo ataque lanzado sobre Región. Habría —inevitablemente— conquistado la plaza en unos pocos días para —haciendo gala de fuerza, energía y resolución— colocar a todos los republicanos en la situación de rendir sus armas. Porque, aunque parezca paradójico, la rendición en masa o el abandono de toda voluntad de resistencia se habría producido con sólo ocupar un solo punto, Región. Pero viceversa —la otra cara del mismo axioma—, al extender el combate durante largos meses a un extenso y complicado sector del valle no hizo sino concebir esperanzas en el seno enemigo, incrementar su voluntad de resistencia y prolongar la campaña hasta la consunción total de sus energías, en unas peñas abruptas y unas breñas inaccesibles de aquella montaña que tanto ansió pero nunca logró pisar.

Los primeros contactos se establecieron en la madrugada del 13 de septiembre, a lo largo de la carretera de La Requerida a Macerta, a unos nueve kilómetros de El Puente. Una avanzada de voluntarios, abandonando las laderas y adentrándose en la vega, llegó a vista de él al mediodía del día 12 para batirlo con fuego de morteros durante toda la tarde de aquella jornada. Por la madrugada se vieron hostigados por disparos sueltos, procedentes del lado de Macerta, que —para su propio asombro— les fueron empujando hacia el río. Como recelaban una emboscada no se decidieron a cruzarlo. Durante cinco días se prolongó un combate incierto y poco enérgico, llegándose a cruzar el tiro a través del río y sin que ningún combatiente se aproximara al adversario menos de quinientos metros. Cuando el reconocimiento informó de la magnitud de la columna nacional todos los republicanos del sector decidieron recogerse en la margen derecha y aguardar el asalto, trasladándose y conservando el dominio artillero de la carretera. Hasta el día 22 fueron capaces, con la concentración de toda la columna de Mazón en un limitado sector frente al estribo del puente —cavando trincheras en las laderas y escondiendo los morteros entre las urces—, de sostener el ataque enemigo que sólo esporádicamente y durante pocas horas logró avanzar por la explanada opuesta: los últimos moros —las medias azuladas y los amplios capotes, un pañuelo blanco y algún bonete rojo que asomaba entre los setos— que enardecidos por el coñac barato intentaron durante siete días y sus noches el asalto a las viejas torres de rajuela (y tal los descendientes de la misma jarca, los mismos collares de hueso, de jade o de malaquita enhebrados con hilo de esparto, los mismos rosarios y las mismas talegas de lino cargadas con el fruto seco del Rif, el mismo polvo mogrebino que doce siglos atrás vadeara el mismo río con las mismas voces agarenas para acuchillar a un centenar de caballeros erguidos bajo los estandartes, cuyos lamentos y ruidos de ferralla entre el chapoteo de los caballos el agua parece evocar y volver a interpretar todos los años para conmemorar una fecha, los días de avenida) para depositar bajo la mirada risueña e intemporal del león borbónico apoyado en su blasón, unos cuantos cadáveres que a la luz de la luna en la explanada brillaban como las gavillas en la era, sus capotes agitados por el céfiro de la mañana mientras la luz del nuevo día despertaba los chillidos de los heridos, enloquecidos por la sed, que arrastraban sus vísceras por la arena y llamaban a sus compañeros de armas ocultos entre los espinos. La noche del 24 la brigada de Julián Fernández —mucho más numerosa— se unió al grupo de Mazón, en espera de que el ataque enemigo lanzara sobre aquel sector sus mejores fuerzas y energías. Pero sin duda el enemigo, después de aquel primer y eventual revés, decidió reorganizarse y reconsiderar la situación durante tres días de relativa calma; por ambas partes cesó la acción y se prodigaron

los reconocimientos, se cavaron las trincheras, se consoli-
daron y reforzaron los puestos, se situaron los nidos de
ametralladoras sobre los puntos altos. En los últimos días
de septiembre el cáncer que amenazaba al organismo republicano presentó unos síntomas que pusieron de manifiesto la envergadura del mal y el irremediable final de
aquel cuerpo enfermo que aún ayer tenía la apariencia de
salud y de reservas como para superar la crisis. Pero el
cuerpo que en 1937 supo —haciendo abstracción de sus
propias desavenencias— olvidarse de sus males constitu-
cionales para combatir el mal exógeno se había abandonado ya al proceso de la enfermedad, sacudido por los
cañonazos rebeldes, las luchas entre grupos y las diferencias personales, desmembrado en un número de facciones que ya no se preocupaban de la salud del todo.
Era un organismo —aquel Comité de Defensa transformado en Ejecutivo Popular y vuelto a transformar en
Junta de Defensa— no jerárquico, una especie de parlamento sin gobierno que se hallaba muy lejos de poder
salir al paso de las desavenencias y decisiones personales;
por eso pocas horas después de que un cabecilla abandonara airado la sala de juntas —en el Ayuntamiento de Región o en el cercano edificio que requisó el Comité o en
la clínica de Sebastián o en aquel hotel de mala reputación,
en la carretera de la sierra— la gente del frente deser-
taba de sus posiciones para retirarse a un feudo privado
y continuar la campaña como francotiradores cuando no
disparaban contra sus antiguos camaradas de armas. Como
a los diez días de ofensiva la Junta no supo tomar una decisión —ni siquiera la de abandonar Región— la defensa
se mantuvo y continuó en todos los puntos sin otro plan
que el que cada cual, en su frente, supo arbitrar al dictado
de su juicio. El grupo de Asián, Mazón y el viejo Constantino, partidarios de abandonar Región y de lograr en
lo posible una rendición negociada, logró en cierto modo
conservar la disciplina de la amistad y mantener durante
toda la campaña una línea de conducta unánime, ahorrativa y lógica aunque dictada por ciertos sentimientos derrotistas. La negociación se hizo imposible —e inútiles
todos sus esfuerzos y sacrificios— por la intransigencia de

otros grupos que, engañados por su fuerza y por su credo, enarbolaron la insignia de la resistencia a ultranza sin pararse a pensar en su famosa invencibilidad. Todavía en aquellos días finales del año el mayor obstáculo para abandonar Región no lo constituían ni las cabezas de puente de los insurgentes ni su desordenado e imprevisible cañoneo, ni los ataques de la aviación que con sólo dos actos de presencia para ametrallar una carretera apiñada de evacuados hizo cundir el pánico, sino las fuerzas de Julián Fernández que, apostadas en todas las salidas y encrucijadas, más dispuestas parecían a celar la observancia a las consignas de sus jefes que a defenderse de la común agresión.

El 27 por la noche, obedeciendo las instrucciones de un enlace despachado desde Región, los trescientos hombres de la Columna de Mazón —al socaire del bombardeo— abandonaron sus puestos en la explanada y, divididos en pequeños grupos y siguiendo senderos diferentes, iniciaron su marcha hacia la sierra para agruparse de nuevo a unos veinte kilómetros aguas arriba de El Puente, al objeto de franquear y asegurar un camino hacia la montaña que pudiera permanecer expedito para los fugitivos políticos de Región. Rodeados éstos de la hostilidad de todos los elementos de la 42, no contaban sino con la protección de una menguada guardia personal, alojada en el mismo edificio del Comité, y el más que dudoso apoyo de la gente de Asián que, con la ayuda de los alemanes, defendía en el sector de Bocentellas el acceso directo a Región por la margen izquierda, frente al grueso de las fuerzas de Gamallo, tan poco necesitado en apariencia de la prisa y de la agresividad. Las acciones de Porticelle, de Nueva Elvira y Bocentellas vinieron a definir las líneas de acción de una estrategia directa cuyo objetivo no era difícil presumir; a finales de octubre entraba Gamallo en Bocentellas, un pueblo incendiado entre cuyas ruinas yacían aniquilados los restos de la vieja columna Theobald, tres docenas de alemanes, centroeuropeos y judíos que, carentes de munición, optaron por arrojarse en los corrales en llamas antes que entregarse a los insurrectos. Entonces se puso de manifiesto, en toda

su envergadura, el precio que había de pagar el mando de
la 42 por sus indecisiones de la quincena anterior. Porque
en cuanto progresó el ataque en El Puente, al afianzarse
la posición en la margen derecha y cortarse en una longitud de dos kilómetros la carretera de Región, el problema de dónde y cómo y para qué plantear la defensa aflo-
ró con la más imperiosa e ineludible urgencia toda vez
que, en aquellas fechas, después de dos meses de lucha,
era fácil suponer dónde conducía la rendición. Sólo el
viejo Constantino —el primero entre los derrotistas que
renunció a una solución pacífica— comprendió que con
el grueso de las fuerzas de Gamallo acampadas en la vega
de Nueva Elvira la única salida viable consistía en abandonar la defensa de Región para, agrupando sus efectivos,
tratar de anular la cabeza de puente y recuperar el dominio de la carretera. En el curso de aquella última y
dramática semana de octubre Región quedó desierta; desierta quedará para siempre, comida por la lepra de los
disparos, las cubiertas agujereadas y las alcantarillas abiertas, el viento que remolinea y susurra por los huecos
abiertos, los lienzos rasgados, las puertas que chirrían en
sus goznes y golpean en sus marcos, incapaces de cerrarse
sobre una edad de vergüenza y estupor; hundida en el polvo y rodeada —como la Nínive de Jonás— del fuego, la
ceniza y los pedernales, emblema desgraciado de aquella
voluntad fratricida. También quedó a oscuras, excepto
por un instante en el colofón de la batalla, aislada en
aquel sombrío hinterland entre los dos ejércitos dispuestos a asestarse el golpe mortal y —se diría— sumergién-
dose lentamente en las tinieblas de la historia, rodeada de
los fugaces destellos del cañoneo y el parpadeo de los vivacs, como las luces de los pequeños barcos pesqueros que
han abandonado sus faenas para acudir al punto donde
se hunde el coloso. El avance de Gamallo quedó detenido, con la noticia de la ruptura del frente de la 42, cuando
sus avanzadas alcanzaron las primeras casas de la margen izquierda; pero no se decidieron a entrar ni a cruzar
siquiera el río mientras en la épave repentinamente rodeada de sombras, humo y niebla, sonaron los ecos de los
combates callejeros, el ruido seco y espaciado de los

pacos y la lánguida respuesta de las ráfagas, creciendo
en su furor hasta el inverosímil diapasón del alarde final
de una fiesta pirotécnica terminada en unas bengalas furtivas, restos chisporroteantes y fumarolas rosas. Sin duda
el viejo Constantino adivinó su pensamiento y quiso an-
ticiparse, en la medida de sus fuerzas: retiró casi todos
los efectivos del pueblo, lo rodeó de un cordón de vigilancia y mediante esfuerzos recíprocos, trató de lograr la
soldadura entre la 42 y los restos de la 17 para embolsar
la guarnición enemiga del Puente, decidido a volver sobre el frente principal una vez que lograra terminar con
la amenaza de su flanco izquierdo. Pero en aquella operación de alivio —los combates en El Puente habían de
prolongarse durante veinte días más en los que (a lo largo
de un sin fin de cambios de fortuna) aquella miscelánea
«landsturm» española, formada por campesinos, muy
pocos obreros, viejos anarquistas y gente de doctrina,
comunistas de nuevo cuño, tres o cuatro militares de
carrera fieles a la idea republicana y unas quintas de jóvenes a los que sólo la conscripción fue capaz de sacar
de su atonía rural, volvía a demostrar los mismos vicios
y virtudes que en los tiempos de Aníbal y Sertorio: in-
segura y violenta, tan indisciplinada en las horas de ardor
triunfal como incontrolable en los momentos de desmayo.
Nunca fue otra cosa que una fuerza agresiva lanzada en
pos de la presa pero —despectiva a toda previsión, indiferente a los planes y carente en tal medida de fibra resistente que nunca supo consolidar sus esporádicos triun-
fos— apenas dispuesta y preparada para soportar los rigores de la «guerre à outrance» y, en cuanto su deseo
agresivo quedaba satisfecho, su apetito parecía liberarse
de toda intención bélica y no ansiaba sino encontrar un
lugar donde marginarse y esconderse, para rehuir las
consecuencias de su anterior conducta; era como un animal en celo que tras consumar el acto sexual busca inquieto, jadeante —los ojos desorbitados y el pelo eri-
zado— un refugio apartado y seguro donde cobijar su
agotamiento —aun cuando las fuerzas republicanas lograron en dos ocasiones alcanzar sus objetivos locales, quedaron fuera de combate. Las dos cabezas de empuje

lograron unirse, atravesando de nuevo la carretera de Región, y forzar de nuevo al enemigo a pasar el río; volvieron a ser cortados como consecuencia de los refuerzos que despachó Gamallo —pacíficamente asentado frente a la desmoronada Región— y el combate quedó limitado y centrado en la posesión de aquel paso. El siguiente empeño —el más agresivo y sangriento, el único que la 42 combatió palmo a palmo, consciente tal vez de que se trataba del último— se desarrolló en sentido inverso; tras abandonar todo el sector entre la cabeza de puente y Región las fuerzas de la república, antes de la huida final hacia la montaña, atacaron en dirección norte-sur y llegaron a entrar en posesión de toda la llanada de El Puente —era la segunda decena de noviembre y había caído la primera nevada— que en los últimos días de su combate será el escenario de su final: su objetivo, su trampa y su tumba. Al tener noticias de aquella postrer acción el viejo zorro decidió sacudir su modorra y abandonar su campo frente a la vega del pueblo para —cruzando a través de él sin necesidad de ocuparlo— ir a asestar el golpe final a aquella desventurada fuerza que, deslumbrada por la conquista del puente, no quería apercibirse de que ya no tenía reservas para defenderlo. Entonces se le presentó la ocasión con que había soñado desde que empezó a planear la operación: perseguir por el valle hacia aguas arriba, en dirección al norte y con una división considerable y unificada bajo su mando, los restos de un grupo de combate que trataría por todos los medios de buscar refugio en la montaña. Retiró a los reclutas y a los moros, licenció los cuadros que habían demostrado un comportamiento destacado y gallardo y, colocando a los navarros en el frente de avance, inició aquella lenta y segura marcha que debía terminar en los antiguos dominios de sus mayores. Un mes más tarde, un día que debía visitar las avanzadas y poco después de abandonar el cuartelillo que había organizado en la clínica del doctor Sebastián, en un recodo de la carretera su coche fue tiroteado por un grupo de guerrilleros y allí, en una cuenta y a media mañana, murió junto a su chófer —sólo un ayudante escapó con unas heridas en la cabeza— el hombre que, movilizando todo un ejército, había intentado, con el pretexto de una vieja afrenta, violar la inaccesibilidad de aquella montaña y poner a la luz el secreto que envuelve su atraso. Pocos días más tarde el Mando ordenó suspender *sine die* la operación de limpieza y la guerra concluyó, en la sierra de Región, dejando las cosas (en lo que a la tradición se refieren) no sólo igual que estaban el año 36 sino agravadas por la oculta y no desmentida presencia de unos pocos hombres de la resistencia que buscaron su cobijo en los terrenos prohibidos.

Años más tarde se asegurará que se trata de un ejército fantasmal (con la ropa, la carne y el cabello desteñidos), escondido entre los piornales, que flota vaporoso sobre las ciénagas insalubres y que asciende por entre las urces, en las madrugadas, al tiempo que se retira la niebla nocturna. Un nuevo regimiento espectral que ha venido a unirse a los fieros voluntarios carlistas que hundieron sus lanzas y clavaron sus gallardetes en el valle del Tarrentino; a los monásticos y rubios y acorazados caballeros que despiertan con las avenidas de octubre para pasear su altivez y su desprecio por las márgenes del río asesino; a los rencorosos guardianes y guardabosques de las viejas mansiones, la carabina al hombro, las guerreras destrozadas y las barbas enredadas con el mismo arañuelo parásito, como hilas de algodón, que se cría en los rosales bravíos y en los espinos; a los viejos y hostiles pastores de ojos menudos y vivos que habitan en las alturas y se esconden bajo sus montones de leña. En realidad no hay una sola noticia exacta con referencia a aquellos fugitivos que —una mañana muy fría de enero del año 1939— abandonaron el último aprisco para, trepando penosamente por entre las laderas de brezo, perderse en la niebla, un día tan cerrado que hasta los primeros farallones calizos se ocultaban a la vista. Se dice que horas más tarde una serie de disparos llamó la atención de una avanzada navarra que había ascendido hasta el refugio de Muerte y que salió en descubierta, durante toda la tarde, para volver al mismo sitio, empapados de agua y escarcha, sin haber podido encontrar el menor rastro. Tampoco hay acuerdo acerca de la identidad y el número de los fugitivos: quizá sólo eran diez o quince —según el sentir común— y entre ellos, Eugenio Mazón, el viejo Constantino transportado en unas angarillas, herido en un pie y con un ojo vendado, el ahijado del doctor Sebastián acompañado de aquel hombre maduro y enigmático que no se había separado de él durante toda la guerra, tres o cuatro soldados y —cerrando la fila— el mayor de aquellos hermanos alemanes que miraba siempre hacia atrás (tenía unos ojos de color de paja, una mirada inalterable no expresiva pero emotiva) no tanto para vigilar como para despedirse de aquel valle del Torce donde habían perdido la vida todos los suyos.

2

Ciertamente era un coche parecido, del mismo color negro, a aquel en que se había marchado su madre al principio de la guerra. Pero si el recuerdo de su madre se había borrado —una miríada de pequeños cambios por medio de los cuales se transforma el contacto de una mejilla en el sabor de una manzana—, el del coche había quedado, aislado en la memoria e inatacable al dolor. Toda la tarde permaneció cerrado en la carretera, bajo la sombra de una encina, un poco apartado. Toda la tarde lo estuvo observando desde lejos, detrás de una cerca de piedras, los ojos clavados en sus dos grandes faros, incapaz de curar con el recuerdo aquello que la memoria ha sellado con dolor; hasta que de improviso una mujer de elevada estatura apareció junto a él. Un bolso le colgaba del hombro; llevaba unas gafas oscuras que se quitó al abrir la portezuela; encendió el cigarrillo y se introdujo en el coche, después de mirar al cielo.

Entonces echó a correr, a través de los campos de centeno recién segados, saltando las cercas de piedra; toda la mañana había estado limpiando el caz, con una azada de mango largo, los pies metidos en el agua; cuando se sentó a comer divisó por primera vez la nubecilla de polvo en la carretera de Región, pero no se sobresaltó. El conocimiento que en vano interroga a la voluntad acerca de un registro sepultado bajo la soledad, bajo mil tardes soleadas de abandono, se transforma en malestar e inquietud; apenas podía masticar el pan de centeno y poco a poco fue perdiendo el hambre, mientras contemplaba la nube de polvo que avanzaba lentamente hacia él. Cuando llegó a la casa no tenía resuello y la camisa le colgaba de la cintura; saltó la verja, corrió a la cuadra, trepó al sobrado y, arrastrándose por la paja, se acercó al ventanuco para observar cómo la mancha negra doblaba un recodo al tiempo que la nube de polvo rojizo ocultaba momentáneamente la revuelta de la carretera. Raras veces se había atrevido a entrar en aquel cuarto y menos a las horas en que el doctor —en los últimos años apenas abandonaba aquella habitación— acostumbraba a dormir la siesta en el viejo sillón de cuero negro. Abrió la puerta de un golpe, el doctor alzó la cabeza y le vio temblar en la penumbra: una figura corpulenta y torpe, con el dorso medio desnudo y la cabeza desdibujada, unos grandes lentes, una maraña de pelo prematuramente engrisecido y esas facciones carentes de energía y carácter de quien ha madurado en la apatía e ignorancia.

—Ahí viene —dijo.

El doctor, reclinado en el sillón con los pies encima del taburete, apenas se movió.

—¿Qué dices? ¿Qué haces ahí?

La conciencia y la realidad se compenetran entre sí: no se aíslan pero tampoco se identifican, incluso cuando una y otra no son sino costumbres. Raras veces un suceso no habitual logra impresionar la conciencia del adulto sin duda porque su conocimiento la ha revestido de una película protectora, formada de imágenes adquiridas, que no sólo lubrifica el roce cotidiano con la realidad sino que le sirve para referirlo a un muestrario familiar de emociones. Pero en ocasiones algo atraviesa esa delicada gelatina que la memoria extiende por doquier —aunque no

conoce ni nombra— para asomar con toda su crudeza y
herir a una conciencia indefensa, sensible y medrosa que
sólo a través de la herida podrá segregar el nuevo humor
que la proteja; y entonces se convierte en una costumbre
refleja, en conocimiento ficticio, en disimulo ya que, en
verdad, el miedo, la piedad o el amor no se llegan nunca
a conocer. Hay una palabra para cada uno de esos instantes que, aunque el entendimiento reconoce, la memoria no recuerda jamás; no se transmiten en el tiempo ni
siquiera se reproducen porque algo —la costumbre, el
instinto quizá— se preocupará de silenciar y relegar a un
tiempo de ficción. Sólo cuando se produce ese instante
otra memoria —no complaciente y en cierto modo involuntaria, que se alimenta del miedo y extrae sus recursos
de un instinto opuesto al de supervivencia, y de una
voluntad contraria al afán de dominio— despierta y alumbra un tiempo —no lo cuentan los relojes ni los calen-
darios, como si su propia densidad conjure el movimiento de los péndulos y los engranajes en su seno— que
carece de horas y años, no tiene pasado ni futuro, no tiene
nombre porque la memoria se ha obligado a no legiti-
marlo; sólo cuenta con un ayer cicatrizado en cuya propia insensibilidad se mide la magnitud de la herida. El
coche negro no pertenece al tiempo sino a ese ayer intemporal, transformado por la futurición en un ingrávido y abortivo presente. El doctor lo comprende y le
mira; «vamos, vamos» porque sabe que el que padeció
el abatimiento, el horror o la piedad está ya inhabilitado
para saber lo que son y para buscar su propia cura; sabe
que tampoco es del tiempo aquella mañana en la fonda
del cruce, aquella mañana que degeneró en tarde mientras esperaba, con su cabás en el suelo, sentado en la
cerca de la encrucijada, la llegada de María Timoner.
Allí está el miedo, el abatimiento, la pérdida de la justificación de un sí mismo que en adelante tendrá que desconfiar, rehusar toda esperanza, anhelar un fin. Más tarde, cuando abra la puerta, tendrá que decir: «Dormir,
sí, dormir ¡es tan obvio! El amor también es lo obvio,
una vez ausente no caben los pretextos ni la justificación;
nada vale por sí mismo. ¿La curación? ¿La curación de

los demás?, ¿cómo es eso?» No existe la confianza y por
tanto ya no tiene necesidad de registrar el tiempo; tampoco pertenecen a él aquellos pasos, en el salón vacío,
tras el golpe de navaja; un grupo de hombres armados
—y sus voces susurrantes, los crujidos en la escalera—
que suben en la hora morada del crepúsculo la media
docena de peldaños, no pertenecen a nada porque si están presentes es que fueron y ya no serán: vuelven casi
todas las noches (silbantes, barbudos y apenas visibles,
los pasos lastrados con el peso de las armas y la fatiga de
la caminata, el polvo del desierto) para desvanecerse con
los portazos de la madrugada; existe también, colgado
en el perchero, un pesado capote de lana que aún conserva, tras una postguerra sin ser utilizado, la humedad
de una noche de búsqueda; existe solamente un largo y
espasmódico instante nimbado por la luz de un arrebato
juvenil convertido en desolación, carente de significado,
de pasado, de dolor y de esperanza. Y el atardecer junto
al cristal de una ventana que recoge la luz para mostrar
la penumbra de la habitación, un largo y sombrío corredor de paredes lívidas y desnudas y un piso cerámico
con las losas levantadas y un ribete de azulejo de dos colores sangrientos; era una casa vieja y destartalada, carente de gusto; casi todas las habitaciones carecían de
muebles, los pocos que quedaban se habían agrupado
en los rincones, las paredes delataban las sombras de los
espejos, los cuadros y los diplomas con que un día las
decoraron para preservar su primitivo color. Tan sólo el
despacho del Doctor conservaba la mayor parte del antiguo mobiliario: una desordenada estantería, repleta de
periódicos viejos, libros y revistas desencuadernados, alguna botella vacía, una mesa de despacho en las mismas
condiciones, una lámpara de flecos y el viejo sillón tapi-
zado de cuero negro con los brazos y el respaldo gastados
hasta el relleno por donde asoman los muelles y donde
un hombre —identificado con el mobiliario—, ya entrado en años, contempla el atardecer en el cristal de la
ventana, esa fortuita e ilusoria coloración (el jardín en
abandono desde aquella hora del ayer —más acá y más
allá de los climas, las estaciones, los años y las vigilias—

que lo redujo a un solo sentido en la duración, apenas alterado por el tremolar de una bandera, el disparo de un cazador o el vuelo de un aguilucho) resucitada en las primeras noches del otoño y con las primeras sombras de los arbustos —siempre la ficción de un movimiento abortado, un haz de ramas que creció demasiado y que se inclina sobre el suelo para traer a la memoria aquel andar encorvado— en torno a un momento en suspensión en el seno de un ayer incoloro, saturado de un pudo ser que no precipitó. Ya no había tañido de campanas, había callado el susurro de los álamos, el griterío de las tropas, el eco de los disparos, el clamor de las canciones guerreras repetidas con infatigable y gutural timbre por las radios victoriosas, para dar paso al transcurso de las horas bajo cuyo imperceptible oleaje se sumerge el podría-haber-sido que a sí mismo se sucede y se destruye. «Ah, no es el tiempo —dirá después, cuando abra la puerta— ni siquiera el miedo, el único aparato de medida que tiene la conciencia; es la falta de otra cosa lo que le hace ser algo. Es la falta de otra cosa...» Había perdido todo color; sus ojos carecían de color, ni su traje era negro ni blanca su camisa; como si sus propios colores —y las palabras, por supuesto— estuvieran hechos de un género que había dejado de ser lo que era. Se levantó con lentitud, se acercó a la otra ventana que estaba cerrada, abrió el frailero y observó con parsimonia el tramo de carretera. Luego, con el pulso agitado, volvió a cerrar el frailero y, desde detrás de la mesa, contempló al joven —enmarcado en el umbral— con acusado desconcierto y pesadumbre. «Vamos», le dijo, «vamos». De un cajón de la mesa sacó una llave y unas cuerdas. Sus ojos, dentro de las gafas, parecían inundados de lágrimas y su labio inferior, con la boca entreabierta, temblaba intensamente. «Vamos, vamos», repitió al avanzar por el pasillo y subir la escalera. En la habitación de arriba no había más que un camastro de hierro, una palangana en el suelo y unas alpargatas, unos montones de ropa descuidada y sucia, salpicada de barro y paja. La ventana se hallaba protegida por una gruesa y doble malla metálica cuya pantalla exterior estaba salpicada de mariposas de luz e insectos muertos. Le volvió la cara hacia la ventana y le juntó los pies; luego, sin necesidad de hacer mucho esfuerzo, en tal grado parecía el joven acostumbrado a ello, le ató los codos junto a la espalda dejándole las manos libres. Cuando hubo terminado le fue empujando con suavidad hacia el borde del camastro y le obligó a tenderse de costado, con la cara vuelta hacia la pared. Le dijo unas palabras al oído y, al tiempo que sacudía unas briznas de paja de sus pantalones, unas pocas espinas clavadas en ellos, le dio unas palmadas en el hombro y se retiró del cuarto echando la llave, con dos vueltas a la cerradura.

El automóvil se detuvo a muy poca distancia de la verja del jardín de la antigua clínica. Oculto tras el frailero observó cómo la mujer abría la portezuela y salía del coche —mirando con atención la casa— sin preocuparse de volverla a cerrar. Al cabo de un rato sonó la campanilla pero el doctor no se atrevió a abrir. Cerró el frailero, recorrió toda la planta baja para comprobar que todas las puertas y ventanas estaban cerradas y de nuevo subió a la habitación del joven, en la segunda planta, al fondo de la escalera, para escuchar su respiración a través de la puerta: era una respiración profunda y acompasada que a intervalos regulares producía un débil chasquido metálico al igual que un reloj eléctrico; permaneció así, sentado al pie de la puerta cerrada durante un largo rato computado por el compás del aliento, apenas alterado por los campanillazos del piso de abajo, tras espaciados y pacientes silencios. Bajó otra vez —inquieto, en actitud de malestar y desasosiego— y se puso a rebuscar algo en su despacho sin saber claramente de qué se trataba. En su dormitorio, sobre una vieja cómoda en desuso, había un montón de papeles y trastos de debajo de los cuales extrajo una botella en la que quedaba un poco de licor amarillento. La llevó al despacho, entreabrió de nuevo el frailero para comprobar una vez más la presencia del automóvil (con las puertas cerradas seguía en el mismo sitio y recibía en los cristales el último sol de la tarde) y echó un largo trago de licor. Luego empezó a toser y a mover la cabeza; parecía desacostumbrado al sabor de la bebida. Unos pasos femeninos se oyeron en la acera de loseta, agrietada y hueca; se tumbó de nuevo en el sillón, con la botella sujeta por el cuello, colocó los pies en un banquillo y se metió un dedo en la boca para tratar de conciliar el sueño. No le despertó la campana sino un grito en el piso de arriba, un grito largo y agudo que pareció cortar en dos el silencio de la casa; volvieron a escucharse los pasos, una mano golpeó los librillos de la persiana y se repitió el grito, seguido de unos golpes violentos del cuerpo que se bamboleaba sobre el colchón y trataba de desembarazarse de sus ligaduras. Espió el jardín por un rendija de la contraventana y sólo llegó a ver una sombra que apenas se movía; subió una vez más, diciendo «calma, calma» en cada peldaño. En el rellano escuchó sus sollozos, en la puerta dio unos golpes con los nudillos. «Vamos, vamos», dijo. Vaciló un instante y a la postre pareció adoptar la decisión a la que tanto se había resistido; fue a un cuarto de baño y de un armario pequeño, blanco y despintado, extrajo la jeringa y las agujas hipodérmicas que limpió con alcohol, sin necesidad de hervirlas. Mientras —con el pulso tembloroso pero con una destreza que indicaba una larga práctica— llenaba la jeringa con una sola mano, sosteniendo en alto la ampolla con dos dedos, la campanilla volvió a sonar con inusitada insistencia y el grito se repitió en la habitación de arriba. Con la jeringa en alto, descorchó la botella, echó otro trago, subió las escaleras y volvió a golpear con los nudillos. «Vamos, vamos, ¿cómo estás? Echate boca abajo.» Escuchó con el oído pegado a la puerta, accionó la cerradura con la derecha y la abrió de un golpe con el hombro. Sin darle tiempo a que volviera la cabeza se sentó junto a él, pasó su mano libre por debajo de su cintura, le soltó el cincho, le bajó un poco el pantalón y le clavó la aguja en la nalga, con temblor y con destreza. Cuando hubo terminado respiró profundamente y se pasó la mano, con la jeringa vacía, por la frente salpicada de sudor. El joven yacía con la cabeza ladeada sobre el colchón sin sábanas, la boca entreabierta y jadeante y el pelo desordenado; sus gafas se habían deslizado por la cara y el ojo, pegado a la pared, parecía aco-

modarse a su liberación de la visión con un parpadeo
lento y rítmico, como la respiración de un pez recién co-
brado, tirado a la orilla del agua. Un mechón de pelo se
había metido en su boca; la nariz, los labios y la barba
se hallaban mojados de lágrimas.

En el umbral de la puerta surgió la figura enlutada
del doctor rodeada de sombras, y mientras sostenía el
pomo la miraba sin asombro, sin curiosidad ni reproches
—huraño y reconcentrado trataba en vano de recuperar
la penumbra fétida anterior al gesto que parecía exigir
una justificación. No la había ensayado porque cuanto
más larga es la espera más de improviso surge la resolución; parecía que —mirando a la mujer y al cielo alternativamente— buscaba unas razones que no había olvidado pero que no recordaba: «Oh, sí, he abierto, claro
que he abierto. Qué importa a quién. Qué importa
cuándo; tarde o temprano había de llegar este momento, cosa que ya sabía cuando decidí la reclusión.
Ha llegado usted, aunque algo tarde. También podía
no haber llegado y hubiera sido igual, una prolongación de la tardanza. Usted sabe a qué me refiero, no
vale la pena entrar en detalles, che senza speme vi-
vemo in disio. ¿Que si hubo un tiempo en que eso
no era así? ¡Qué pregunta! No, no, no es orgullo; hay
una reclusión y una renuncia y un abandono de todo
menos de la paz consigo mismo que no están dictados
por la cobardía sino por el orgullo. Pero ¿qué tiene que
hacer aquí el orgullo, me pregunto yo? Le gustaría saber
que en mis primeros años de profesión recorrí estas tierras sin otra cosa que un carro, una mula, una cocina de
petróleo, una pizarra y una campanilla; y que yo mismo
me anunciaba a gritos en las plazas de los pueblos, para
sacar muelas, asistir en los partos y curar la hidropesía.
Así que no se trata de orgullo; si me dijera usted la lógica, ah eso es otra cosa. Y eso es lo triste, porque nos
es dada una lógica para pensar acerca del futuro y un
pasado sobre el que comprobar los resultados. Y para con-
cluir le diré que no he recelado en ningún momento, ni
siquiera cuando esperaba ahí adentro. Le diré otras cosas
también, cosas que no sirven de nada —ni siquiera para

agudizar el entendimiento— para quien, como a usted, le queda algo que hacer. La he estado observando con atención desde que llegó y he llegado a la conclusión de que le sobra confianza; es curioso cómo una persona que dice carecer de esperanza puede llegar a confiar tanto. No sé en qué, y sin embargo es así; no, no me refiero a unos vaticinios que ni siquiera existen: ya no existe la rueda a la que podríamos consultar. No importa, tengo y guardo una cierta seguridad acerca de la clase de fin que nos espera y por eso pienso a veces que la única nota positiva que hay en mi carácter radica en mi falta de resolución. Estoy seguro también de que —por miedo, cobardía, desgana— esta situación se ha prolongado demasiado. Todo termina cuando se agota el deseo, no cuando se nubla la esperanza; pero el deseo que busca una explicación y trata de justificarse, se contradice consigo mismo; de forma que la edad de la razón y la lucidez no es más que una supervivencia —y quizás inmortal, como la gente cree, porque es lo único transmisible. Y si no es eso ¿qué otra cosa le importa a usted de mí? Por eso ¿qué razón podía tener en negarle la entrada o si usted no desea entrar, en mantener cerrada la puerta?» Apenas la había abierto en casi dos años. La casa era una residencia rural de dos plantas, de ese gusto tan civil y solemne que el siglo xix implantó por doquier sin hacer distinciones entre la casa ciudadana y la de campo, construida sesenta años atrás para un indiano que no pudo verla terminada; la rodeaba por todas partes un pequeño jardín en estado salvaje —las ortigas y matoganes habían destruido el antiguo trazado, habían invadido los muros y desnutrido los árboles, habían pandeado las columnas del porche y se había vencido el balcón— limitado por una verja de puntas de lanza, casi todas descabezadas o desplomadas; se había perdido el farol de la entrada —sólo quedaba el arco que lo sustentó— y la puerta se había cegado con unas chapas de bidón, de donde colgaba la campanilla. Un poco antes había caído un breve chaparrón y todos los canalones goteaban por las juntas abiertas. El sol empezaba a declinar sobre la colina de negrillos y encinas iluminando con reflejos anaranjados los bordes de una cabellera que aún no había perdido color ni suavidad; era una mujer entrada en años, pero al contraluz era difícil pronosticar su edad; su cara no era pálida ni delgada pero su sonrisa era de cansancio, sublimación instantánea e involuntaria de un arte del disimulo que desea —pero no quiere— dejar traducir el verdadero estado de su ánimo en un atardecer en el campo; iba enfundada en un ligero abrigo de color canela, apretado a la cintura, calzada con unos zapatos de tacón bajo y el pelo recogido bajo un pañuelo de seda cuyos lazos caían a la espalda con displicente y macabra soltura. No parecía impaciente, había llamado sin prisa ni excitación y ahora sonreía entre luces confusas —mientras las briznas de pelo en la frente eran agitadas por la brisa vespertina— con la misma serena, cruel y pedante delectación con que el agente de cobro llama a la casa en crisis; una casa, en verdad, en crisis, una clínica en la que sólo lo incurable tiene acogida y en la que no se sabe de otra cosa (el doctor, el portero, el paciente o lo que fuera) que de la predestinación.

«Aguarde», dijo al doctor. Mientras ella volvía al coche observó de nuevo el cielo al tiempo que dejaba la puerta entreabierta. Por encima del horizonte asomaba una silenciosa explosión de nubes anaranjadas y malvas y de tanto en tanto dejaba de soplar la brisa y callaba la hojarasca para, al dictado de un compás extravagante, dejar oír el murmullo de los insectos y de los pequeños regueros que corrían bajo los arbustos. Sacó del bolso un pequeño billetero de cuero y de él extrajo una tarjeta —una antigua tarjeta amarillenta y arrugada con los bordes comidos y sucios (¿o era tal vez una fotografía?) que alargó al doctor.

«Dígame, ¿usted sabe si...?»

«¿Yo? ¿Cómo quiere que yo sepa algo?»

Porque apenas se molestó en mirarla. Se diría que no tenía necesidad de leerla o que —tras una rápida y sagaz mirada de reojo— prefería recurrir a un pretexto para justificar su falta de disposición.

«No tengo los lentes, perdone.»

Pero ella no la recogió, mirándole de frente y mo-

viendo la cabeza con un gesto en el que resumía una
mezcla de desprecio y lástima y una intención de no conformarse con su recusación. La observó de nuevo y comprendió que en su actitud —sobre todo en una expresión
que ya no sonreía y en una mirada que, con serenidad,
no hacía ningún esfuerzo para evitar el parpadeo— había
más firmeza (y quizá menos esperanza, más cansancio)
que la que había presumido. Había traído también un pequeño maletín de viaje que, con el bolso, sostenía con
ambas manos con paciente tranquilidad como si en lugar
de una resolución del doctor esperara la llegada del tren.
Pero él bajó la vista, sacó medio cuerpo fuera, se apoyó
en el umbral y mirando hacia la carretera de Región, dijo:

«Es muy mala carretera.» Ella asintió sin responder
una palabra. «Y eso que ha elegido usted el mejor momento. Dos o tres semanas más tarde y no hubiera sido
capaz de llegar hasta aquí. Primero las lluvias, luego la
nieve y después el barro; todo conduce al desaliento. Así
que durante cuatro meses sólo es posible subir con caballerías. ¿Y para qué? Porque al cabo de una breve temporada aquel que ha logrado prevalecer se acostumbra
de tal modo a la paz y el aislamiento que pronto tiene
que renunciar al viaje de vuelta. Ese es el principio del
mal. Luego ¿quién es capaz de recobrar las antiguas ilusiones?» Volvió a mirarla con intención admonitoria:
«Así que antes de seguir adelante deseo que comprenda
el riesgo que corre. Es fácil llegar pero...»

«¿Sabe usted de qué se trata? ¿Por qué se imagina
que ando buscando el aislamiento?»

«No; ni sé nada ni nada me imagino, créame. Tampoco quiero saberlo porque no me importa la raíz de la
enfermedad. Y en cuanto al remedio... no está a mi alcance.»

«¿Tan desesperado considera usted el caso?»

Alejó la tarjeta de su vista todo lo que daba el brazo
como para leerla sin necesidad de los lentes. Después de
darle muchas vueltas y examinarla como un experto que
recela una falsificación, se la alargó de nuevo:

«Desde luego, totalmente. Fuera de toda duda. Un
caso perdido.» No tuvo la menor vacilación. «Dentro de

poco se pondrá el sol. Pero lo de menos es saber la razón que se esconde detrás de tanto despojo. No he visto nunca su astucia pero no hablemos de eso ahora» (recordó entonces el ritmo de los campanillazos tranquilos y perentorios) «lo importante es saber hasta cuándo será capaz de facilitar unos recursos equivalentes a los que consume. El viaje es una locura, por supuesto. No hay curación, si eso es lo que desea saber». Parecía decidido a no hablar más y a soslayar su presencia volviendo la mirada al fondo de árboles, con gesto indiferente y un poco despectivo, como el de ese portero de un club que pretende sustraerse a la presencia de un borracho inoportuno. Se contuvo, no quiso dejar vislumbrar que apretaba la boca y apartaba la vista porque en un instante —pasajero pero recurrente— comprendió el dolor que le producían sus propias convicciones, lo mucho que había deseado —en otra edad, con otro dolor— haber permanecido en otras no tanto anteriores como menos razonables. Aspiró por la nariz y se apretó las solapas de la chaqueta para dar a entender el fresco que se avecinaba; de nuevo la miró de frente, balanceando la cabeza con suavidad, con un gesto en el que se combinaban la reconvención, la sorna y la compasión.

«Quizá tenga usted razón.» Aún sujetaba el maletín con ambas manos. «Lo pensé durante muchos años pero no me decidí a hacerlo nunca. No porque fuera una locura, como usted dice, sino porque temía echar a perder lo único en verdad cuerdo y limpio que tenía en mi haber. Luego, es la incertidumbre lo que se convierte en locura, el resto es curación, extirpación tal vez. No es que lo comprenda ahora sino que lo confirmo, con mi presencia aquí; siempre había sabido y temido que la parte cuerda terminaría por triunfar; es decir, lo que llaman ustedes la parte cuerda, todo lo contrario de lo que yo entiendo por eso. Pero no podía permitirlo sin intentar, como último recurso, la prueba final que tanto tiempo me resistí a llevar a cabo para no caer en la desesperación de la cordura, del buen sentido y de la resignación. Sin duda que tiene usted razón, doctor» —había abierto el bolso para sacar un pañuelo y llevárselo a la nariz,

pero no lloraba ni moqueaba; era más bien un gesto
de forcejeo, como quien saca un dinero para forzar una
transacción a la que el vendedor se resiste—; «lo que
no sabe usted es hasta qué punto lo es; lo de menos es
que lo parezca para quien es razonable y goza de buen
sentido; lo terrible es que representa una locura para
quien no ha podido salir nunca de la...»

«¿De la...?» —preguntó el doctor.

«Tenía entendido que esta casa era el lugar a propósito para curar... tales dudas.» El doctor no se inmutó;
se inclinó —apoyado en la jamba— para encajarse una
zapatilla en el pie izquierdo. «Usted no pide eso», dijo
al tiempo que recobraba la compostura. «Yo no he pedido nada, todavía.» Cerró el bolso, a sabiendas de que
podía ser el último gesto de la conversación y que no le
quedaba otra cosa por hacer que guardarse su dinero. «El
camino de la Sierra; no muy lejos de aquí había, hace
tiempo, una venta de no muy buena fama. ¿A cuántos
kilómetros?» «Ya», respondió el doctor. El bolso sonó;
estaba impaciente pero no inquieta; había algo en ella
que no era entusiasmo pero que rezumaba determinación
—incluso en sus pasos. «Hace muchos años que se cerró.
Está en ruinas. Sólo de vez en cuando acampan por allí
algunos gitanos, y los que van a cazar el rebeco.» Miró
al cielo con recelo, como si aguardara la reanudación de
la tormenta. «No comprendo qué se le puede haber perdido por allí. Parace cosa de leyenda.» Había —y se per-
cibía— en sus palabras una íntima contradicción; se diría que salían de su alma muy contra su voluntad, como
si repitiera una lección en cuyo recitado se traduce el esfuerzo con que la hubo de aprender. «Se deja usted esto»,
le dijo, al tiempo que le alargaba la tarjeta.

«¿Eso?», preguntó. «Era una tarjeta de presentación.
¿Para qué la quiero ya?»

«Ya», la agitó en el aire, como un abanico. «No comprendo su interés, se lo repito. No comprendo siquiera
su actitud. Son cosas pasadas. ¿A qué viene todo esto?
¿Es que no están bien donde están? Son cosas pasadas
que ya no cuentan; lo único que cuenta es esta paz.
¿Sabe usted que mañana puede quedar un día muy her-

moso? Ya lo creo, fresco y limpio, un día muy hermoso.»

«Eso es lo que quiero; que me diga que no cuentan. Eso es justamente lo que necesito; que me lo diga la única persona para quien es lo único que cuenta.»

«Va usted a coger frío si se queda ahí. Estas noches son muy traidoras.» Avanzó unos pasos, cruzó delante de ella —sin mirarla— y cerró la puerta que había estado entreabierta. «Hace mucho tiempo que dejé de recibir visitas.» Una ligera ráfaga de viento entreabrió la puerta de la casa y por primera vez —al tiempo que volvía— acercó el papel a los ojos con intención de descifrar lo que en él había. «Tenga la bondad de esperar un momento; parece que se nos echa encima el mal tiempo. Aquí el verano dura poco, muy poco. Verdaderamente el verano dura muy poco», trataba de leer la tarjeta por ambas caras, «muy poco». En el vestíbulo en penumbra vislumbró unos viejos sillones de tubo, de los que menudean en los hospitales, y unas hojas de periódico diseminadas por el suelo. Del interior emanaba un intenso tufo a habitaciones cerradas, que no habían sido ventiladas en varias semanas. Un calendario farmacéutico colgaba todavía en la pared y conservaba algunas hojas de un año muy atrasado; los sillones —y una pequeña mesa de recibidor— estaban cubiertos por aquellos almohadones y tapetes de lana bordada, de colores ajados, que constituían el mejor exponente de aquel ingenuo arte de náufrago, nacido y muerto en aquella casa: un borrico con alforjas y un campesino con paraguas, un ocaso entre palmeras, el campanario de una iglesia y el puente sobre el río, concebidos entre suspiros y desoladas miradas a la ventana, trazados con esa licenciosa, paciente e inútil prolijidad que sólo con la espera, la falta de otro quehacer —pero no el recreo— puede prolongarse y ramificarse un entretenimiento pueril. Eran sin duda la obra de aquella mujer de la que había oído hablar durante la guerra; había permanecido tejiendo durante todo el tiempo que estuvo casada, multiplicando por doquier su bordado ingenuo para llenar las horas que su marido la dejó sola, ocupado en buscar por el monte el objeto de sus afanes, sentada sobre un sillón y ocultando debajo del

cojín (por temor a que pudiera entrar el doctor y sor-
prenderla con semejante lectura) un libro de higiene
sexual para jóvenes cristianas que nunca logró terminar
y que siempre leyó a hurtadillas, entre miradas alarma-
das y acechantes, entre profundos suspiros e impacientes
convulsiones. Porque en los años que duró su inmacula-
do matrimonio ni siquiera el bordado le dio un momento
de paz. Se diría que el sobresalto que le procuró el doctor al personarse en casa de sus padres para contraer matrimonio le había de durar hasta su lecho de muerte. Por
lo menos, ya no le dio ninguno más; a los tres días había
desaparecido, enfundado en su gabán de color tostado y
su sombrero de ciudad. Por primera vez, al cabo de unos
meses, había enviado desde una ciudad remota que ella
no conocía (representaba una calle céntrica, invadida por
la gente, los tranvías y los coches) una postal que decía:
«No dejes de cuidar las plantas. Si se obstruye el desagüe del baño avisa a Feliciano, el de la fonda. Tuyo,
Daniel» y que guardó entre las páginas de aquel libro
prohibido. No podía dejar de mirarla todos los días, absorta, extraviada, ilusa y estupefacta, enajenada por aquella palabra «tuyo» a la que volvía una y otra vez para
confirmar esa posesión a la que sin duda se refería el
libro de higiene sexual; acaso aquellas miradas y aquellas lecturas estaban hechas de la misma substancia que
la plegaria gracias a la cual —y al arte del bordado—
fue capaz de alimentar y resistir su deseo sin necesidad
de pensar en el amor. Tal vez lo habría recusado, una
sola decepción le habría bastado para buscar su refugio
en el sillón, el libro escondido en la rendija del almoha-
dón y la postal guardada entre sus páginas. Al término
del primer año —con la llegada de la primavera y el cultivo de las plantas que él dejó— comprendió lo feliz que
era, la mucha fortuna que le había deparado su matrimonio. Su suegra —atacada por el reúma— dormitaba y
languidecía en una habitación del piso de arriba hasta
que, desilusionada, cansada de esperar una cena caliente
y un cuadrante para apoyar la espalda antes de dormir,
se fue a vivir con otra hija casada que apenas la tuvo que
soportar más de dos años. A partir de entonces nada

había ya que la distrajera de sus pensamientos; debía sentirse tan íntima y constantemente unida al doctor que empezó a temer el fin de una época tan venturosa y a recelar la llegada del intruso. Llegó una noche, sin hacer ruido; sus manos tejían incansables mientras su mirada descansaba sobre la postal y el libro abierto en su regazo, cuando se abrió la puerta y él dijo: «Buenas noches.» Enfundado en su gabán de color tabaco, tocado con su sombrero de ciudad, no hizo sino dejar el maletín en una silla; cerró de nuevo la puerta y se fue al baño para observar si funcionaba el desagüe. Cuando volvió habían desaparecido el libro y la postal y ella, vuelta de espaldas, con la cabeza escondida en el respaldo del sillón, lloraba intensamente. Con sumo tiento —y andando de puntillas— volvió a coger el maletín, atravesó la habitación y abrió el armario donde guardaba el instrumental, los específicos, los libros de consulta. Sacó del maletín unos cuantos trastos y frascos vacíos y los sustituyó por otros del armario hasta que quedó repleto. No se oyó sino el ruido de la cerradura, los sollozos ahogados contra el respaldo del sillón. Al pasar junto a ella —andando de puntillas, observó entonces, con cierta sorpresa, aquella desordenada floración de almohadones y tapetes bordados con dibujos infantiles— se detuvo un instante, de la rendija del sillón extrajo el libro cuyo título leyó y tras depositarlo en el mismo sitio y decir «Buenas noches», cerró la puerta con el mismo sigilo con que había entrado. No se había quitado el gabán ni el sombrero, pero a partir de aquella visita sus cartas y postales se hicieron algo más frecuentes, dos o tres por año. En una de ellas, que representaba una parada militar, había tratado de reconfortarla con una frase de la que ella sólo entendió las tres últimas palabras: «No existen otros pecados que los de pensamiento pero cuando sólo hay pensamiento, todo es virtud. Tuyo siempre, Daniel», a la que siguió meses más tarde, aquella otra con una vista del Tibidabo, que decía: «La virtud, para serlo, no puede esperar nunca su recompensa. Hasta pronto, Daniel.» Murió virgen, sin haber llegado a saber nada del hombre con quien estuvo casada durante veinte años, y probablemente sin haber podido salir del asombro (al que tampoco fueron ajenos sus padres) con que se llevó a cabo el enlace —fue sorprendida una tarde de lluvia (su padre era guardabarrera de aquel ferrocarril de Macerta que nunca entró en servicio) por aquel médico, siempre enfundado en un gabán entallado y largo, tocado con un sombrero de fieltro, cuyo nombre supo por primera vez en una parroquia arrabalera de Región, y transportada en aquel coche que hacía las delicias de sus padres, hasta una clínica de reposo de la que tomó posesión tras ser conducida ante la presencia de una señora vieja, enlutada y obesa cuyo desprecio no pudo manifestarse, anegado por el encono que subía de su pecho al tiempo que el doctor, desde el umbral, le decía: «Te presento a la señora Sebastián. Esa es mi madre», con el acento y el laconismo de quien se dirige al empleado incumplidor para presentar su mesa —no su persona— al sustituto que aguarda detrás *—, y sin haber dado al mundo otros frutos que aquellos engendros del tedio, del asombro y de la ignorancia, unas cuantas labores de ganchillo y aguja que aún colgaban de las paredes y cubrían los sillones del recibidor. Pero no se trató de un engaño ni un abandono ni —mucho menos— una venganza; lo primero porque, al parecer, a ella misma le confesó abiertamente su propósito la tarde de la declaración, apoyado sobre la barrera del paso a nivel mientras los padres de la novia, muy alborotados y ocupados con el baúl de la dote, entraban y salían de la caseta, entre gritos y carreras, fascinados por el coche de alquiler que esperaba a la puerta. Y ella asintió a sabiendas de lo que le esperaba y en la confianza de que sus virtudes de esposa, su perseverancia y su abnegación, lograrían modificar una decisión tan poco sensata; así que ella también pecó de egoísmo. En cuanto al abandono, nunca lo es cuando un hombre deja su casa —y su ma-

---

* Su madre, sentada como una reina, boquiabierta por el espanto, inspiró tanto aire que se levantó de la silla como un globo y, sueltas las amarras, se deslizó majestuosa y sin decir una palabra a la habitación del piso alto de donde ya no salió sino para abandonar la casa.

dre— para contraer matrimonio. De ser una venganza,
¿contra quién iba dirigida? «No se trataba de eso», un
día le confesó el ahijado del doctor en la época de la
guerra. «Es mucho más sencillo; si alguien se va de casa
una tarde, cansado y aburrido hasta de las paredes, y se
encamina a un café o un cine... qué demonio, no se va a
volver a casa porque el café esté cerrado o el cine lleno.
Supongo que buscará otro, eso es lo que yo creo; no hay
que dar demasiada importancia a las cosas y, a la que menos, al matrimonio. ¿Qué estás diciendo, que es para
toda la vida? Todo es para toda la vida y tampoco eso es
grave, si es que es cierto. Este pueblo y esta casa, también son para toda la vida ¿y le damos por eso importancia? Mira esta casa, no la compró porque le gustara
sino porque estaba libre y se vendía a buen precio. Y la
compró a sabiendas de que le sorprendería la muerte en
ella. ¿Y qué? Si la mujer que quería no estaba libre,
¿es que no tenía que buscar a la que lo estaba? Y a ese
tenor fue lo bastante inteligente para buscar y elegir la
más inocua, la más barata y expedita; quiero decir, la
que le costaba menos cariño, aquella con la que no sentía (ni ella tampoco, no hay que olvidarlo) la menor necesidad de amar. Creerás tú que es prudente unirse a
una mujer que sigue en el cariño a aquella otra a la que
se debe renunciar. Pues bien, si se renuncia a la primera
se renuncia también al cariño y eso es todo, eso es lo
que parece más sensato. Por el contrario, si, por debilidad, se introduce una pizca de cariño en el nuevo contrato, se ha pactado con el demonio que no sólo le
obligará a conformarse con una solución dolorosa e in-
satisfactoria, sino que le obliga, por gozar de un poco
de calor, a avivar el fuego que le ha de quemar. ¿Dónde
está lo sensato? Así que en cuanto la trajo aquí se fue
de viaje. ¿Qué iba a hacer? Es cierto que ella no era
sólo un pretexto; estoy hablando de mi madre; y bien no
acudió a la cita. La estuvo esperando toda la tarde, con
todos los ahorros en el bolsillo, dispuesto a lo que fuera.
Lo que había pensado hacer con él lo hizo con mi padre,
eso es todo. También se había preparado a un largo viaje; un hombre tan fiel a su pensamiento no se podía

tampoco conformar con una excursión en taxi hasta la
caseta del guardabarrera. Así que se fue y si no volvió fue
menos por ella que por mi madre que decidió tenerme en
Mantua y criarme allí; le escribió entonces al doctor y le
contó lo que pasaba y él no sólo la ayudó en el parto
—sin mirarla a la cara, cubierta con un velo atroz—, sino
que a partir de aquel momento todos los años, poco más
o menos, cursó una visita para vigilar la crianza y los pasos de su ahijado, que aprovechaba para saludar a su mujer: y comprobar que todo en su casa —incluso el desagüe
del baño— seguía funcionando con normalidad.» Con
independencia de ello, cuando se fue no tenía intención
de volver, distanciado de su madre que no hacía más que
comer sopa de berza. Toda la casa —y ella también, en
particular, porque había engordado mucho gracias a aquellos platos de repollo, patata y carne picada que desgra-
ciaron al padre del doctor— olía a berza fermentada. Los
enfermos más humildes la habían abandonado. Entonces
comprendió —la misma tarde que tanto esperó— que
con el sesgo que tomaban los acontecimientos no se trataba sólo de marcharse, sino de procurar que en aquella
casa —que al fin y al cabo era la suya, y solamente suya—
no se cocinara más berza. Así que, antes de acordar la ceremonia pero después de hacerla partícipe de sus propósitos de viaje, le preguntó si le gustaba la berza. «¿La
berza, qué clase de berza?» «La berza, no sabía que hubiera más de una clase.» «Ah, sí, la berza. En casa no nos
gusta; mi madre nunca la pone.» «Entonces, vámonos ya.
Dile a tus padres que se den prisa que el coche está esperando.» Así que no fue una venganza, sino una solución
de fortuna que se le ocurrió, cerca ya del anochecer, cuando se convenció de que María Timoner no había de com-
parecer, sentado sobre la cerca de la encrucijada, enfundado en su gabán y con los pies encima de la maleta. La
recordó entonces; la primera que en ella reparó fue la
propia María, un día que les levantó la barrera (que, como
el ferrocarril no estaba en servicio, permanecía siempre cerrada) cuando tomaron aquel camino para ir al Casino.
«Fíjate qué graciosa parece. Pobre chica, tener que pa-
sarse media vida ahí. Qué pensará de nosotros sino que

somos de otro mundo.» Luego, la recordó con ternura en un par de ocasiones. Por consiguiente fue un caso de transferencia de sentimientos —los que él guardaba para María y que, por incomparecencia de ésta fueron puestos a nombre de la persona por la que demostró en un punto, varios instantes, un cierto interés— para llevar a cabo, con todo el rigor de la ley, la desvalorización de un título que, con un solo cambio de nombres, quizá de fechas, cruza la frontera de las garantías. Pero ella fue terne, nunca despertó de su sueño como para lamentarlo. De haber abierto los ojos no habría podido lamentar otra cosa que el fracaso de su paciente, insomne y flemático latir —esa sangre crédula y orgullosa que obedeciendo a una extraña imposición moral trata en vano de adaptarse al código de la sociedad, ese pulso obstinado que cada mañana despierta, como un niño que sólo recuerda un castigo y una prohibición, jadeante y lloroso, que durante la plegaria al tiempo que fuerza los labios hacia una sonrisa seráfica y atontada hace sonar las válvulas del corazón y golpea furioso en sus paredes para reclamar una atención que le es negada, ese inútil y estéril afán maternal acallado por el tintineo de las agujas metálicas cuyos engendros en secreto odia y compadece.

«Ha de comprenderlo», dijo el doctor. «Hay muchas cosas sobre las que ya no se puede o no se debe volver, sólo porque así lo exige nuestra salud. Es mejor dejarlas como están: es lo menos que podemos agradecer a la edad: habernos sacado de aquel atolladero de los veinte o de los treinta años. Porque aquello, como el verano en este país, es pura leyenda. No es que dure poco, sino que se trata de un espejismo que se repite lo bastante como para robustecer y reiterar el engaño.» No parecía dirigirse a ella; había dejado la puerta abierta tras haberla invitado a entrar y hablaba solo, distraído y ausente, al tiempo que se calaba los lentes para leer el papel. Luego lo dejó —abatido pero no inquieto— con ese gesto clínico del hombre para quien la lectura de un análisis no le sirve sino para la confirmación de un diagnóstico anterior pero no para enterarse de nada nuevo —una nueva masa de pesados nubarrones avanzaba por detrás de los últimos sembrados.

Una débil ráfaga de viento y un chirrido de la puerta le hizo volver la cabeza hacia su visitante.

«Perdone.»

«No hay nada que perdonar. Dígame, ¿lo reconoce usted?»

«Sí, ya lo sabía. No podía ser más que eso; eso o algo parecido.»

«Ahora se dará cuenta de que, al menos, tenía y tengo buenas razones para haber hecho el viaje.» Apenas se había movido en el umbral de la puerta.

«No lo sé.»

«¿Qué es lo que no sabe?»

«No sé si son buenas o no. O no sé si son buenas para no haberlo hecho. No sé nada, eso es todo.»

«¿Por qué dice eso? ¿Cree que es lo que necesito?»

«Tampoco sé lo que necesita. Quizá lo que usted necesita es que le dijera: ese hombre murió en el año treinta y nueve, o alrededor de ese año, a consecuencia de unas heridas provocadas por bala de fusil. ¿Lo creerá usted? Si lo cree, ¿por qué está aquí? Y si no lo cree yo puedo hacer muy poco para sacarla de sus dudas. Lo de creer y no creer es siempre cosa personal; para que no fuera así tendríamos que creer sólo en cosas nocivas.»

«Mi nombre es…»

«Oh, no hablemos de eso ahora», había vuelto a bajar el peldaño pasando por encima del maletín. Apoyado en el umbral volvió a escrutar el cielo. «Compréndalo, hace mucho tiempo que no recibo visitas. La tarde se está poniendo fría, no sé si lloverá esta noche. Mucho, mucho tiempo.» Un tufo a humedad y descomposición envolvió el vestíbulo —la otra puerta interior estaba vencida sobre sus goznes, se abría sola y golpeaba su marco por efecto de la corriente— sumido en esa repentina explosión de polvo añejo y fétido en que al atardecer —al conjuro de sus palabras, esos instantes anteriores a la lluvia tan propicios al fenómeno fotoquímico—, última coloración de un fluido inestable, pierde su estructura diurna para descomponerse en mil fragmentos de un tiempo caótico y gaseoso, en cada uno de los cuales está alojada —como el germen en el grano de polen— palabras, tro-

zos de memoria, indicios de recuerdos abortados y falsos
y engañosos ecos que la noche y el día borrarán al restablecer el equilibrio de las horas. Y es un instante en el
que —en presencia de un catalizador de la memoria, una
habitación que se habitó años atrás, una tarjeta con una
palabra ilegible— se produce una fisura en la corteza aparente del tiempo a través de la cual se ve que la memoria
no guarda lo que pasó, que la voluntad desconoce lo que
vendrá, que sólo el deseo sabe hermanarlas pero que
—como una aparición conjurada por la luz— se desvanece
en cuanto en el alma se restaura el orden odioso del
tiempo. «Compréndalo», se había metido las manos en
los bolsillos y el doctor se apercibió de que tuvo un escalofrío prolongado. Cerró al fin la puerta y el vestíbulo
quedó casi a oscuras. «No le voy a pedir que me diga lo
que tantas veces me he dicho a mí misma y no habría tenido que decírmelo si hubiera conocido un solo instante
de reposo. No aspiraba a otra cosa porque de todo lo demás, incluida la fidelidad, me creía ya curada. Pero el
cuerpo que envejece sin haber recibido la confirmación
de la gloria juvenil mira con aprensión y zozobra un futuro cercenado por la esterilidad, un ánimo en decadencia que ni siquiera se atreve a reconocer con honradez y
aflicción la suma de sus males sólo porque una memoria
desobediente y procaz gusta de recrearse con otra edad
engañosa. Hubiera sido mejor silenciarla, reducirla a lo
que es; porque la memoria —ahora lo veo tan claro— es
casi siempre la venganza de lo que no fue —aquello que
fue se graba en el cuerpo en una sustancia a donde no llegan nuestras luces. Quizá me equivoque, pero ahora me
parece tan evidente... sólo lo que no pudo ser es mantenido en el nivel del recuerdo —y en registros indelebles—
para constituir esa columna del debe con que el alma quiera contrapesar el haber del cuerpo. Así que la memoria
nunca me trae recuerdos; es más bien todo lo contrario,
la violencia contable del olvido. No tengo intención de decirle hasta dónde llegaron mis quebrantos, ni cuando se
secó la fuente de la fidelidad, ni en qué lecho, entre qué
sábanas terminaron mis abrazos y los anhelos, qué clase
de ilusiones dieron fin a mis esperanzas —porque una

fortuna concluye siempre con un papel de prestamista o
una carta de pago, ay, no en el desenfreno de una despedida. No sé si he vuelto o he venido por primera vez a
comprobar la naturaleza de una ficción, pero en tal caso,
¿qué curación cabe esperar si mi vanidad me impide hacerme cargo de sus propias creencias, si mi amor propio
—de acuerdo con la confesión— manda sobre mi voluntad? Entonces me dije: mírate por dentro, ¿qué guardas
en el fondo de tu más íntimo reducto? Ni es amor, ni es
esperanza, ni es —siquiera— desencanto. Pero si aplicas
con atención el oído observarás que en el fondo de tu alma se escucha un leve e inquietante zumbido —hecho de
la misma naturaleza que el silencio—; y es que está pidiendo una justificación, se ha conformado con lo que
ahora es y sólo exige que le expliques ahora por qué es
eso así. Y entonces me dije: «Vuelve allí, Marré; vuelve
allí por lo que más quieras, vuelve de una vez.» Cuántas
veces lo había intentado —cuántas tardes, con un pretexto cualquiera, abandonaré esa habitación adornada con
todo el esmero que la cautiva en secreto aborrece, fiel a
la fe que mamó en su infancia, y cuántas mañanas un alma que busca la verdadera razón de su apetito o una fe
que, descompuesta por tantos propósitos fallidos, intenta
prevalecer en la renuncia (no se trata de una satisfacción
en pos de un deseo) a unos amoríos que la engañan y dis-
traen— para encontrarme a la postre aturdida y desorientada, sentada en el banco de un andén desierto, en medio
del páramo, con la vista clavada en el horizonte sombrío
de las montañas, un instante antes de romper a llorar.
Cuántas veces retrocederé, no invadida por el miedo sino
—a la vista de la sierra o con los ojos clavados en el ho-
rario de los trenes, ante ese anuncio de la llegada a la
estación de Macerta escrito con tiza y trazo apresurado
y en el que la voluntad se resistía a creer porque no podía concebir los pasos que habría de dar, una vez que el
tren se hubiera detenido— por ese sentido del ahorro
que el alma segrega cuando, vacilante, siente la necesidad de preservar el único resto que le queda, tras el incendio motivado por sus anhelos al dictado de una razón
que, ausente de las lágrimas, se impone a una carne deses-

perada y lastimera que tamborilea sobre el cristal de la
taquilla o muerde la punta de un guante. Hasta que un
día, en el umbral de una edad no definida por los años
sino por el desvanecimiento del último deseo, una razón
en el límite de su resistencia consiente en satisfacer ese
capricho de la carne antojadiza. Sólo para detener el llanto y la pataleta y a sabiendas de que todos sus sofismas
tendrán un mentís en cuanto se abra la taquilla, en cuanto
le entreguen el billete de Macerta, en cuanto se suba al
ordinario de Región para dirigirse a aquella casa que no
ha podido apartar de su mente desde que acabó la guerra. No existe tampoco la esperanza porque no es legítima, porque un instinto de supervivencia que no cree en
ella trata de ridiculizarla a fin de no caer en su misma
demencia, en una edad sin encantos. ¿Quién puede creer,
por consiguiente, que vine aquí en busca de una curación?
¿No será más bien el abandono a las fuerzas de la enfermedad, contra las que en vano y durante tanto tiempo ha
luchado todo el cuerpo unido, hasta que ha llegado al término de su aliento? ¿No será un consuelo de última hora
porque —al igual que el pez que extrae de sus entrañas
más vitales el alimento que no se puede procurar fuera—
ya no pide sino distraer su apetito (un alma viciada, des-
deñada, resentida y malvendida) con las sombrías palabras
de afecto, comprensión y justificación que ya no podrá
escuchar nunca si no es de su propia voz?»

Había roto a llover. Las primeras gotas más que de
agua parecían formadas de una frágil aleación, fundida y
transubstanciada al contacto con la arena, cubierta de un
enjambre de limaduras. Pronto el agua comenzó a filtrar-
se a través del alpendre y el doctor, abriendo una vez más
la puerta, se asomó al umbral para recibir el viento y mo-
jarse los pantalones. El polvo remolineó en torno a sus
pies.

«Yo habité en esta casa durante la guerra. Muy poco
tiempo, una o dos semanas.»

El doctor no respondió; en unos instantes el cielo se
había cubierto en su totalidad y todo el jardín —y el
campo vecino— mudó su coloración, fugazmente abrillan-
tado por una capa de barniz; un horizonte de brezos y

zarcanes, salpicados de urces y majuelos, que bajo el cielo de color de coraza parecía poseído de aquel malicioso sentido del ahorro que le permitía retener y magnificar la última luz de la tarde para dramatizar el instante de su desvanecimiento. Solamente preguntó, a modo de respuesta, al tiempo que cerraba la puerta tras él y echaba la barra: «¿No cree usted que se acerca el verano?».

«¿La luz?»

«Ah sí, la luz. ¿Sabe usted que yo apenas hago uso de ella? Pero por aquí debe haber una llave.» Conmutó un par de ellas, ninguna de las cuales encendió; al tercer intento una pálida y temblorosa bombilla parpadeó en el centro del corredor para apagarse en seguida y de nuevo con renovada intensidad como si tratara de superar su propio estupor con un exceso de celo, volvió a iluminarse. No recordaba cuándo había tomado el maletín que una mano pálida y peluda dejó en una silla del pasillo; una puerta —quizá la de la consulta— golpeaba también en su marco, como si se tratara de un gesto de protesta a la intromisión de la luz eléctrica en la noble morada de las sombras. Luego se abrió, al compás de su andar, como accionada por un mecanismo automático: un sillón de caña, desfondado y falto de patas, un montón de diarios, papeles y latas y botellas vacías, una vieja carretilla, unos palos de escoba, unas alpargatas destrozadas y un recipiente esmaltado —que contenía algo de arena— parecieron rebullirse y recogerse sobre sí mismos, como un grupo de cansados viajeros violentados por la intrusión del revisor. Las paredes habían sido —unos cuantos años atrás— blanqueadas con cal o pintadas con temple pero las goteras y humedades habían aparecido de nuevo, impregnando todos los rincones con olor a pudrición. La pintura había saltado, algunos cristales estaban rotos y casi todos los muebles habían desaparecido tras haber dejado en la pared la huella de su espalda; todo a lo largo de aquel pasillo en crisis, sobre el suelo de mosaico, corría un reguero de manchas de cal, el rastro de un fantasma herido que hubiera huido por el ventanal del fondo. La misma humedad que había destruido la pintura, podrido la

madera y levantado el piso, parecía haber afectado al timbre de voz del doctor.

«Sí que le corresponde. Le mentiría a usted si le dijera
que no ha sido abierta en un buen número de años. Le
digo años para que sepa a qué atenerse respecto a esta
casa. Sólo en esa unidad se puede medir el número de veces que se ha encendido una luz, que se ha abierto una
puerta o que se ha usado una cama. Y esa campanilla de
la entrada que desde que terminó la guerra se ha oído
menos veces que los ecos de los disparos en las breñas o
los lamentos de los suicidas.» Abrió la primera puerta
y metió el maletín; la habitación despedía un intenso y
malsano aroma de una planta medicinal que se había se-
cado en su oscuridad; había una gran cama de estilo re-
matada en sus cuatro esquinas por pináculos invertidos
de los que un día debía haber colgado un dosel que el
tiempo había devorado; el testero estaba adornado con
unas iniciales entrelazadas, en madera de taracea, dibujadas con letras fin de siglo de amplios y grandilocuentes
vuelos. Todos los muebles —sin duda los últimos de valor que quedaban en la casa— eran del mismo tono: un
armario de porte majestuoso y funeral, una consola con
un tablero de mármol, con lavabo y damajuana de china
—el mismo juego de iniciales grabadas al fuego— en los
que quedaba un poco de tierra seca, un insecto seco y
un estropajo que contaba la edad del siglo, la misma de
una escobilla de cerdas y un costurero en cuyo interior
se acumulaban largas tiras de un paño amarillento, unas
muestras de terciopelo y unos antiguos patrones cortados en hojas de periódicos con las notas de sociedad y actualidad de treinta años atrás; unos cuantos fragmentos
se referían a un relato de viajes por mar, sin fecha definida, y en cuya coloración, en cuya pulcra, un poco ditirám-
bica y ornada prosa —más carente de sentido que de interés— parecía retratarse ese estado de limbo que el papel —y toda la habitación, en suma— habían alcanzado
con la pérdida de actualidad, como esa casa del héroe que
convertida en museo y defendida por un cordón de seda es
conservada en el mismo estado en que la dejó cuando tuvo que partir —sin poder terminar una carta— para gue-

rrear en Ultramar. Un retrato suyo colgaba todavía de la
pared; una de esas fotografías coloreadas, fieras y ovala-
das que la cámara acierta a impresionar sólo cuando pre-
siente que el personaje se coloca ante su objetivo por última vez. Había concentrado en la mirada toda la lumbre
y el furor necesarios para abrumar a seis generaciones
posteriores. Las mejillas y la boca se hallaban ocultas por
un gran bigote hirsuto y violáceo, semejante a un puer-
coespín colgado de la nariz; había hinchado el pecho y
alzado la barbilla hasta el punto de dar a la fotografía
una sensación de convexidad que había de transubstanciar
hipostáticamente a la persona representada —y que quizá
no existió jamás— en el símbolo de otra o de la gloria y
del vínculo con el pasado de una familia necesitada de
cierta respetabilidad.

«Porque la casa» —le había de decir el doctor mientras observaba la lluvia, a través de la ventana del despacho, con las manos cruzadas a la espalda; por fin había dejado el maletín y se había echado el abrigo sobre
los hombros, con el cuello alzado. Había amainado la intensidad de la tormenta; un gorrión posado en el antepecho de la ventana se sacudía las gotas de las alas y, con
bruscos movimientos de su cabeza, estudiaba los árboles
del otro lado de la carretera para elegir uno donde pasar
la noche; en lo alto de aquellos chopos comenzaron a oír-
se los tímidos gorjeos de sus compañeros que, ocultos entre el follaje, le anunciaban el fin de la lluvia. Pasó el
dedo por el canto del marco de la ventana y observó la
huella de polvo que había dejado sobre la yema— «fue
una de esas compras tardías que cuestan cinco o diez o
mil veces más que el dinero entregado al antiguo propietario si todo lo que cuesta a partir del momento en
que se reciben el título y las llaves pudiera medirse en
dinero. Si hubiera alguna doctrina aritmética o alguna tabla que dijera: lo que vale tu madre es tanto y tanto por
tus hermanos; y tanto por tu mujer y por los hijos que no
pudiste tener; y por el futuro que pignoraste a cambio

de estas cuatro paredes de cascajo y por las ilusiones que alimentaste cuando eras estudiante y tanto por la profesión en la que un día creíste y en la que nada acertaste a hacer y tanto, en fin, por el saldo de rencor, resentimiento, fastidio y soledad que trajo consigo el título de propietario en una región desafectada. Tal es la trampa en que acostumbran a caer las familias advenedizas, privadas de visión, que han consumido su existencia con el cuchillo sobre el presupuesto y el tenedor clavado en el ahorro. Cuando llega el momento de invertir sus ahorros, se equivocan, se equivocarán siempre, no en balde han rehusado siempre aprender la ciencia del gastar. Yo no sé —ya no lo podré saber nunca— si es verdad que el dinero atrae al dinero; pero lo que sí puedo asegurar es que el ahorro atrae la ruina. Y ante tal axioma se comprende que existe un estado de falso bienestar fundado en el ahorro mucho más pernicioso y nocivo que la propia Ruina la cual, como decía el viejo Temístocles, nos preserva siempre de otra mayor. Todo este estado de cosas —y yo no sé si el dinero en sí es el demonio, lo único por lo que el hombre de este siglo está dispuesto a embrutecerse y perderse— procede de un momento de ambición —y trágico entusiasmo— de mi madre. Mi familia no procedía de estas tierras. Debimos llegar aquí antes del año 10 cuando mi padre, funcionario de la Administración de Correos y Telégrafos, fue trasladado a la central de Región a petición propia. A pesar de ser un funcionario —y de esa clase— debía ser un hombre soñador y dulce, poco amigo de encararse con la realidad y con una aversión manifiesta hacia los malos modos. Pero todo su delicado pesimismo se fue trocando poco a poco, bajo los golpes diarios que sólo una mujer corajuda y una familia saben propinar con un tesón de fragua, en una tendencia a la fatalidad, el despego, el escepticismo y la brujería. Hacia el fin de su vida ya no quería a nadie; yo —que al decir de mi madre había heredado su misma falta de carácter (lo que quiere decir que había nacido para ser una persona educada y modesta, afable y sincera)— le serví muchas veces de paño de lágrimas, en sus últimos años. Porque incluso la rueda comenzaba a enga-

ñarle, a gastarle bromas de mal gusto. Qué pronto me
dejó y cuánto lo lamenté porque un padre así es la mejor
ayuda para soportar las obligaciones de la primogenitura,
en una familia mediocre espoleada por el afán de respetabilidad. Un día le hablaré a usted de sus conocimientos
de la rueda; yo creo que era lo único que amaba en este
mundo. Y creo también que —en secreto— harto ya de
una mujer que se bastaba con sí misma para todo —incluso para su fecundación— se había casado en segundas
nupcias con aquella compañera silenciosa, discreta y re-
signada con la que todas las noches mantenía unas con-
versaciones muy largas, muy tristes y quedas, en el pequeño cuarto anejo al despacho público. Era el único lugar donde mi madre no entraba porque todo lo demás
—desde las conciencias de sus hijos hasta la caja del tesoro público de la que mi padre tenía que responder—
era incuestionable propiedad suya. Tengo entendido que,
en manos de mi padre, la rueda la debió dar tal disgusto
que se le quitaron para siempre las ganas de volver a
verla. La consultó, poseída de su orgullo, convencida de
que sus propias ficciones se habían convertido en verdades inconcusas; pero al parecer ni su apellido encerraba tanta honra como ella pretendía, ni su madre había
sabido guardar las debidas ausencias a un marido que trabajaba en las minas. Sólo la rueda, con sus sibilinos sil-
bidos y su inalterable presencia de ánimo, se atrevió a
ponerlo de manifiesto y por escrito. No sé qué razón influyó tan decisivamente en el ánimo de mi padre para
venir aquí; un cierto comienzo de prosperidad, una
afluencia desusada de buenas familias —las que inventa-
ron el veraneo—, un clima de altura y, como siempre, la
calidad de la leche. Pero con la ayuda de la rueda mi padre debió prever lo que se avecinaba y por eso rehusó
siempre —a pesar del interés de su mujer— convertirse
en propietario. En sus últimos años ya no le importaba
ni la caja del tesoro; apenas se recibían despachos de otros
puntos de la península, procedían más bien de los aque-
larres, de los cementerios y las grutas perdidas en el corazón de la montaña, donde aquel mecanismo diabólico
captaba sus extraños y silbantes mensajes que mi padre

escuchaba extasiado, durante horas y más horas, encerrado en el cuartucho con una botella de castillaza claro. Apenas cenaba; por aquel tiempo todos los hermanos nos sentábamos a la mesa pero no éramos muchos. Eran unas comidas tristes y escasas, presididas por una madre hermética, gruesa y dominante como un ídolo oriental, que nos servía por turno un poco de sopa de avena mientras ella, haciendo uso de mil pretextos, se engullía un hermoso plato de zanahorias, patatas y carne picada. Mi padre entraba luego, casi a los postres (es decir, al postre de mi madre), con un aire ausente y fatigado y una cara demacrada por el tabaco. Yo creo que cada día esperaba un cambio y que al encontrar el mismo estado de cosas que dejó en la comida anterior le entraba una terrible desgana y sólo para cubrir las apariencias mordisqueaba de pie un pedazo de pan, contemplando la escena con pesadumbre, sintiéndose incapaz de mejorar la nutrición de sus hijos. Porque las pocas veces que, invadido de la antigua alegría de vivir, trató de echar al cuerpo una cucharada de aquella sopa de cereales —quizás al tiempo que acariciaba los rizos de su hija— se vio obligado a abandonar apresuradamente el comedor para evitarnos a todos un espectáculo lamentable. Y cuando desaparecía, mi madre —con la boca llena— nunca dejaba de susurrar un insulto, con el gesto del más hondo desprecio que yo he visto en una cara. Ya por aquel tiempo su única pasión era la rueda, su único alimento el tabaco, un tabaco horrendo —muy del gusto de los funcionarios públicos— que compraban en paquetes de a libra y que llenaba la casa con un aroma denso a hojarasca quemada las noches que mi padre consultaba la rueda; él mismo la engrasaba, la impregnaba de pasta adherente y ejecutaba las pequeñas reparaciones porque no toleraba que nadie, ni siquiera el mecánico electricista de la administración, pusiera las manos sobre ella. Después de la presunta cena bajaba al cuartucho a estar con ella a solas, hasta las primeras luces del día. Sabía mirar a través de sus radios para calcular su velocidad y predecir la letra en el mismo instante en que la rueda iniciaba su deceleración. A mí me quiso transmitir esa ciencia cuando apenas había alcan-

zado la edad de la razón. Yo no sé muy bien qué es lo
que hacía; supongo que se limitaba a escuchar y transcri-
bir los mensajes que un eco demente en un país demente,
unos muertos, unos supervivientes desesperados, un éter
zumbón y un par de aceleración desquiciado trataban de
hacer llegar a los incrédulos testigos de una edad catas-
trófica. Y quizá también las letras terribles de aquellas
canciones de pastores, canciones que siempre hacen referencia al polvo y la destrucción. Porque muy raras veces
consultaba el porvenir, eso apenas le interesaba; entonces
soltaba el acoplamiento, la hacía girar a pedal y preguntaba: «Veamos si la rueda dice dónde acabarán mis días»
y la rueda, tras cuatro bruscos acelerones, punteaba en
el papel una palabra que no dejaba lugar a dudas:
«Jaén». Mi padre murió durante la Dictadura; apenas
había subido en cuatro días ni para dormir ni para comer
y mi madre me encomendó ir a buscarle, no porque es-
tuviera la cena servida sino porque «era su deber dar un
ejemplo decente a sus hijos». Le encontré recostado en
su silla, con una mano lánguidamente apoyada sobre su
amiga de conjeturas y confidencias, una barba de una
semana, una expresión serena, indolente, abatida y en
cierto modo risueña. No me dijo nada, tan sólo me alargó el papel perforado con uno de los últimos despachos
que se había de recibir en aquella casa y en el que le
comunicaban que por necesidades del servicio había sido
comisionado para trasladarse provisionalmente —creo
que a Linares— a colaborar en el montaje de una nueva
estación. Los dos habíamos guardado el secreto del antiguo vaticinio así que —el uno ante el otro— hicimos el
paripé de haberlo olvidado. Apenas se despidió, una tarde
polvorienta de finales de verano, el semblante risueño
y un pequeño atado de ropa bajo el brazo. Durante quince días esperé anhelante sus noticias, celando y vigilando
el pequeño edículo y espiando día y noche los menores
movimientos de aquel mecanismo parricida. Luego vino
la época de las dudas —a todo esto mi madre apenas
se apercibió de su ausencia—, empecé a sospechar el
fraude —primero de la rueda que tantas veces había demostrado su antojadiza afición a propalar noticias luctuo-

sas y bromas de gusto macabro y luego... de mi propio
padre, tan necesitado de un cambio de aires y tan poco
corajudo para tomar una decisión de aquella índole sin
una inconcusa coartada— hasta que una noche el zumbido inconfundible de la rueda me despertó de un torpe
sueño para comunicarme que mi padre había muerto en
una fonda de Linares, al poco tiempo de su llegada, de
un ataque al corazón. Pero al cabo de los meses la misma
semilla de la sospecha, oculta por la aflicción y el luto,
volvió a germinar en un ardiente mes de abril, y a crecer
y a desarrollarse sin que ya sea capaz de extirpar su pro-
genie ni abreviar sus ramificaciones. A partir de entonces
ya no sabré nunca de fijo el verdadero desenlace: en ocasiones, cuando trataba de reconstruir el zumbido burlón
de la rueda y la mueca de sarcasmo en los reflejos de sus
radios, creía adivinar todos los detalles de la añagaza de
mi padre (al que otras veces veía jugando a los naipes
entre amigotes y ausentándose por un instante, con una
mirada nostálgica, para pensar en mí) que se me aparecía
por las noches, envuelto en el humo de su tabaco y rodeado de sonidos ininteligibles, víctima de una civilización
dominada por una mecánica y unas mujeres que, nacidas
en la esclavitud, habían subvertido el orden de sus señores para imponer unas leyes incomprensibles. Recuerdo
que una tarde en que mi padre estaba en guisa de bro-
mear consultó a la rueda sobre mi destino y le respondió:
que mis días acabarían en Región, de manera bastante
violenta, en la década del 60 y en brazos de una mujer;
y esa es una razón —y no la menos importante— que me
ha inducido a retirarme aquí a esperar la consumación
de mi destino al cual ni me opongo ni me evado. Siempre me extrañó esa muerte, con la cabeza en el regazo de
una mujer, más aun porque desde que acabó la guerra
no se ha visto por aquí ninguna persona con faldas. Vino
una vez una expedición de montañeros belgas, con intención de subir al Monje; los muy desgraciados... murie-
ron todos, enloquecidos por la envidia y la sed. Vestían
de kaki. Eran tres o cuatro y —además de mucha impe-
dimenta— traían una mujer con la que hacían el amor
por turno. Vamos, si es que se puede llamar amor a cual-

quier cosa que hiciese aquella mujer. Al principio me alarmé, pensando que podía corresponder a la del vaticinio, pero luego comprendí que, por vestir con pantalones, si bien seguía siendo mujer no se podía decir —cabalmente— que tenía regazo. Así que es usted la primera persona que concita todas las circunstancias predichas. Y en cuanto a la violencia le diré que, aun cuando en apariencia no exista, en esta tierra siempre la hay; es un estado latente —y muy comprensible— pero que puede ponerse en erupción en cualquier momento. Ya verá que pronto lo comprende.» Había agarrado por el cuello aquella botella sucia, mediada de un licor de color amarillento, que llevó a sus labios mientras volvía hacia ella una mirada provocativa y mordaz, para darla a entender que acaso había que entender sus palabras por encima de su mero significado.

«¿Bromea usted?»

«Oh no, no bromeo. De ninguna manera. Usted lo debe saber; lo sabrá en seguida, ¿no es la razón por la que está aquí? ¿Por qué no se sienta? Le dije antes que hay un cúmulo de cosas sobre las que es inútil volver. No somos capaces de pensar en la muerte, ni siquiera en un ámbito limitado. En nuestro ánimo existe una fe en la pervivencia, una confianza ilimitada en que lo que una vez pasó puede ocurrir de nuevo. Y luego no es así, la realidad no lo confirma. Sin duda existe en nuestro cuerpo una cierta válvula defensiva gracias a la cual la razón se niega a aceptar lo irremediable, lo caducable; porque debe ser muy difícil existir si ser pierde la convicción de que mientras dure la vida sus posibilidades son inagotables y casi infinitas. Solamente por debajo de nuestras convicciones fluye una memoria bastarda que no deja nunca de saberlo (despertó con la edad de las justificaciones, al término de la edad de lo obvio, ya hablaremos de eso) porque atesora un caudal de desencantos que, en cuanto se produce un fallo en el sistema de nuestras hipócritas y defensivas ilusiones, pasa a ocupar el terreno acotado por la vanidad para robarnos materialmente un anticuado motivo de vivir. Pero ¿por qué no se sienta?» De pie, con la nuca apoyada en el marco de la puerta, había escuchado en silencio hasta que bajó la vista hacia el suelo: «Y bien... usted es el médico. Quizá tenga razón; tal vez toda mi curación (por llamarlo de esa manera) estriba en hacerme otra vez sensible a los halagos. No lo sé.»

«Yo tampoco, lo confieso; además, ya no se puede decir que sea médico. Pero hay todavía enfermedades que sólo los viejos enfermos que las han padecido pueden remediar. Por eso se lo digo.»

«Empieza a llover de nuevo. Creo que he estado muy oportuna en la elección de la fecha. Pronto se echará el frío encima. ¡Qué viaje tan largo! ¡Qué largo, doctor, qué largo! Una tarde de lluvia, un país desierto y talado, unas carreteras horribles, una fonda en una encrucijada del purgatorio y un ventero que parece esperar la llegada de un tropel de ánimas, empapadas por el chaparrón y ¿sabe? los mismos lugares, las mismas paredes de la guerra irreconocibles e irrecordables. ¿Será tan largo porque me ha devuelto al otro mundo?»

«Quién sabe. No diré que no.»

«Pero ¿sabe lo que le digo, doctor?»

«Creo que sí y no le falta razón. Otro mundo, es muy cierto, y por supuesto mucho más fúnebre y silencioso que el que dejó.»

«Eso es lo de menos. Dígame, ¿por qué le gusta recrearse en sus propias lágrimas?»

«Yo no me recreo en nada. No he conocido las lágrimas. Jamás he lamentado nada ni he añorado el pasado. Eso queda para los que viven en sociedad, para los que saben conformarse con la melancolía. Los que vivimos en esta tierra necesitamos un plato más fuerte, una diversión más brutal.»

«¿Más brutal?»

«Me refiero al fatalismo, un plato de más sustancia. Porque mi familia no era buena; es decir, gente de humilde extracción pero, al menos, sin principios. Mi padre sólo recibió parte de la educación media y unas lecciones de geografía peninsular. La familia de mi madre también era humilde pero tenía más ínfulas; era la rama más humilde de un tronco provinciano en cuya copa habían florecido unos pocos y pacíficos militares de cuartel —de esos que tienen más afición a la zarzuela que a las ordenanzas— y unos cuantos abogados belicosos, de esos que llaman de secano, empapeladores locales que no parecen sino conservar y alimentar el rencor contra la Providencia, por no haber sido consultados por ella en los días del Génesis. Mi madre siempre habló con énfasis de ellos, como ejemplos inmarcesibles, origen y modelo de toda conducta, y como arca del testimonio aportó a la alcoba conyugal la fotografía de un sujeto que sin duda coartó y frustró, desde la noche de bodas, cualquier intento de mi padre de ascender en el escalafón. La tiene usted todavía en la cabecera de la cama para que no olvide qué vanas son las glorias de este mundo. Y no perdona a nadie, se lo aseguro. Estaba yo a la mitad de la licenciatura cuando murió mi padre, quién sabe si víctima de su curiosidad o de su afán de liberación. Lo que sí le aseguro es que aquella misma mañana que llegó el despacho —lo trajo la rueda cómplice, con una precisión que hacía pensar que llevaba mucho tiempo preparando la noticia— juré en silencio aborrecer y temer aquella curiosidad, mantener libres mis manos en la medida de mis fuerzas, resistir el cerco de la sociedad y de las mujeres, evitar aquel juego de deberes y derechos, de favores y agravios, de envites e infortunios en el que había caído la voluntad de un pueblo que rehusaba presentar su demanda a un destino que se había adueñado de sus campos. Ni mi hermano ni mi hermana habían llegado entonces a la edad de la razón, algo que si en algún momento estuvieron a punto de alcanzar mi madre se cuidó de arrebatarles. Así que a partir de un cierto día —y todavía fresco el cuerpo de mi padre, en un camposanto andaluz o en una taberna incógnita en los alrededores de una estación— me vi convertido en el mascarón de proa de una familia que, confiada en mi capacidad, lo había puesto todo en mí de tal forma que para pagarme una carrera en Salamanca tenía que hacer tal número de sacrificios que la enumeración de ellos le llevaba a mi madre un buen número de horas cada día. De forma que, al levantarme cada día, al ponerme en viaje hacia Salamanca, al volver a la pensión todas las tardes, mi primera obligación no era el estudio —que al fin y al cabo no era más que una forma de pago como otra cualquiera que yo hubiera podido arbitrar y mi madre habría aceptado— sino el reconocimiento de la deuda. Qué trágica tradición la de esa clase de familias que sólo aspiran a un presunto bienestar, que no estimulan otro deseo que el de la avaricia y que no infunden otro reconocimiento que el de la deuda; que no vacilan en coartar la libertad de los hijos, infundiéndoles desde niños el sentido de una responsabilidad estéril. Qué negros contrasentidos, qué falta de generosidad la de tantas gentes que pasan por este mundo no para gozar sus bienes sino para correr en pos de un engaño atroz y para llegar al término de su aliento sin haber conocido un momento de reposo y deleite... vicisitudes de la miseria, ay, arcanos de la voluntad. ¿Me decía usted algo? Creía...»

«Tonterías. Lleva usted muy poco tiempo aquí para haberse vuelto supersticiosa. Tonterías, acomodaciones de la imaginación. No le diré cómo fueron mis años de estudiante; muy sórdidos, muy escasos de todo. Sólo en un momento dado tuve que sacar fuerzas de flaqueza para negarme a simultanear mis estudios con unas oposiciones al Cuerpo de mi padre. Era también una idea de mi madre que, no contenta con residir en una vivienda a la que no tenía ya derecho (pero cuya devolución no le fue nunca exigida no sé si porque el despacho entró en desuso o porque la Administración la temía), cada vez que entraba en aquella desierta oficina y veía la rueda inmóvil y las interminables espirales de papel perforado que habían invadido el suelo y la mesa (una especie de solitaria segregación postmortuoria del espíritu de mi padre) —y que debía considerar como un despilfarro intolerable—, clamaba contra mi ingratitud, se hacía cruces de mi falta de voluntad y repetía —hasta que se iba a la cama— la larga serie de sacrificios que había asumido para dar una carrera a un desmemoriado. Pero yo temía a la rueda; incluso a los veinte años pasaba corriendo por delante de su puerta y me despertaba entre sobresaltos, con su silbido zumbón en mis oídos; en los pocos momentos en que tenía que encontrarme con ella a solas y la veía semioculta en su rincón, asomando entre un cúmulo de inquietantes papeles los tres cuartos de su circunferencia —soberbia y enigmática, y que se sonreía como la esfinge silenciosa que ha sido arrinconada por predecir certeramente los desastres de su feligresía, poseída y consciente de su oculto poder—, entonces toda mi juventud se ponía a temblar y a temer, a padecer insomnios y diarreas. Y si bien nunca traté de zafarme del pago, decidí que al menos lo haría en los plazos y en la forma que más me conviniesen. Si usted procede de una familia que ha vivido apretadamente ha de saber hasta qué punto toda esa secuela de detalles que en principio parecen tan de segundo orden, forman toda la maraña de vínculos y resentimientos, derechos y deberes en los hogares donde todo es escaso. Creo que obtuve la licenciatura sin ninguna brillantez, pero a una edad relativamente temprana; conseguí al poco tiempo una litera de interno en el Hospital de Santa Mónica, para enfermos incurables, que unos meses más tarde me vi obligado a trocar por el petate por embarcarme hacia Africa, en la campaña del 20. Estuve en Iberguren con el Cuerpo de Sanidad, y de allí escapé no sé cómo, cruzando las montañas en un estado de delirante angustia que no me permitía distinguir los llanos y las gargantas del Rif de las profundidades del estrecho, que no sé si crucé a nado, a pie o por los aires. Cuando volví a mi tierra, con las manos vacías, un par de botas, una enfermedad en el uréter y media docena de pagas en el bolsillo, mi madre me presentó al cobro el pagaré que había firmado cuando tenía quince años, en concepto de deberes filiales; era una habitación en el piso alto de la clínica del doctor Sardú, con cien pesetas de paga al mes, cobijado y alimentado. Mi familia no vivía lejos de allí y mi madre —que empezaba ya a sufrir una artritis crónica que la producía indecibles molestias— decidió sin duda aquella colocación

porque la proximidad a la clínica le permitía ejercer
un control implacable de mis actividades y porque
su instinto le decía que por aquel punto —defendido
por enfermos, desquiciados, parturientas— debía empezar el ataque a la fortaleza de la respetabilidad. La
clínica estaba en las afueras del pueblo y tenía un
jardín abierto a las terrazas del Torce; la mayor parte
del año estaba abierta como casa de salud o reposo
—que se decía antiguamente— en la que se trataban
las depresiones nerviosas, los casos de fatiga y soledad
de los miembros de aquellas buenas familias que —bajo
los golpes del casino y las avenidas del río— se iban
poco a poco sumergiendo en la decadencia. Sardú era
muy apreciado entonces por su competencia, liberalidad
y discreción y su establecimiento se fue convirtiendo
en lugar obligado para la gente —de Región y de fuera— necesitada de un largo y anónimo retiro. Quiero
decir que allí se trataban también, con esmero y disimulo, algunos partos enojosos y que el propio doctor
se había hecho un nombre gracias a la suavidad de sus
maneras y a su técnica del raspado. A mediados de la
década del veinte —siguiendo el éxodo general—, Sardú desapareció en el monte, la mañana de un domingo cuando ya estaba abierta la veda; un albacea suyo,
una quincena más tarde, vino a comunicarme la decisión del difunto de encomendarme la dirección del
establecimiento (que por aquel tiempo ya no era una
sombra de lo que fue), incluida la gerencia y el arbitrio
trimestral de las cuentas ante un consejo de familia, con
un sueldo que de haberse abonado algún mes habría
sido muy sabroso para aquellos días. Pero los tiempos
habían cambiado, hasta de embarazos ilícitos conoció
el país una gran escasez. Mi madre —que no era sensible al cambio de los tiempos— ofuscada por aquella
oportunidad pensó que había llegado el momento tan
deseado de alcanzar la respetabilidad con la ocupación
de una plaza que había sido abandonada. Nada más
fácil, en aquellos días, que adquirir una casa a muy
bajo precio, comprar una docena de camas y venir a
llenar el vacío que había dejado la clínica de Sardú.

»La casa, ya lo ve usted: una construcción chapucera que a duras penas aguanta la vida media de una persona, con un olor peculiar, unas paredes que se desmoronan, un instinto, una querencia por la destrucción y la ruina. Quizá es lo que siempre fue —menos secreto que lo que se piensa—, un impulso y un esfuerzo que sólo tiende a la consumación de su propia usura porque aquel propósito pecaminoso que la levantó sólo se asocia —tácita y paradoxalmente— con un anhelo de inocencia que se traduce siempre en una muerte prematura; no sólo el mentís sino la burla más descarada a las aspiraciones de una familia pajaroide (¿existió en algún momento? ¿Fue algo más que el fugaz y aborrecible señuelo de un apetito virtuoso e ingenuo, destruido y descarriado por una cama de matrimonio?) que sólo es capaz de conquistar los títulos gentilicios —al igual que las letras protestadas— cuando aquéllos se han transformado en los sinónimos de la insolvencia, la falsedad, la ruina y la abyección. Entonces una casa era mucho más que el simple cobijo, el abrigo de la familia, el caparazón calcáreo indivisible del órgano pluricelular; es decir, casa y familia no podían existir la una sin la otra y fuera de esa simbiosis sólo se podía dar la corrupción. De hecho todos los desórdenes del siglo nacieron —se puede decir— en el seno de unas familias que carecían de una casa o tomaron carta de naturaleza bajo los techos públicos que no cobijaban verdaderas familias. Creo que se hará usted cargo, puestas así las cosas, de lo que hacia 1920 significaba para el orgullo de mi madre, oír a su alrededor, «¿Los Sebastián? ¿No se trata de la gente que vive en la oficina de Telégrafos?» Porque en mi juventud la familia privaba; no existía nada —ni siquiera la voluntad criminal, el acto doloso— que no obedeciera a la determinación familiar. Un hombre no podía hacer nada —ni pensar, ni ejercer su profesión, ni (menos aún) abandonar a la familia— si no era empujado por una conciencia y una voluntad familiares. Yo veo a mi padre, en consecuencia, mientras nosotros iniciábamos nuestra penosa escalada hacia la

edad púber, arrimado a su rueda —lloroso y arrinconado— como uno de esos viejos y harapientos tañedo-
res de vihuela que se ve obligado a ganarse la vida por
las esquinas con aquello que en su juventud sólo fue
un *hobby*. Más tarde, en efecto, tiene una pequeña re-
conciliación, una insignificante recompensa que a sus
ojos es mucho —no se traduce siquiera en unas monedas más, sino en una cierta sonrisa esotérica— que es
fruto del valor de su renuncia y medida de su propio
fracaso y —todo lo más— sirve para probar la honradez de unos sentimientos acerca de los cuales muy
poca gente cree y a nadie importan. Todo hogar es
una lucha por la estabilidad y en una cualquiera de
sus vicisitudes asomará siempre el germen de su futu-
ra descomposición. Y no sólo mueren antes que las
personas (los hogares), sino que, en comparación con
ellas, consumen su vida luchando por vivir, afectados de una terrible, crónica, incurable y letal enfermedad. Yo diría que tras esas paredes y esos techos y
esos revocos se ocultan unas intenciones ruinosas que
no prescriben y de la misma forma que un día frus-
traron los sueños del indiano que la construyó para
cobijar sus ilícitos amores, de la misma forma que
más tarde se reservaron su potestad para transformar
el refugio en trampa a un grupo de vencidos o para
crear una ficción de hogar a una mujer —no engañada como a usted le habrán hecho creer, sino dispuesta
voluntariamente al sacrificio— que siempre careció de
él, nos legaron a nosotros —aquella familia reducida
a la gelatina cristiana invalidez del caracol, cuyo caparazón se ha hecho añicos— el fraude de sus techos. No le extrañe a usted la manifiesta reserva con
que me he acostumbrado a acoger todas las expresio-
nes del culto familiar; ni deberá extrañarle, por ende,
la falta de entusiasmo con que, llegado el momento,
participaré en mi propia aventura. Quiero decir: el
poco entusiasmo con que asistiré a una función cuyo
desenlace ya conocía de antemano. Lo poco que quedaba de aquel entusiasmo —el espíritu desertor que
abandonó un semicadáver tendido en una colina ro-

jiza del Rif, el que acompañó a mi padre en su viaje
por tierras de Jaén, refrescado por el vino de las ven-
tas, ausente del recuerdo de su mujer— se quedó en
aquella encrucijada del camino de Mantua, se lo aseguro; hasta aquel momento fui sincero, ingenuo y sincero, sencillamente porque no necesitaba explicarme
(y menos justificarme) lo que yo quería; lo quería así
y bastaba. La última fracción se consume en un cálcu-
lo de posibilidades mal desarrollado, un viaje en taxi,
un parto en el corazón de la sierra y un último desengaño —el menos penoso— con el cacareo del gallo
al fondo; pero antes de darle la razón a mi madre
consideré mi deber tratar de contradecir y silenciar
una forma de pensar que, al aprovechar un error mío,
se hacía pasar por correcta para subsumir mi libertad. Porque una madre lo primero que dice es: "Eso
es una locura", sin saber que —desgraciadamente—
la mitad de las veces tiene razón. Pude abandonarla
sin más y alejarme para siempre de aquella mentalidad
filistea que sólo puede pensar con su orgullo, acerca
de sus investiduras; pero preferí asumir mi papel
justamente en la dirección opuesta a la prevista por mi
madre; no para empuñar el timón familiar, sino para
abordar ese mismo navío fantasmal y devolverlo a su
auténtica condición, la épave. El timón ¿cómo creyó
aquella visita funesta que se llamaba? María... aguarde... Gubernaël, eso es, Gubernaël. Sin duda esa noche estaba desorientada en todo, no sólo en los nombres, sino en las habitaciones. Todavía no habíamos
comprado la casa pero era en las postrimerías de la
clínica de Sardú. Lo comprendí mucho más tarde y
entonces la induje a salir de allí porque la visita, aparte
de sus confusiones, no dejaba lugar a dudas respecto
al hecho de que la tenía apuntada en su lista. Cuando
la volví a ver al cabo de dos años, tapada por el velo,
no pude menos de asociarla con aquella visita que me
abordó bajo los olmos de la carretera, que para hablar
se tapaba la boca con un pañuelo perfumado con una
colonia barata pero que aun así no era bastante para
borrar la fetidez de un aliento muy cálido. Cuando

me subí al coche aquella mañana, mientras los gallos cantaban, sólo me quedaba entusiasmo para afirmar que ya no me quedaba nada de eso, con toda mi capacidad de vehemencia y reiteración, durante el viaje a la montaña. No fue un viaje largo pero sí significativo y concluyente: un escuadrón de caballería y un pobre médico de pueblo buscaban, cada cual por su lado, la víctima que les redimiera de sus faltas, el prestamista que abonase sus deudas o el vehículo de su venganza... llámelo como quiera... Salimos con la nuestra ¿qué duda cabe?, pero... ¿cuál fue nuestro fruto?»

Tenía la sensación de que apenas le escuchaba. En varias ocasiones había intercalado, como los errores y supresiones que se disimulan en un dibujo para dar lugar a un juego de adivinanzas, ciertas insinuaciones y veladuras con las que esperó despertar su interés y estimular su curiosidad. Nada le preguntó; rodeada de sombras su cara —y su silueta— parecía haberse fundido con la pared que en la oscuridad aún guardaba cierta coloración purpúrea de las últimas luces de la tarde, de la misma tonalidad que las hojas marchitas de los chopos que cubrían el antepecho de la ventana. La había invitado reiteradamente a sentarse pero hasta entonces había permanecido de pie, inmóvil y atenta. El doctor no sabía qué esperaba; no le había dicho todavía —aunque imaginaba que a la postre se trataría de algo de eso— que pensaba seguir su viaje hacia la montaña y aunque estaba seguro de que, en tal caso, debía disuadirla, no sabía muy bien por qué. Trató de saber si su cara le había sido conocida, pero no lo logró no sin obligar —de forma recurrente— a insistir a la memoria sobre el momento en que le había abierto la puerta, para averiguar si se había producido una clase de reconocimiento.

«A veces he llegado a pensar que la familia es un organismo con entidad propia, que trasciende a la suma de las criaturas que la forman. Es la verdadera trampa de la razón: un animal rapaz, que vive en un nivel diferente al del hombre y que, constituido por una miríada de impulsos fraccionarios, de microseres

sin otra forma que una voluntad incipiente, un apetito voraz y un instinto automático para aunar sus
fuerzas en torno al sacrificio del hombre, prevalece
gracias a su condescendencia, a un deseo de tranquilidad que —aunque él lo niegue— está aparejado con
su falta de dotes para la lucha; una de esas colonias
de animales pelágicos —como el banco de arenques
que se une alrededor de un cetáceo que les alimenta
con sus excrementos y al que —actuando de pilotos—,
terminan por dirigirle hacia las zonas de plancton que
ellos no prueban—, desprovistas de razón de ser hasta
el día en que logran aglomerarse en torno al individuo,
carente de instinto predatorio y maniatado, esclavizado
y sojuzgado por una razón que ya no puede evolucionar; todavía en mi juventud se daba por buena una
teoría —quién sabe si nacida del horror a toda forma
de respeto social— que en la liquidación de la familia
veía la emancipación de un instinto anquilosado y amordazado por una razón astuta que se interroga siempre
sobre el objeto de su entusiasmo (y en eso estimo su
diferencia con la pasión) y que sólo en muy contadas
ocasiones se atreve a utilizar su saber, haciendo caso
omiso de sus propósitos y sus intenciones. No sé si
resultó ser otra impostura, un nuevo despropósito, un
nuevo cimbel dispuesto por la sociedad para distraer al
individuo de su afán original, la pasión. Comoquiera que
fuera ese precario instinto —que no se conjuga tan fácilmente con el anhelo suicida deslumbrado por su satisfacción— también resultó fallido, porque incluso ante
el cimbel erró la puntería: por eso a veces me represento
a la razón como la trampa a donde el hombre ha ido
a caer, perseguido por toda una turba de pasiones ines-
tables cada una de las cuales ha requerido una ampu-
tación. Mejor dicho, este mundo no es una trampa,
sino un escondrijo (en cierto modo gratuito y frívolo,
muy propio del *dilettante* que carece de energías y
motivos para abordar una actividad seria) que ese
hombre se ha fabricado para ocultarse a su propio
demonio. Incluso el humor procede de ahí, de la actitud de quien, quieto y oculto, ve cómo los demás

corren frenéticos en pos del agujero que él ocupa.
Sólo que esa existencia en el escondrijo de la razón...
llega a cansar, pronto se añoran aquellas carreras des-
cabelladas, aquel no tener necesidad de lucidez tanto
como de piernas, de aliento, de miedo, sí, de miedo. ¡La
nostalgia del miedo! Hasta su propia razón se debilita, en
la humedad de ese agujero: un día, mientras languidece
prisionero de su propia protección, para superar su aflicción se deja arrastrar por el terreno de las confesiones.
Ya está perdido; luego, con el pretexto del cariño, de la
comprensión, de la compañía empieza a ser devorado por
un cierto número de criaturas que lo consideran cosa propia. Ya no será nunca más un individuo, un hombre dueño de sus actos tanto como de un instante, un reducto de
libertad. No sólo le exigirán la entrega total, la primacía
de los deberes para con ellos, sino que considerarán ultra-
jante, vejatorio y punible aquel gesto —el más fútil e
inocente— mediante el cual pretende reservarse un pedazo de su vida para sí mismo. ¡Eso sí que no! Lo que
no comprendo es cómo hasta ahora no ha sido capaz de
redactar un código que esté de acuerdo con sus deseos,
que se preocupe de defender su naturaleza más íntima.
En contraste, no conoce la fatiga para redactar las leyes
de protección a su más encarnizado enemigo, la familia, la
sociedad. Y sin duda porque los códigos son redactados
por la razón, un aparato al que apenas le interesa lo que
el hombre es y desea. Yo me pregunto: si el hombre además de tener razón contara con un caparazón calcáreo, con
cuatro pares de patas articuladas y una capacidad de reproducción de sesenta huevos por puesta, quizás el código
no dejara de ser el mismo, una serie de principios de forma elaborados con abstracción de la naturaleza; no una
regla de convivencia sino un estímulo a la sociabilidad,
para enajenar y atrofiar ese inagotable afán de soledad y
emancipación y libertad que constituye el tronco de su
especie. Porque el hombre no es un monumento al amor
sino al desprecio al otro, el que lo quiera olvidar se confunde. En la generación de mi padre se hablaba ya de la
comunidad humana e, incluso, de la «gran familia». ¡Qué
bien lo estamos pagando, qué caro nos va a costar! Una

gran familia, sí, pobre de recursos pero atiborrada de principios; todos se deberán a todos y nadie se tendrá a sí mismo. Los pocos hombres que nacieron en esta tierra y pretendieron luchar contra esa corriente —porque eran demasiado ingenuos para renunciar a su amor propio o porque, demasiado rudos, vieron con desprecio o compasión cómo una doctrina de amor no buscaba más que la degradación de la grey— fueron buscados, acorralados y aniquilados como animales dañinos.»

Acomodado en el viejo sillón de cuero negro, tan gastado que dejaba asomar los muelles a través de los agujeros y una segunda piel de color tabaco, se le veía un tanto inquieto. La primavera anterior, con los días más largos y el aroma de almidón de los castaños en floración, con los chillidos de los vencejos que, embriagados de velocidad, giraban en torno a las chimeneas de la casa y los olmos de la carretera, había vuelto a percibir ciertos síntomas que le procuraban un profundo y permanente malestar. No podía decir con certeza de qué se trataba, unas voces vespertinas, un zumbido nocturno y mañanero que sólo al mediodía se silenciaba, unas luces esporádicas en la silueta sombría de los montes, unos bandos de pájaros que no esperaban a octubre para dirigirse hacia el sur y muchos montones de papeles que el viento traía apelotonados, subiendo por la carretera: hojas de periódicos envueltas en un gran rollo y que al llegar a su puerta se abrían insinuantes y a las que jamás se acercó pero que durante todo el verano trataron por todos los medios de introducirse en la casa, golpeándose contra los cristales, remolineando por los balcones y obturando las chimeneas (todas las tardes las veía mientras reprimía sus escalofríos tras el ventanal) para terminar, descoloridas y agujereadas por la lluvia, deshechas por los golpes de viento, colgando de las ramas de los arbustos y espinos. Y también —y no por ser lo más usual era lo menos grave— el eco de un motor —o de unos motores— de poca potencia que, acelerado y agotado al mismo tiempo, durante varios meses había tratado en vano de remontar un repecho lejano y virtualmente próximo gracias a la resonancia con que una topografía maligna lo había recogido,

magnificado y repetido, después de una tarde espejeante
de agosto. Nada de todo aquello le había pasado inadvertido al doctor aun cuando su conciencia —su deseo
de paz, su renuncia al inconformismo— se negara a aceptar la proximidad de nuevos hechos y posibles prodigios.
Había vivido y conocido muchos casos desgraciados y muchas aventuras insensatas y pocas veces las premoniciones
habían llegado a afectar a la paz en que vivía. En ninguna
ocasión el Viajero se había detenido en su casa (con excepción del día que los belgas llamaron a su puerta para
pedir agua potable); un par de días después de que el
eco repitiese y trasladase a una octava que el oído no podía soportar, el zumbido del motor, y unas horas antes
de que el viento trajera a su puerta la tarjeta de visita,
había visto la nube de polvo, después de rebasar la collada, ascendiendo por el escabroso camino de Mantua. Y
sin embargo había abierto; a sí mismo se repetía que tal
vez era la suerte quien le había deparado aquella prueba
y no para devolverle, restaurarle o regenerar la confianza en sí mismo sino, muy al contrario, para robustecer
una especie de abstracto despego y de radical descon-
fianza que nunca había sido contrastada, al menos desde
que terminó la guerra civil con una realidad —no por
supuesta menos ingrata— que al fin iba a sancionar la
misma fuente de sus reservas. Sentada en el sillón gemelo
de la consulta de tanto en tanto se volvía hacia el doctor
con esa mirada significativa, chocarrera y vivaz, que guarda para el fiscal que le acusa, ese delincuente regocijado
que en medio del estupor y espanto de la sala, se demues-
tra incapaz de comprender la magnitud de su delito. Pero
al doctor no le había pasado inadvertida la posibilidad de
que su huésped, a fin de rehuir toda justificación, se re-
fugiara en una suerte de artificiosa indiferencia con la
que silenciar el temor al fallo aun a costa de poner de manifiesto una intención hipócrita. Por otra parte él no tenía la menor duda de que, al hacer uso de su penetración
para averiguar los móviles del viaje, aun en una prudente medida y sólo con fines disuasorios, no podría por menos de revelar una serie de opiniones cuyo verdadero origen y fuerza estaba muy lejos de querer —o poder— con-

fesar; así que contemplaba aquella situación en que —voluntaria o involuntariamente, eso al fin y al cabo era lo anecdótico— se había envuelto con esa mezcla de deleite e intriga que al espectador procuran esos cuadros de tema mitológico, bíblico o devoto y cuyo asunto no conoce cabalmente (como el «Paisaje con el velo de Tisbe» o el «Viaje de San Genaro») en la que toda la índole del argumento se centra en una liviana y lejana figura al fondo de un escenario exuberante; y de la misma forma que en tales cuadros la ignorancia estima caprichosos ciertos acontecimientos que se desarrollan en otros planos que, de otra forma, están ligados a aquella enigmática figura por un vínculo que sólo puede descifrar una erudición ausente o la clave de un lenguaje esotérico que el artista utilizó para hacer manifiesta una creencia prohibida, así trataba de comprender la razón de aquella visita y la relación que podía guardar con los augurios del monte y la intolerable calma que parecía emanar de la sierra desde dos primaveras atrás —después de tantos años de desastres y resignación que hasta los pocos melocotoneros supervivientes se habían acostumbrado a producir orejones— y que él, en cuanto hombre viejo y rodeado y protegido de astutos desengaños, intuía que anunciaban el comienzo de una nueva revulsión. No podía creer en los presagios y sin embargo no podía dejar de lado —sin hacer uso de todos los prejuicios locales— la relación entre dos o más series de acontecimientos que ninguna ciencia podía resumir: todos los años que florecían los jacintos había una muerte violenta en Mantua. Sólo había logrado sentirse sosegado —y en paz con su país— los días que el mal tiempo —que habían sido muy escasos— había desplazado, siquiera fuera por unas pocas horas, aquel ambiente tan apacible como inquietante. Y a pesar de que en su fuero interno se repetía —sin convencerse— que una reiterada coincidencia sólo podía dar lugar a una ficción, un espejismo o cualquier forma de superstición (porque él ya no creía ni en el tiempo ni en la salud del cuerpo; sabía que no existe lo porvenir ni las nevadas ni las avenidas del río), en realidad sólo confiaba en los catarros y en las tormentas para alejar de su espíritu un anhelo de

presagios y sucesos que se traducía en una permanente
desazón. Había comprendido que vivía en la zozobra
cuando se apercibió de que —tras muchos años de haberlo tenido en olvido, o, mejor dicho, secuestrado en un
piso de la memoria donde con independencia del buen
sentido se recluyen ciertos registros ridículos para cu-
rarlos de un sabor demasiado recio e ingrato y transfor-
marlos en esa gelatina conceptual de la que se alimentan
los temperamentos serenos— desde la primavera anterior
casi todos los mediodías se preguntaba por el estado del
cielo. En aquel momento estaba dispuesto a creer —tal
era su impaciencia— que aquella mirada maliciosa sabía
muy bien lo que se estaba tramando en las alturas de la
atmósfera; a ratos callaba, volviéndose de súbito hacia
ella para espiar un movimiento, un gesto o un sesgo mediante el cual desenmascarar sus intenciones; a ratos permanecía hundido en el sillón, con el dedo en la boca y la
respiración tranquila y una mirada extraviada, indolente,
envuelta en un halo de húmedos brillos provocados por
anacrónicas semblanzas y propósitos tardíos. Sin embargo
se guardó muy bien de mencionar su temor; en un principio pensó que llegado el momento se podría permitir
ciertas preguntas sin abandonar su actitud de discreción
pero pronto rectificó; toda su fortaleza descansaba, una
vez más, en su capacidad para contemporizar y esperar
sin adelantarse a las preguntas de su huésped con un interés que difícilmente era capaz de demostrar sin hacer
visibles los síntomas de su desamparo; eso era justamente lo último que habría confesado y lo primero que
trataría de evitar, consumido y mortificado desde mucho
tiempo atrás —y en sus fibras más íntimas— por una incurable sensación de fracaso (y por consiguiente por
ciertos residuos de entusiasmo —ya no pasión— respecto
a ciertas cosas ante las que a sí mismo se consideraba des-
afectado y a través de las cuales se podían vislumbrar las
contradicciones de su supuesta pasividad, la supervivien-
cia de las esperanzas fenecidas) que las actitudes más es-
cépticas y los remedios más delusorios no habían sido capaces de mitigar. Y no era tanto un último residuo de
pudor ni de apego a la tierra o a sus costumbres, ni tam-

poco el horror que podía producirle la opinión de una
persona extraña y tan mal conocedora de unas circunstancias que dominaban a cualquier interpretación, sino
una forma de desconcierto y estupor (que tanto se traducía en desprecio como en malestar) que desde su vuelta a
Región le había encerrado en aquella casa, había abortado
toda decisión, le había condenado a aquella butaca desven-
cijada, junto a una ventana en la que se iba acumulando
el polvo y frente a un país desolado mientras en una cabeza lúcida bullían todavía los viejos rencores, el fuego
del desacato y el humo de adolescentes ímpetus, y esa
actitud boquiabierta, expectante y suspensa del hombre
que aguarda un estornudo frustrado, detenido a la altura de la nariz con un picor singular. Había llegado a pensar que su padre vivía todavía refugiado en Mantua, bajo
la tutela del viejo Numa; que esperaba su vuelta, que de
vez en cuando enviaba un mensaje que él —por miedo,
por impericia, por cobardía— no había aprendido a captar.
Pero tampoco lo podía llegar a creer: era demasiado tiempo y, sobre todo, demasiado ocio. En cambio, su madre...
quizás era la que disparaba; no era una venganza, sino
la reanudación del ciclo crónico, la fiesta saturnal de una
mente arcaica que exigía el *regressus ad uterum* para borrar los errores y descarríos de la edad presente y preparar
el nacimiento de una nueva raza. Cuando llamó a la puerta se encontró ante la disyuntiva de franquear la entrada
a la visitante o —al negarse a aceptar los pertinaces tim-
brazos— arrumbar para siempre el difícil equilibrio que
había logrado arbitrar entre el signo de los tiempos y su
propio desconcierto. No había querido tomar —respecto
a la conducta de ella— una decisión porque ni tenía urgencia en disuadirla ni razones bastantes para convencerla
de la inanidad de sus esperanzas y porque, en definitiva,
no estaba en las tradiciones del país —tolerante hasta la
indiferencia respecto a las conductas más inesperadas— el
arrogarse una misión que sólo los acontecimientos sabrían
colocar en su justo marco. Ciertamente todo el país pa-
decía una enfermedad crónica y una epidemia porque
(aparte de que nadie podía sentirse atraído por el minis-
terio del augur) en la conciencia popular se había llegado

a considerar punible, insensata e imprudente la más ligera advertencia acerca de los peligros que encerraban los atractivos del monte; era ese punto de hipocresía lo que concedía al viaje anual el valor de un rito, el misterio de una fe y el sentido de una confirmación. Sin duda la reiteración del caso había conducido a la formación de un vínculo en la conciencia popular —a la que por fuerza no podía sustraerse el doctor— entre aquella confirmación y la preservación del secreto por los habitantes del llano; algunas razas arcaicas —y ésa lo era, o lo es— han llegado a la astucia a través de una perífrasis —un largo, complicado y redundante período en el que se insertan premoniciones, costumbres, superstición y mito—, tal vez para rehuir un esquema causal demasiado breve y expedito, demasiado simple, y en el que no tiene entrada, ni justificación posible, la contradicción de una especie que no aprende a vivir en paz. Sabía de sobra que aquella hora era funesta; sólo salía de la casa un rato, antes de comer, y entrada ya la noche a la hora en que (al igual que la madrugada para el condenado a muerte) la oscuridad sobre la montaña imponía una fecha más de aquella inquietante tregua; salía para atrancar la cancela exterior y dar un pequeño paseo por el jardín que el doctor aprovechaba para orinar en la hierba de acuerdo con una práctica que él reputaba como uno de los remedios más eficaces contra el mal de nervios «y sobre todo en los días cálidos» «cuando el sol, al levantar su mano déspota sobre la pradera, cae vencido y surge, instantáneo, acompasado y unísono el canto de victoria de las ranas y las cigarras, esa explosión de voces jubilosas que se unen para alcanzar una dimensión ultrasonora con la que festejar su reciente liberación». Apenas cenaba y sólo lo hacía de tarde en tarde, los días que el mal estado de su cabeza le obligaba a beber con moderación, un guiso de patatas y zanahorias que él preparaba para los dos. Hacía uso de la cena como de una medicina que, tres o cuatro veces por semana, se veía obligado a ingerir para no interrumpir sus hábitos de bebida y para poder prolongar, diariamente, sus largas veladas. Se acostaba muy tarde, pero casi toda la mañana permanecía encerrado en la habitación —no se oía el menor ruido en la casa. Acostumbraba a beber sólo por la tarde, sentado en el sillón de cuero negro ante el largo vaso sucio en el que todos los días —dentro del supino e impenetrable éxtasis inspirado no por la unión mística con el orbe que le circundaba, sino por la contemplación del principio de individuación, cristalizado en el agua madre del absurdo, la futilidad y la ingratitud— se reiteraban los procesos del caos representados en la lenta e interminable ascensión de las pequeñas burbujas hacia el ambiente que las extinguirá, para interrogarse —sin posibilidad alguna de encontrar una respuesta— sobre esas constantes dolorosas de la memoria que el tiempo, como el líquido, ha aprisionado en un medio del que sólo pueden salir para extinguirse.

«Estas noches se hacen largas, muy largas. Estas noches —por demás— en las que la luna, con su moderada claridad, invita al paciente a suspender temporalmente el rencor que ha atesorado para contemplar el negativo engañoso: esos álamos y abedules susurrantes y esas eras plateadas, las caras y las palabras del pasado que vuelven desprovistas de encono por un artificio de la luz; o incluso ese violento y despreciable apetito de perdón, de sosiego y beatitud que se apodera gratuitamente del ánimo —demasiado cómodo, olvidadizo y pagado de sí mismo— cuando la tierra (al igual que el peluquín platinado y magnificado por una combinación de las sombras con la fiebre se transforma en una pecaminosa y reiterada pesadilla en la habitación del insomne) extiende sus rizos hasta el antepecho de la ventana o el embozo de la cama para pedir con un gesto zalamero y perverso un último gesto de esperanza que al día siguiente repugna como un atentado a la dignidad. Es difícil defenderla porque es fácil sucumbir; oh, esa razón acorralada no encuentra a la postre otro refugio que el garito que siempre miró con desprecio y horror; se trata del honor, otro contrasentido. Porque en él se refugia toda la capacidad de resistencia, de protesta e, incluso, de sentido común, ese hijo de la razón que rehúsa salir en defensa de su mayor cuando lo ve vencido. Porque es allí, en el campo del honor (nunca mejor dicho) donde la razón y la pasión luchan hasta la muerte su combate final, como ese par de nobles, corajudos y apuestos caballeros que salieron a la arena con las armas bruñidas y el propio orgullo agitando la cimera pero que terminaron el combate a puñetazos y mordiscos, tirados en el suelo, envueltos en el polvo. ¿Qué tiene de particular, a fin de cuentas, que a partir de ese momento se vuelva tan cruel y sanguinario?»

Dormida, su cara era más serena pero también más madura. Se había deslizado su abrigo y entreabierto el escote del vestido dejando al descubierto el arranque del cuello, de color de cera, ligeramente moteado, escorzado sobre el respaldo con curvácea negligencia. El doctor desenchufó y la habitación, al poco rato, quedó iluminada por el resplandor opalescente de la luna en las sierras calizas, como si obedeciera a esas mutaciones de luces, tonos y sombras que en la luminotecnia teatral se estiman necesarias y suficientes para dar paso a la evocación.

«¿Qué más?»

Al pronto sintió sus ojos abiertos y luego los vio, brillantes y negros en la penumbra azulina y pugnando por liberarse de una sumisión contradictoria, como esas dos joyas incrustadas en una figura inexpresiva y tosca, que tratan inútilmente de salir de ella para hablar de su superior condición.

«¿Qué más?»

Por primera vez comprendió que en tal situación, sin que pudiera hacer nada contra ella y sin que pudieran venir en su ayuda cualquiera de sus muchas reservas, podía aflorar en su interior un sentimiento de compasión que —si persistía en su actitud recogida, las largas piernas dobladas y los brazos cruzados por la cintura, la cabeza reclinada sobre el respaldo— podría evolucionar hacia cualquier otro que, sepultado durante muchos años, tal vez permanecía incorrupto. No quería saberlo e incluso le atemorizaba el solo hecho de interrogarse a ese respecto.

«¿Por qué no sigue?»

Guardaba el licor en su dormitorio, en un pequeño armario adosado a la pared junto a la cabecera de la cama que, como todos los días, desordenada y revuelta, aún guardaba el tufo de su sueño; tomó la almohada, la sa-

cudió, ahuecó y colocó en su sitio, extendió una manta
por todo el lecho y, con una botella de castillaza entre las
piernas, permaneció un rato absorto, mientras contemplaba el desorden habitual de su alcoba, tratando de saber lo
que había olvidado. La ropa, los paquetes de algodón, los
zapatos, el fonendoscopio asomaban por los cajones en-
treabiertos del viejo buró de sus años de clínico, atestado de libros desencuadernados, más propios de un estudiante que de un profesional, de envoltorios y periódicos
atrasados, antiguas facturas amarillas, recetas y muestras
de específicos que habían impregnado la habitación con
un intenso y agrio aroma medicinal. Durante un rato re-
movió los cajones y la estantería sin ánimo de encontrar
nada, pero de repente tiró de uno de ellos, vació su con-
tenido en el suelo y, tras apartar unas chucherías (no
parecía que le hubiera guiado la vista tanto como ese
instinto de identificación que reconoce el objeto de su
búsqueda antes de que los sentidos lo perciban) extrajo
una fotografía de carnet, abarquillada y amarillenta, con
los bordes ahumados, que evidenciaba una larga temporada en la oscuridad. Buscó un sacacorchos —había una
vieja navaja oxidada debajo de la mesilla de noche— y,
sin apartar la vista de la fotografía, sacó de un tirón el
tapón produciéndose una pequeña herida en el dedo a
la que, sin mucho miramiento, aplicó un chorro de licor.
Bebió un largo trago, tosió, se secó los labios y permaneció sentado en el borde de la cama hasta que sintió
que su huésped, apoyada en el marco de la puerta, le
observaba desde el umbral.

«¿Qué es ello, doctor?»

«Estas noches traidoras», dijo, al tiempo que guardaba
la fotografía en el bolsillo. «Vamos», había limpiado un
vaso que dejó al alcance de su asiento, encima de la
mesa, mediado de aguardiente.

«Lo que sí le puedo asegurar es que nunca me permití la menor licencia y que a mí misma me impuse la
disciplina del silencio desde que acabó la guerra. Si algo

había comprendido era que a partir de entonces existían
dos mujeres diferentes que no debían confundirse si es
que yo quería conservar la integridad de la reclusa; que
cualquiera de las dos debía defenderse de la contamina-
ción de la otra y que una tercera —mucho más lógica,
ponderada y respetable— celaría y garantizaría la convivencia, la independencia y la personalidad de ambas. Esa
tercera —el árbitro— es tal vez la que ha venido aquí y
ha llamado a su puerta no en busca de sus hijas desapa-
recidas, sino de la penitencia con que una madre acosada
por las penas y los remordimientos trata de poner remedio a las pérdidas irreparables. Pues si algo aprendí en
aquellos días fue que los problemas de mi amor eran exclusivamente míos y que jamás podrían ser compartidos
por aquella persona a quien yo quería; y que, sin duda,
habría considerado como una ofensa o una demostración de egoísmo la más leve pretensión por mi parte de
hacerle partícipe de ellos. De forma que tantas veces
como pretendí ponerme en viaje —oh, eran tan sólo una
ficción y ninguna de las personas de la trinidad, ni siquiera la reclusa, intimidada ante las otras por un prurito
ridículo, le daba la importancia de una escapatoria juvenil, seguras de que en ningún caso podría llegar a su
término; porque se trataba de un juego fraudulento y
convenido, una especie de asueto de la reclusa (incomu-
nicada desde el final de la guerra) que las otras dos
—usufructuaria y celadora— tenían a bien tolerar con esa
mezcla de paternal severidad y condescendencia con que
se observa y sigue el intento de fuga de quien, víctima de
su desesperación, no intentará a la postre sino volver a
la celda que le libera por la renuncia de tantos anhelos
imposibles— me vi finalmente sentada en la cuneta de
una carretera desierta o en el andén de una estación del
absurdo, antes o después de Macerta, confusa, turbada y
sin fuerzas para prolongar un instante más una decisión
contraceptiva y tratando de explicar a un factor somnoliento (envuelto en lágrimas, perfumes de hollín y aromas
de vino) las últimas consecuencias y el primer y más in-
mediato remedio (todos los trenes pasaban a medianoche) contra un mal adquirido en los últimos días de la

guerra, en un laberinto de pasillos caóticos y bombillas parpadeantes, habitaciones estrechas y camas enormes, viajes en camión y palanganas sucias y disparos entre los matorrales, a lo largo de aquel viaje interminable al corazón de la sierra. Un día, fue a instancias de aquel mismo factor desquiciado y compasivo o fue tal vez un cochero que me esperaba dormido en el pescante desde el día de mi conversión, llegué en mi desesperación a alquilar una tartana que había de llevarme hasta el Hotel Terminus, de Ebrias, donde paraba habitualmente el ordinario de Región... Conocía el hotel, de sobra lo conocía y lo recordaba tan bien como para sospechar que en el momento en que tuviera fuerza suficiente para empujar la puerta y hacer sonar los cascabeles colgados del dintel habría logrado cerrar el ciclo de crecimiento de una persona que hasta entonces sólo había sabido hacer brotar una flor malsana entre apasionados y fétidos cultivos. Era mejor dejarla morir. Al otro extremo de la calle y en la acera de enfrente, esperaban las otras dos tranquilamente, seguras de que unos pasos antes de la puerta del hotel su insensata decisión se habría venido abajo: «Pobrecilla; no tiene remedio.» Porque no era una decisión lo que echaban de menos, sino falta de fe, un mínimo de confianza de que con aquello que iba a buscar en el vestíbulo del hotel habría de cerrarse (o abrirse) el nuevo paréntesis. A través de la puerta vi entonces al conserje, sólo asomaba su cabeza blanca por encima del pequeño mostrador, que con unas gafas en la punta de la nariz leía un periódico local en un vestíbulo fresco, sombrío y solitario... Dios mío, ¿quién era aquel conserje?, ¿por qué, sin apartar la mirada del diario, me hizo de pronto desfallecer, sentir la futilidad de mi quimera y volver vertiginosamente al punto de partida, mientras las otras dos personas en el extremo de la calle se volvían de espaldas, triunfantes y discretas, para disimular su alegría aprovechando un gesto con el que se apiadaban de mi vergüenza? Ni siquiera si se hubiera tratado del burdel habría logrado interponer entre ella y las dos personas que esperaban en la acera de enfrente aquella barrera infranqueable que la separara definitivamente de una conducta decente. No, no había

la menor posibilidad de degradación, no tenía la menor
fe en la perversión, es lo que me vino a decir el conserje,
frente a la escalera de madera barnizada; sin duda que no
me faltaba resolución para desertar de la decencia, del orden y de los escrúpulos pero me faltaba valor, capacidad
de sacrificio y la lucidez necesaria para abrazar el credo
canalla de una depravación en la que, por fuerza, me iba
a encontrar sola, sin nadie que me acompañara y nadie
a quien recurrir en la eventualidad de un fallo. Era lo
que ellas dos me estaban diciendo con su actitud: no te
juzgamos, muy lejos de eso, únicamente te advertimos que
después de cruzar esa puerta ya no nos volverás a ver,
eso es todo. No conozco un paso más difícil de dar y supongo que todos los que viven en un estado así, han llegado a la soledad a lo largo de un proceso lento y contí-
nuo de descomposición y ascesis porque seguramente la
persona no es capaz de aguantar ese acto de cirugía brutal e instantánea que, a lo vivo y a pocos pasos del hotel, yo pretendía ejecutar. Las otras lo sabían; no hay
posibilidad de sacudirse y librarse de la educación ni de
las normas ni de nada, sino a una edad temprana que yo
había sobrepasado; y la mujer adulta, mal que le pese,
ha ido incorporando a su conducta un sedimento moral
que, por más que lo intente, ya no podrá arrancar sin
destruir sus fibras más íntimas. Lo terrible es que es un
proceso ignorado. Tras unos años de calma —travesía en
calma, dominada por el temperado soplo de la conciencia— hasta el esqueleto cambia y se niega, luego, a obedecer los caprichos de la fantasía o a reconocer las dora-
das evocaciones de la memoria. Durante ese viaje el alma
cambia y adquiere una forma —consciente o inconsciente— sin que el verdadero ímpetu de donde nació, distraído por aquel instante de plenitud, tenga participación
en ella. No es sólo que el alma sea mortal, sino que de
verdad unida al cuerpo sólo vive dos o tres días, en un
hotel de mala fama o entre unos arbustos, qué sé yo cuándo. Cuando era niña, cuando tuvo miedo. Luego, por deseo unánime, se queda reducida a eso. Sólo cuando la
fiesta ha pasado y, tras un tiempo de expectación que se
define por su fe en su supervivencia, el alma pretende des-

pertar y revivir, se encuentra con un cuerpo disciplinado
que desde su propio interior le dicta la prohibición de
transgredir sus normas: diez o quince años más tarde se
comprende muy bien: cómo la persona sale del légamo de
aquella juventud totalmente limpia, desnuda e inocua,
agente pasivo de una voluntad extraña que sólo la dis-
trajo pero no la transformó en aquellos instantes deci-
sivos que quedan depositados en la memoria con una
carencia absoluta de recuerdo. Cuando comprende que
su alma se extingue —cerca ya de los cincuenta— es preciso recurrir a la imagen, sin cara ni voz ni nombre,
reducida y cristalizada en aquel éxtasis incoloro que la
preserva incorrupta. Cuando, en el límite de sus fuerzas,
quiso por última y definitiva vez tratar, como la Cenicienta, de eludir la vigilancia de sus hermanas para mirarse en un espejo y ver aquella cara incolora, no supo
hacer otra cosa que emprender este viaje y llamar a esta
puerta.»

«¿Un poco más?», interrumpió el doctor, en voz alta.

«No, no, por favor.»

«Es una bebida muy limpia; le ha de sentar bien.»

«No, muchas gracias. Más tarde.»

«Quién sabe, las horas pasan en seguida.»

«¿El tiempo?»

«Entonces no hay duda: es el temor.»

«Mi padre solía decir: '¿El tiempo?, ¿dónde está eso?
Querrás decir la lluvia, la lluvia...'»

«¿Su padre?», preguntó el doctor.

«Jamás supo nada de mí. No se preocupó demasiado
de mi persona, por lo cual le tengo que estar muy agra-
decida. Ni siquiera lo aparentaba y antes que otra cosa
renunció a mi fotografía, la maleta atiborrada de papeles
y mapas y brújulas. Le aseguro que eso no me produjo
más que tranquilidad, nada de resentimiento. Pero da
igual. No sé tampoco si empezó en esta habitación o si
fue en el primer piso del hotel de Ebrias, también me da
igual. Una mañana cerca ya del mediodía desperté al fin
rodeada de un silencio y una calma anormales, un campo
frío, apacible y luminoso, sumido en esa extraña paz
rural que sólo puede producirse en los días de combate.

Se había prolongado mi sueño hasta más tarde que de costumbre, invadida de una pereza que nace de tantas horas de ocio y cama, de tantas camas sin hacer y tanta ropa sin lavar y tanta sábana sin orear y que sólo fui capaz de superar por culpa de aquel inquietante silencio. Cuando abrí los postigos —y los pasos que se precipitaban por la escalera de tarima y el eco de las descargas y los motores jadeantes que resonaban aún en mis oídos— olvidé todos mis recelos porque mi atención quedó distraída por una pareja de perros pordioseros que se olfateaban mutuamente, más allá de la cerca de piedra que limitaba la pequeña huerta de la casa, en una pradera apagada de color por el frío, con pequeños montones de nieve helada y sucia, donde habían extendido, para sacarlas, unas prendas recién lavadas y unas sábanas muy blancas. Sin que yo lo supiera, en un instante de distracción, volví a encontrar la tranquilidad perdida ante un temor pecaminoso traído a colación por un procedimiento incomprensible: una ropa tendida a secar que —y entonces me llegó el tufo de nuestra habitación, cerrada durante tantos días— me hablaba de nuevo del orden samaritano del que yo creía haberme distanciado para siempre. No puedo decir otra cosa sino que en aquel momento crucial de la transformación, cuando todo mi cuerpo parecía preparado para abandonar la crisálida, después de consumado el inmundo y grotesco proceso que ha de transformar los misterios adolescentes y las grandes palabras de la juventud y los deseos imaginarios y el déficit de pasión, por medio de una ilusión manquée, en el receptáculo de un instinto suicida (y tal vez ridículo pero sin duda intrascendente), toda mi razón se hallaba ocupada por unos perros de majada que iban a pisotear unas sábanas recién lavadas. Cuánto tiempo permanecí asomada al frío de la media mañana, apoyada en el antepecho observando cómo se perseguían, se abatían e intentaban morderse y montarse en un juego procaz e inocente que sin duda me atraía y fascinaba tanto como el recuerdo prohibido de una edad repentinamente remota y virtualmente heroica —esto es, que queda registrada en la memoria unida y motivada por una intención heroi-

ca, aun cuando no fue así— como la inesperada estampa
de un instinto que —entre personas o entre perros— no
podía ser ni grosero ni punible sino por la amenaza que
representaba al orden doméstico materializado en aquellas sábanas tan blancas que transparentaban en azul las
sombras de la hierba. Quiero acordarme de las otras cosas y apenas puedo: cómo —haciendo un gran esfuerzo—
media docena de caballerías eran cargadas al caer el día
en la esquina de la casa, frente a los corrales, por un burrero que encinchaba las alforjas y las cajas bajo la mirada
vigilante de un hombre enfundado en un capote militar
y cubierto con un pasamontañas que sólo dejaba asomar
la punta del cigarro; cómo a las primeras horas de la noche emprendían el camino de la montaña, encabezados
por el centinela, quizás el mismo que vigiló y presenció,
apoyado siempre en un umbral ubicuo, mi iniciación al
misterio, con las manos en los bolsillos, el cigarrillo en la
boca y la carabina cruzada bajo el capote, y cerrados por
el peón somnoliento que se bamboleaba en el último borrico. Cuánto tiempo permanecí absorta y ensimismada,
encerrada en aquella casa, sin poder apartar la imaginación de aquel viaje atroz a quién sabe qué apartada breña
de la montaña, en las noches heladas de enero, sin poder
distraer un pensamiento herido pero atraído y casi hipno-
tizado por el arañazo horizontal que el borde armado de
las alforjas y la vara del burrero —como si para aquella
ascensión necesitaran esos últimos instantes de contacto
con la casa— estaban profundizando en la pared enjal-
begada y desportillada, a un metro del suelo; estoy segura de que mi conciencia —sin confesarlo— veía a través
de las luces abismales y fosforescentes del alma un rasguño semejante, a la altura del bajo vientre, producido
por una caravana de fugitivos. ¿Me parecería yo a la tapia, me condenaría a su misma quietud y abandono, cuando no otra cosa que un rasguño es el testimonio de los
hombres que la habitaron y se fugaron?; estoy también
segura de que, entre silenciosas recriminaciones (como
aquellas explosiones de los combates mañaneros que al
no ir acompañadas de ruido no parecían terminar nunca)
una conciencia apegada a las costumbres trataba de ofen-

derme y avergonzarme con aquel arañazo horizontal, única muestra de su paso por mi cuerpo pero —lo que es peor— también lo único que se habían llevado, distraídamente, unas motas de polvo y cal, en su largo exilio. Y, abundando en ello, sintiendo cómo en mi interior fructificaba la semilla de una premonición funesta que en lo sucesivo habrá de dominarme siempre con un saber cobarde y canalla que no necesita de la experiencia para estar en lo cierto, con la anuencia del destino —y su afán por la irrevocabilidad— y del sentido del deber y de la decencia que se oponen —y así justifican la dureza de su regla —a la tendencia que todo cuerpo tiene hacia la corrupción, una vez que ha conocido el límite de sus fuerzas, hasta que decidí llamar a esta puerta para preguntar:

«¿Es usted ese único hombre que queda en la tierra que no tiene intención de curarme ni corregirme? ¿Es usted, doctor?»

«Y me respondió: Es posible, no estoy muy seguro pero es posible que así sea, como si tuviera demasiada vergüenza en afirmarlo de una manera rotunda. Quizás hasta ese mismo momento yo me había obstinado en mantener un único credo que investido de nombres diferentes trataba de sobrellevar y vencer las crisis de la iniciación de un cuerpo involuntariamente aferrado a una educación en la decencia, hechizado y esclavizado para siempre a un momento turbulento y remoto, en la caja de una camioneta o en el pasillo de un hotel de mala fama, en la carretera de la sierra. Y sin embargo apenas lo creía: traté de defenderme o de defender aquella parte de la persona que era indiferente a la hipocresía y, en cierto modo, independiente del respeto a aquel cuerpo poseído que nadie fue capaz luego de exorcizar, ni los oficiales de la posguerra ni el sosiego doméstico, el mimo y el regalo con que el orden al que fui restituida trató de curar las heridas y afrentas del cautiverio, no ya en el altar del adulterio sino tampoco en el fuego aberrante de las renuncias, el sacrificio y la fidelidad. Cuando al fin —tal vez sentada en este mismo sillón, un único atardecer de lluvia, qué más da eso— comprendí gracias al miedo que no había tal independencia, que no existía en mi cuerpo tal escisión y que tan sólo me había aprovechado de un legado que las monjas me dejaron con su educación —tanto por el respeto a las leyes de la decencia como por el hábito del disimulo y del engaño para con uno mismo— para mantener incontaminado un culto vicioso, me convencí de que me había hecho vieja. Comprendí también que semejantes contradicciones y hiatos... ay, no son sino aparato de juventud, los accidentes que surgen como no podía ser menos en el curso de ese juego que han entablado la fantasía y el destino, excitados como dos músicos rivales que tratan de mantener animada una macabra noche de bullicio, han urdido para distraer el afán de la única edad que esconde un sincero apetito no egoísta. Que trabaja para su propia destrucción ¿quién lo duda? ¿Es esa razón bastante para traer a la persona al culto de sí misma? Y siempre es así; siempre, tarde o temprano, tiene que amanecer el día en que el objeto que las manos anhelaron la noche anterior cobra todo su valor no por sí mismo sino porque se halla entre esas manos. Algo se acaba entonces, una edad tal vez que no está en los años —repito— sino en la extinción de cierta generosidad. ¿Cuándo cesa eso? Es la razón en lo sucesivo —aliada del temor— la que va a dictar qué deseos son provechosos, cuáles son suicidas, qué rama es preciso extirpar para enderezar un tronco que... usted debe saberlo: será —supongo— en el momento en que tras veinte años ¿de qué?, ¿de matrimonio?, ¿de inocencia?, ¿de desamparo?, ¿de prostitución?, ¿de hipocresía?, ¿quién es capaz de darle su nombre cabal?, una mujer seducida en la caja de una camioneta, acogida de nuevo al seno de una sociedad que más que perdonarla la ha compadecido, comprende —al igual que el delincuente reincidente e incurable— que su naturaleza tiende al delito y que antes será necesario pasar por alto todos los códigos vigentes que abrazar el campo de la virtud; y que —ya que es preciso aborrecer algo— en lo sucesivo aborrecerá las leyes, el orden y la decencia para vivir conforme a un credo que sólo en las faltas encontró su verdadera razón de ser; un montón de brasas que despide más calor que cuando los troncos ardían pero que, ay, ya no volverá a inflamarse. Cuando me acerqué a aquel teléfono descolgado sobre la mesita moruna y la voz gangosa, impersonal, no perteneciente a nadie sino al éter enemigo...»

«Tenemos un solo árbol» —interrumpió el doctor— «pero ¿ha visto usted cómo brilla?»

«... no en la guerra sino en la paz. Porque la guerra sólo era un pretexto, el ardid que el destino impone, como a Ifigenia, para probar el apego a su padre; y mi padre era todavía menos que aquella voz terrible, salida de una chapa magnética...»

«Fue algo más que eso, sin duda. La prueba de que no teníamos razón, de que no había lógica en nuestros actos ni juicio en nuestras predilecciones. Por tanto, había que volver al principio, era necesario borrar los últimos pasos que habían conducido a semejante atolladero. En verdad, si no existía ya una confianza en el futuro ni un apego a la tierra ni una verdadera fe en las creencias, ¿por qué no volver al terreno del odio? Sólo de la derrota podía surgir algo nuevo; no ha sido así, pero eso no quita nada al hecho de que fuera la mejor razón para hacer la guerra: poderla perder.»

«Eso me recuerda que... pero ¿por qué dice usted eso? Eso lo decía él pero no lo creía sino en gracia de una intención aviesa. Para que yo comprendiera que algo desaparecía para siempre. Pero justamente creer eso es eternizarlo, vivir en la confianza de que existe —porque fue— aunque ya no le volvamos a ver. Lo he sabido siempre y en parte por eso estoy aquí. Apenas me enteré de aquella guerra sino cuando ya estaba terminando. Algo tarde, en algo más que una semana sufrí todas sus consecuencias: un padre muerto, un amante desaparecido, una educación hecha trizas, un conocimiento del amor que me incapacitaba para cualquier futuro; ante mí, y en el seno de una sociedad dispuesta a acogerme como una mártir y una prenda codiciable, no se abría otra posibilidad que la del engaño, incapaz de confesar mi apego al enemigo y de renunciar (ya no digo renegar) a él. No había otra solución porque yo había conocido la suerte de esos seres desventurados que han

sido engendrados un momento antes del cataclismo y
cuya naturaleza, inadecuada para las condiciones subsi-
guientes, no tiene otro futuro que una lenta y muda extinción. Yo nací en cierto modo el año treinta y ocho, al
final de una edad continental: mis pulmones se abrieron
al oxígeno cuando el continente decidía —sin contar con-
migo, más bien contó con mi padre y sus amigos de promoción— sumergirse en este mar letal para el que mi
sistema no se halla (no lo estuvo nunca) adecuado. Son
regresiones y transgresiones que ocurren de forma pe-
riódica, pero —en lo que se refiere a la vida del hombre— azarosa. Así que esta nueva época continental que
al parecer ya se anuncia en el horizonte, a mí ya no me
servirá de nada. Por otra parte, ¿qué me pueden impor-
tar mis amigos y mi país si, como consecuencia de aquel
cataclismo, no me queda sino amor propio? Ni siquiera
queda el sabor de la venganza, apenas guardo rencor para
los que —aclimatados a las condiciones de estos años pasados— pronto veremos en el suelo, dando coletazos,
ahogados por la atmósfera que trataron de viciar. Para
ellos ha de ser más duro porque yo al menos me formé
—me tuve que someter— en un clima carente de futuro.
Ellos, no; han creído que sobrevivirán. Durante la guerra, el amor como cualquier otro artículo, estaba interve-
nido y había que consumirlo con ese espíritu clandestino,
cómplice, mezclado de ansiedad, premura y picardía, que
embarga a los chicos que hacen rabona. No podía prevalecer a sabiendas de que había nacido y debía su existencia a un estado de cosas que por fuerza no podía
durar; por eso, acuciado por su futilidad, trató de buscar su razón de ser en un instinto pecaminoso, en cierto sentido de la burla, en una comedia de la comedia,
decidido a no prolongar la representación más allá de
aquella situación efímera y renunciando de antemano a
una ulterior y falsa continuidad que tarde o temprano
había de adulterarlo. Nos burlamos de todo, aunque algo
tarde; en una comedia así, el primero que sale mal parado no es el propio orgullo sino el afán de generosidad.
En cierta ocasión me dijo —yo creo que fue un momento de tregua, en aquella fuga hacia la montaña, sentado

a la puerta de una casilla mientras arrojaba piedras al camino— lo mismo que usted: que la mejor razón para prolongar un combate era siempre derrotista y que en nuestro caso era absolutamente preciso continuar la guerra hasta ser merecedor de la completa derrota. Sólo la derrota haría tolerable la posguerra... ¿Cómo se llamaba aquel matrimonio que trabajaba en el Comité? El era un hombre alto, de gafas negras y de aspecto de mala salud; que apenas veía nada y que se pasó toda la guerra paseando nervioso por los pasillos del edificio del Comité, fumando sin parar. Y al parecer no fumaba antes de la guerra porque una sola cajetilla le habría llevado a la tumba. ¿Robal? ¿Rubal? Su mujer —lo recuerdo muy bien— también se llamaba Adela, la camarada Adela; era pequeña, robusta y tras una incipiente obesidad escondía una violencia contenida; es posible que la costumbre de servir de lazarillo a su marido le hubiera inoculado un estado de permanente alarma y un afán de vigilancia respecto a todo lo que les rodeaba. Durante más de un año, el último de la guerra, dormí en la misma habitación que ella, cuando la economía de las habitaciones impuso la separación de sexos; yo no sé si llegué a odiarla. Unos pocos días antes que las tropas de mi padre ocuparan la ciudad les vimos abandonar el edificio del Comité, cogidos de la mano: salieron al aire libre por primera vez en cien o doscientos días y no se atrevían a dar un paso, cogidos de la mano y contemplando la plaza del pueblo con la misma extrañeza que si se tratara del país del Tendre. Qué abandono, qué crueldad. Supongo que las tropas les debieron sorprender sentados en un banco de la misma plaza, carentes de todo e incapaces de pensar en su propia situación, todo lo que había pasado y la suerte que les estaba deparada, paralizados más por la nada que por el miedo y sin saber —o poder— hacer otra cosa que apretarse mutuamente la mano para retener esa última y única propiedad sobre la que nadie —ni ellos mismos— se había de interrogar. Recuerdo que me quedé observándolos hasta que un viraje de la camioneta al doblar una esquina los ocultó, impresionada por una sensación que no me atrevo a calificar de ninguna manera: una mezcla de compasión, alivio, envidia, culpa y menosprecio. Compasión ante su desamparo y envidia de su simplicidad y regocijo, culpa, animosidad y muchas otras cosas por la distancia que en todos los órdenes me separaba de ellos. Pero qué sabía yo que a los pocos días había de volver su imagen a mi memoria, nimbada con una aura de fatalidad porque ya no se trataba de una estampa fugaz sino de una condición. Sujeta a la misma condición me encontraba yo, a la puerta de aquel hotel de montaña de mala reputación, secándome las manos en un paño de la cocina después de fregar un cacharro mientras por la vereda que subía de la carretera ascendía hacia la casa la columna de navarros. Entonces no me di cuenta; lo que yo me negaba a creer, lo que mi amor propio trataba de hacer público para forzar un cambio de mi sentimiento, lo que mi despecho temía y mi vergüenza se empeñaba en negar, estaba implícitamente reconocido por una memoria que recurría a la imagen de aquel desdichado matrimonio. Tampoco era simpatía lo que al cabo de los días me volvía hacia ellos, sino una afinidad de índole fatídica gracias a la cual sin atreverme ni querer comprenderlos ya no los sentía extraños a mi propia naturaleza. No hubo ultraje ni engaño, eso es lo peor; cuando al fin abandoné la casa —volví a Región envuelta en mantas y capotes militares, en compañía de un niño que acariciaba un gato recién nacido y de un viejo carretero sordo que no paró la menor atención a los puestos de control, las columnas de evacuados y los grupos de prisioneros taciturnos y harapientos— me embargaba todavía la sensación de culpa y retraso, como si saliera de una fiesta cuyo bullicio resonaba aún en mis oídos en forma de cansancio, sueño y satisfecha desazón, reconfortada en mi fuero interno por las emociones que, tras unas horas de descanso, habrían de repetirse. Pero no fue así porque sin duda mi cuerpo —mi alambicada y frágil desolación— requería más cuidados que el mero descanso y necesitaba otras garantías y otros alimentos que los ensueños del despertar; qué no decir de aquella apariencia de inocencia que llevada de una evasión fratricida trataba de consolarse con la palabra

expiación, con la palabra culpa y la palabra deber y esa
última palabra, renuncia; como si las palabras hubieran de tener el poder de suturar la herida y relajar aquellos músculos tirantes que por nada del mundo querían
volver a su relajada posición ni salir de aquel absorto,
tenebroso e idiotizado éxtasis, tirada en la cama de la
estudiante y rodeada de inocentes fetiches y muñecones
de trapo, donde tan pronto como comprendió que había
quedado sólo el cuerpo en secreto empezó a mimar aquella soledad para practicar un culto prohibido. Aunque
yo no quería ni perdonar ni olvidar el testimonio que
guardaba mi tabernáculo era de esa índole que trata a
toda costa de romper los secretos y votos para ser profe-
sado una vez más. En realidad, ¿qué tenía que ocultar,
aparte de la desviación respecto a la conducta normal y
decente de una muchacha de mi edad y de mi educación?
¿La guerra no era más que suficiente justificación de los
desórdenes de un cuerpo? ¿No fue suficiente en cuanto
se refiere a la niña crédula e impertinente, colocada a un
paso de la sutil frontera que la separa de una mujer pública? ¿No bastaron un par de semanas en un albergue
de mala reputación, un viaje en una camioneta desven-
cijada en compañía de unas gentes que en cierto modo
estaban en su derecho en el momento de violarme o de
matarme? ¿Qué otra réplica habían de dar a mi padre?
¿No era eso —y sigue siéndolo, el frenesí de mi padre y
sus amigos— un asunto de la mayor importancia para
parar mientes en los descarríos de la hija? Ah, si todo
hubiera sido así de simple yo hubiera salido inocente:
quiero decir, yo habría salido del sacrificio dueña de mí
misma. Pero ¿para qué entrar en detalles? ¿Qué importan las personas, los nombres, los lugares, las fechas, la
clase de falta? ¿Qué importa lo que yo elegí frente a lo
que me fue dado? ¿No luchaban todos entre sí? Entonces ¿qué? ¿Importa que fuera yo la primera interesada
en perder la virtud? ¿Y si le dijera que de no haberse
producido el holocausto también la hubiera perdido?
¿No cree usted, Doctor, que hay muchas maneras de
perder la virginidad?»

«Ciertamente, no lo sé. En materia de conocimiento

he tratado siempre de limitarme al terreno de mis experiencias.»

«Señor, hay todavía quien cree que cuando se deshoja ese frágil pétalo se adquiere un nuevo estado. Supongo que es una manía puramente masculina, una especie de garantía de que la calidad del producto depende de una etiqueta en el tapón. Pero de qué poco le sirve a la mujer ese precinto, qué poco le importa el estado del tapón. No sólo lo odia sino que se enorgullece en cuanto puede romperlo y olvidarse para siempre de un estado que maldita la importancia que tiene. La verdadera virginidad viene después, con el precinto roto. Y la inocencia y la castidad también. Y entonces aunque no quería confesármelo yo lo sabía, día y noche tumbada en aquella estrecha litera de estudiante, rodeada de muñecos y recuerdos de colegio y tratando a todo trance de reconstruir el dolor y el escozor de la herida en el bajo vientre porque con toda probabilidad para aquel entonces mi pobre economía consideraba más barato suponer que me había dejado arrastrar hacia un pecado perdonable y corregible. Pero qué poco dura eso, qué pronto la verdadera economía del cuerpo se impone a las medidas y cortapisas de la educación que trata de sanear un estado ruinoso y lastimero con una purificación ficticia; y el juego se inicia de nuevo, con la siguiente desventura; hay todo un largo momento en el que los acasos, los desastres, la esperanza son transportados a un nivel imaginario determinado por la culpa y la regeneración entre las cuales la persona se mueve como una pelota voleada entre las manos de un mismo malabarista que la mantiene en el aire sin que llegue a tocar jamás la tierra. Esto es para mí lo más terrible: porque sin apercibirse de ello en aquellos días finales de la guerra, en la caja de la camioneta y en la habitación del albergue, había tocado el fondo de lo que se ha dado en llamar la existencia. Y entonces no había necesidad de palabras, ni de memoria ni —menos aún— de sentimientos: no había culpa ni falta ni moral, no podía haber pecado ni arrepentimiento ni moratoria. De haber algo engañoso era solamente un destino embustero que no quiso interrumpir el breve intervalo de nuestros amo-

res con la presentación de aquella cuenta atroz que al término de los días nadie era capaz de abonar. Luego pasa y
se ve con encono cómo la mujer, el hombre, la sinceridad
han sido burlados porque así se le ha antojado a un destino irritante y necio cuya principal diversión no consiste
en determinar la fatalidad sino solamente en ocultarla...
Cuando ya no hay remedio, cuántas cosas se ven claras;
cuando al cabo de los años se pregunta uno por el fun-
damento de aquella moral que abortó tantas cosas —que
había de convertir en un paisaje en ruinas todos los impulsos de una conducta... ¿inmoral?, ¿indecente?, ¿in-
oportuna?— no puede dejarse de pensar hasta qué punto
el individuo tiene más necesidad de justificarse ante sí.
mismo que ante el orden externo que siempre considera
culpable. Aún recuerdo aquel pasillo de los escalofríos
desde el dormitorio al cuarto de baño y la escalera, pintado de azulete, solado de baldosa e iluminado por una
única bombilla encima del rellano del fondo, que tantas
veces crucé aterrada y semidesnuda, temblando de frío,
miedo y furor. Recuerdo que mientras él dormía —en
pocos instantes caía en un sueño de niño que yo envidia-
ba y maldecía porque sentía celos de aquella oculta e in-
sondable naturaleza tan ajena a mí, que con tanta rapidez
y soltura sabía zafarse de los lazos del amor para recogerse en su dormir, de aquella respiración profunda,
acompasada y extraña como el latido de un caballo o el
rugido nocturno del mar— yo tenía a menudo que levantarme y cruzar aquel pasillo que permanecía toda la
noche iluminado no tanto para delatarme como para dramatizar con su luminotecnia brutal los pasos del aprendiz
por encima del abismo. No sé cómo sabía yo que allí,
más que en la enorme cama paisana, tenía lugar mi prueba y que la consagración de mis votos, no la castidad de
un cuerpo que ya había perdido todo deseo de virtud
pero sí la sinceridad de una conducta que buscaba a ciegas la casta honestidad postvirginal de un infinitesimal
sentimiento perdido entre una muchedumbre de pasiones
y recelos contradictorios, había de depender de la soltura que debía demostrar para recorrer desnuda los doce
metros de pasillo. Y cuando al volver cerraba de nuevo

la puerta de nuestra habitación (la misma oscuridad que
encerraba un cierto calor propio con el aroma de su
carne, los pálidos brillos de las esferas y el reflejo del
agua quieta de la palangana, aquella respiración, profunda, acompasada y poderosa que —al igual que el oleaje
contra la costa— parecía chocar contra las arrugas de las
sábanas) recibía la sensación de volver no a la erótica penumbra sino a la cálida morbidez del refugio materno,
tras el corto viaje a través de las tinieblas susurrantes y
hostiles. Yo tenía que llorar entonces, con la cabeza pegada a su pecho, y sorber mis propias lágrimas en aquella
piel humedecida y sacudida por una respiración que hubiera querido ver detenida al sólo contacto de mis pár-
pados. Pero dormido aunque no podía odiarle sí empezaba a recelar y advertir que una parte de su condición
estaría siempre alejada de mí y no porque me avergon-
zara el terrible papel que mi cuerpo ensayaba en su comedia, no porque un reticente amor propio replicara
con el rencor al desdén de su público más querido, no
por nada sino porque una conciencia sórdida, pusilánime
y avisada, sentía que su amado, al amparo del sueño, al
tiempo que se alejaba recobraba su independencia como
ese contrabandista que de tiempo en tiempo ha de buscar refugio en las abruptas regiones sólo conocidas
por los de su raza. Y la joven malcriada que, sin saber
cómo, ha logrado romper las barreras impuestas por su
casta para correr una aventura que atrae y horroriza a
todos los gentiles, contempla por primera vez la línea
real del horizonte más allá de la cual jamás verá nada
por mucho que sea su atrevimiento: una piel envuelta
en el olor de la suavidad y el sudor, una respiración solemne y lejana, perfilada en las tinieblas como la línea de
la cordillera donde habita esa gente y esa raza maldita;
nunca será capaz de llegar allí, de convertirse en una
más entre ellos quizá porque el núcleo gentil que ha nacido con ella ha advertido que una gran parte de su pasión descansa sobre el horror de sí misma y que —si em-
prende el viaje— le acompañará también hasta aquellas
regiones limítrofes; hasta las tierras de aquella raza asur-
cana adonde, tarde o temprano, volverá el amado cuan-

do, más que la nostalgia de su tierra, afluyan a su pecho
el odio y el desprecio a los gentiles. Fue un sinfín de
días y noches tratando a todo trance de no abandonar
aquella habitación; yo no sé si era otra manifestación
del pudor, tras la primera vergüenza, que cambia de signo y se siente atraído hacia la corrupción (la temperatura
del aliento y el olor de las sábanas) cuando el objeto de
su defensa ha sido conquistado. Porque siempre tratará
de defender algo y cuando la virtud sea vencida se volverá contra su antigua aliada para luchar por el vicio adquirido; y cuando éste se arruine se refugiará en el cansancio o la laxitud. No era solamente el ejercicio de
aprendizaje en el pasillo de los escalofríos: el mismo
aire de la mañana, el canto de los gallos y de los puche-
ros que hierven, el aroma de las sábanas limpias llegan
a repugnar, se vuelven inmundos para aquél que ya no
puede esperar una regeneración (no puedo hablar del temor al castigo porque nunca lo sentí). Pero me inclino a
creer que con aquella reclusión trataba de no reflexionar
para alejar de mí el espectro del día —así lo temía— que
debería abandonarme; no quería, al menos, proporcionar-
le la excusa de una ausencia mía. Tal vez no; quizás era
yo la que necesitaba las cuentas claras para comprobar
la índole de un balance inequívoco, al final del ejercicio.
Era yo quien ese día debía estar convencida de que no
había un acaso por medio y que, las cuentas claras, lo
último que habíamos hecho era jugar a escondernos del
mañana. No existe el destino, es el carácter quien decide.
Apenas encendí la luz ni abrí los postigos en dos semanas durante las cuales ni se orearon las sábanas ni se
hicieron las camas ni se ordenaron aquellas ropas entre
las cuales un cuerpo recién liberado, insinuante y jactancioso, se recreaba solitario en su gracia y en su doblez,
como el caballo que un gitano pasea por la feria, para
asombrar y ofender a una conciencia avara e incrédula
que se resistía a considerarlo como propio a pesar de haber avanzado la cantidad estipulada. Y yo pensaba... esa
cantidad que el cuerpo —y solamente el cuerpo— ha sabido ganar, ¿no debía corresponderle exclusivamente a
él?, ¿es que no se trata de un negocio limpio, puestas así

las cosas?, ¿a qué vienen los quebrantos y beneficios de la moral? En las largas horas —el frío, las dimensiones de la cama, el jugueteo de aquel cuerpo desnudo y sin rienda, bajo las ropas desordenadas, era todo lo que me impedía poner un orden y una limpieza que me horrorizaban— que permanecía sola (tantas veces fue interrumpido nuestro sueño nupcial por unos golpes en la puerta, los pasos de las botas que resonaban en las baldosas, bajo el peso de las armas y los capotes húmedos) no hice sino tratar de explicarme la complicada operación financiera en cuya lógica la conciencia en el fondo nunca creyó: cuál era el interés al capital moral desembolsado y cuál el beneficio y cuál la amortización de aquel cuerpo usado en una buena parte de su vida. Cómo podía yo saber entonces que toda la economía del amor se halla dominada por esa primera inversión cuyo resultado se traduce casi siempre en un quebranto definitivo e irreparable. Me parece que en nuestra lógica albergamos un tribunal secreto y artero que lo sabe y lo calla y que, informado por un conocimiento ancestral, acepta en su día la educación legada por las monjas para, sabedor del fraude que se avecina, cargar toda la responsabilidad a un cuerpo desnudo frente a un espejo obsceno. Y hasta es posible que todas las decepciones del instinto —que la naturaleza ha engendrado sólo con miras al éxito, ay, otra cosa sería si existiera en verdad una auténtica conciencia desgraciada— provengan de un foco clandestino que conoce de sobra y de antemano la futilidad del amor y contra la que el cuerpo se estrellará siempre. Hasta que su silueta por la madrugada volvía a recortarse en el marco iluminado por la luz del pasillo, un capote triangular y un pasamontañas de color nube enrollado en la frente: '¿Duermes aún?' — 'Oh, Dios, dormir... ¿cómo puede haber todavía quien lo crea?'.»

«Que ¿qué hice después? Ya te lo puedes imaginar. Nunca llegué a saber el tiempo que permanecí allí; a duras penas he sabido después lo que ocurrió en la guerra, por qué combatíais, qué razón os empujó a escapar. Ni el tiempo que permanecí sola después de que tú te fuiste, queriendo creer que se trataba de una separación más, análoga a las anteriores. No sé si me levanté de la cama porque bajo las mantas, tras los postigos cerrados, aquel cuerpo juvenil, endiosado y procaz se retorcía y apretaba a sí mismo para apartar de sí la idea del engaño, para inventar una congoja distinta e imaginaria y permanecer sorda a las revelaciones de una premonición cruel. Una mañana me apercibí de que había demasiado silencio a mi alrededor; la educación había adivinado que al fin se había presentado aquella soledad que tantas veces anunció y entonces el cuerpo se levantó de un salto, abandonó la cama, se colocó la primera prenda que encontró en la silla y corrió descalzo por el pasillo en busca de la prueba con que desmentirla. Hacía sol, pero era una mañana muy fría y los prados estaban todavía cubiertos por la escarcha, tras los matorrales; unas gallinas trataban de sacudirse el frío aleteando en la era y picoteando en el umbral soleado, pero ni en la casa ni en el camino ni en la orilla del arroyo se veía un alma. Tan sólo el puchero hervía en la cocina, a cuyo olor habían acudido dos o tres perros vagabundos que se perseguían y olfateaban y huían ante mi presencia, con el rabo entre las piernas. Entonces el cuerpo volvió a la habitación, cerró de nuevo los postigos, se despojó del vestido, se llevó a la nariz una camisa de dormir que había quedado allí y volvió a la cama, desnudo y decúbito, estrechando contra su cara y su pecho aquella prenda que aún conservaba entre sus pliegues el recio aroma de sus perdidos amores. No sé cuántos días —o si fueron solamente unas pocas horas— permaneció así, secando sus lágrimas en aquel despojo que a la postre ya no olía sino a su propia soledad; mordiendo el cuello ausente y estrujando las mangas vacías consumido por la fiebre mientras la conciencia, al contemplar las rayas de luz del techo, reconocía con espantosa lucidez que había perdido su primer combate y que, en lo sucesivo, era menester hacer uso de un método menos inocente y de una conducta más hipócrita para llevar a cabo la revancha. Un mediodía, al fin, entró Muerte en la habitación, con un cigarrillo de tabaco negro en una boquilla higiénica, cubierta con una bata negra estampada de grandes flores multicolores y una sonrisa benevolente que dejaba al descubierto un diente de oro. Me ofreció un cigarrillo, extrayendo del escote un paquete arrugado y medio vacío; tenía un pecho pálido, surcado de venas azules, y enorme, tan grande como para alimentar niños raquíticos. Le pregunté dónde estabas; yo creo que ya no era el cuerpo, que había renunciado al despojo maloliente, sino esa conciencia fiscal y verdugo que tras haber hecho pública su sentencia se permite edulcorar sus últimos momentos con una actitud caritativa y un gesto humanitario, destinado a la galería. Se sentó en el borde de la cama, se recogió la bata sobre las rodillas y me preguntó si me apetecía algo para el desayuno. Le dije que abriera los postigos y ella sonrió otra vez, enseñando de nuevo el colmillo de oro, mientras se recogía el escote y expulsaba hacia el techo el humo de la última bocanada. Cogió con dos dedos el despojo y lo tiró al suelo; me miró de arriba abajo, moviendo la cabeza contempló el estado de aquella habitación en la que no había entrado en las últimas semanas, me dio unas palmadas tranquilas a la altura de los tobillos y, después de aplastar la colilla contra el suelo de baldosa, pisándola con la zapatilla del pompón rojo, tras unas miradas discretas a través de las rendijas de los postigos, me dijo que iba a subir un poco de leche caliente y unas galletas para desayunarme.»

«Aunque no lo creas, puedo asegurarte que los reproches no empezaron entonces. Tardaron mucho —creo que debes comprenderlo: será porque los reproches que no pueden manifestarse nacen muertos o porque tuvieron que esperar a una certeza mucho más amarga que aquella primera a la que 'en vano a apagarla concurren tiempo y ausencia', cuando el ímpetu derrotado en aquella aventura comprende que en lo sucesivo ha de entregarse a la única persona que ha de serle fiel. Era una derrota lo bastante grave como para tratar de eludirla con una corte marcial y un reo en rebeldía, unos pronunciamientos favorables a mi entereza, a mi ánimo, a las virtudes de mi raza y a la fortaleza de mi educación. Me resisto a creer en la eficacia de tal sentencia: no trato una vez más de justificarme sino de hacer inteligible

cómo las fuerzas de la facción vencida se niegan a colaborar con el nuevo gobierno y cómo la persona en lo
sucesivo quedará dividida en dos sectores irreconciliables;
un ansia que ya no tratará de legitimar sus aspiraciones
sino de consumirlas en la clandestinidad y una educación, una compostura —llámese como se quiera— que,
de fuerza o de grado, ha de renunciar para siempre al
embargo de la pasión; un anhelo de poseer y un anhelo
de entregar que ya nunca se conciliarán, en ninguna circunstancia, en ningún amigo. A partir de aquel momento
comprendí que todo reproche que tratara de lanzarte se
había de volver irremediablemente contra mi amor propio y que toda posible solución había de aceptar semejante escisión. Así que cuando Muerte quiso aclarar la
situación la primera sorprendida fue ella. No tenía nada
que consolar, ninguna frente que acariciar, ningún ánimo que elevar. No tenía sino que extender el certificado
de mi mala conducta, el dinero que le pedí mientras
me bebía la leche, mirándola por encima del borde del
vaso. No sé por qué la llamábamos así y supongo que
el sobrenombre también partió de ti. Cuando la conocí
mejor adiviné que se trataba de la misma persona que
desde mi infancia celaba por mi seguridad, en ausencia
de mi madre. No había en su naturaleza el menor in-
grediente vicioso: no había más que rigor, avaricia y un
poco de crueldad aunque —en verdad— no puedo re-
procharla nada: tuvo ciertas consideraciones para con-
migo, me albergó en su casa y, al fin (era tanto el miedo
que tenía) me prestó el dinero sin hablarme para nada
de la fecha y la forma de pago. Era la primera venganza
que yo saboreaba; al fin y al cabo no era yo sino la
gente de orden, como ella, la que por imprudencia o
ambición habían cometido el delito. Ahora tenían que
pagar por su lenidad, lo mismo exige el chiquillo avi-
sado del ama que lo ha descuidado unos instantes para
hablar con un transeúnte. Y todo por culpa de mi padre,
al que yo quise esperar allí para preguntarle: «¿Qué
hiciste de mi fotografía?» Es posible que un par de años
atrás no se hubiera molestado en bajar al comercio vecino para hablar por teléfono con mi mentora, pero

bastaron veinticuatro horas y una orden de incorporación al frente para divorciarse del becerro en cuyo culto
había intentado justificar durante mi niñez, su retiro y
su cobardía. Todavía lo veo en aquellos días, haciendo
la maleta: en el fondo ha plegado el uniforme recién
desempolvado y en el último instante advierte que para
cerrar la maleta es preciso renunciar a la fotografía: la
mía, vestida de colegiala, porque la de mi madre... hace
tiempo que voló. Creo que disfruté durante una hora
contemplando aquel vaso de leche pura, de quieta leche
inofensiva ofrecida en los prostíbulos a título regenerati-
vo, como un arcaico vestigio de un rito precursor de las
depredaciones nupciales, mientras mi alma muy lejos
de allí —ausente por un momento del negocio que
tanto le interesaba— olfateaba aun en las colchas rojas,
en el aroma de loción que impregnó la almohada, en la
viciosa penumbra y en los desordenados pliegues de
las sábanas, los presagios de un nuevo estado para el que
estaba descubriendo una evidente vocación. Que yo tenía
esa vocación... tú, como siempre, lo dijiste el primero.
Pero parece que la vocación es poca cosa si no surge
un estímulo extraño, algo que además de revelar el
atractivo hacia ese estado lo rodea de una gloria no
parecida a ninguna otra. Habiéndose evaporado para
siempre todo vestigio de heroísmo esa vocación por
fuerza había de estar dominada por el desprecio. Sin
duda que influyó mi padre al salir de viaje para incorporarse a su Cuartel General mientras el retrato de su
hija ha quedado debajo de un armario. Así que decidí
esperarle en aquella casa y a poder ser en aquella habitación y a ser posible en aquella cama, entre aquellas
sábanas, con el despojo maloliente apretado contra el
pecho. Pero Muerte dijo que no; tenía demasiado oficio
y mucho miedo: esas regentas de casas de tolerancia
son, sobre todo, amigas del orden y respetuosas con la
ley, todo su negocio se cifra en sus buenas relaciones
con los agentes del poder. Y además no gustan de las
bromas; y la mía era del peor gusto: un ultraje. Así
que tuvo que pagar para no sufrirla. Porque, después de
que tú te fuiste, ¿qué falta me hacían el pudor y el orgu-

llo? No me quedaba sino un vestigio de ellos, cada día
más débiles y sucios, como ese manojo de certificados
ennegrecidos, arrugados, rotos y pegados con papel de
goma que el cesante lleva siempre en el bolsillo para
acreditar un estado anterior menos lamentable. Cuando
un par de meses más tarde encontré a Tomé en la leñera
de la casa ya no pude hacer nada, ni siquiera podía
añadir nada al deseo de revancha y en cuanto a la piedad
¡qué poco tenía que hacer alrededor de su camastro!
En otras circunstancias lo justo era que hubiera vuelto
a mí porque yo era lo único que le podía curar de
todos sus remordimientos... Exagero, sí. ¿Qué puedo
hacer sino exagerar? ¿Qué me queda sino tratar de
enaltecer el antiguo valor de una moneda tan tierna
y rápidamente devaluada? En cuanto a Tomé, tú le
conociste, quién mejor que tú puede saber cómo me
equivoqué por segunda vez al tratar de aplicarle el
mismo sambenito de la fatalidad. ¡Qué palabra! No
podía comprender que yo me encerrara en ella; no
quiso comprender otra cosa que una multitud de remordimientos que se llevó consigo a la tumba y que
estoy segura de haber podido curar si hubiera querido
apartarme de los términos de mi contrato. Quién mejor que tú puede saber respecto a qué cosas se sentía
culpable, por qué se quedó en Región, por qué se calló
y por qué se murió; por qué esa frágil, mudable y
caleidoscópica voluntad puede surgir al azar ante el
asombro de la conciencia, no para anticipar la dirección de sus pasos tanto como para disimular y ocultar
la intención de un destino incongruente. Porque es el
pasado el que reflexiona e ilumina, como esa lente de
flintglass que sólo con una determinada orientación
polariza la luz, para extraer de un presente desmemoriado y estupefacto toda una serie de propósitos ruti-
narios que en realidad carecen de figura temporal. Porque si el futuro es un engaño de la vista, el hoy es
un sobrante de la voluntad, un saldo. Cuando Muerte me dio el dinero —el gesto imperceptible que hizo
girar el caleidoscopio— no se esfumó el pasado sino
que cobró todo su valor: el cuerpo estaba recubierto

de esa película de álcali rencoroso que en lo sucesivo
atraerá, absorberá y descompondrá cualquier preparado de la voluntad. Te quiero decir que el dinero apenas
añadió nada sino que formalizó un contrato que mi
cuerpo y yo habíamos establecido en presencia tuya,
días atrás. No quedaba sino avalarlo y para eso se
prestó mi padre: vestido de uniforme y orlado de todas
sus medallas, no tuvo necesidad de calarse las gafas
para firmar aquella orden sumaria sobre una de esas
mesitas morunas octogonales, sobre arcos de herradura,
molduradas, taraceadas e incrustadas de huesos y piedras, que los militares no pueden dejar de tener cerca
cuando se trata de resolver los asuntos de la patria.»

»Me despedí de Muerte; ella fue la que quiso hacerlo, con toda la solemnidad necesaria para darle al
acto el carácter definitivo. "Recuerda que no conoces
esta casa", me dijo. "¿Y el dinero?" "Es todo lo que
tengo. Ahora tengo que empezar de nuevo." "¿De
nuevo?" "Vamos, vete ya, criatura." "Nos volveremos
a ver, ¿no es cierto? Cuando tenga el dinero." "Sal
de una vez, atente a lo que te he dicho." "No quiero
volver con mi padre." "Criatura ¿no comprendes que
está allí abajo?" "No quiero volver; cuando reúna el
dinero…" "Ahora no te ha de ver nadie." "Es posible
que vuelva antes de lo que usted piensa." "¿Quieres
largarte de una vez, criatura?", y me empujó fuera
donde esperaba el carro.

»Me costó volver más de lo que yo esperaba. Por
la cantidad de dinero que me dio —y lo había tenido
que sacar de no sé dónde— comprendí el miedo que
había pasado. Pero en cambio no esperé mucho para
incrementarlo. Tú me enseñaste a no esperar y en ese
aspecto el contrato era claro y tajante. Tú me dijiste
—si no recuerdo mal— con la cabeza apoyada en el
cristal temblón de la ventanilla y mirando hacia el
frente de la cuneta (no por cansancio como en ocasiones te acordabas de aparentar sino para dar a entender
que tampoco aquello te importaba mucho) que yo era
quizá —de toda la gente de la zona republicana— la
única persona que iba a ganar con la guerra. Pero yo

no quería oírlo; me había despegado de tu hombro y
no hacía sino mirar también la cuneta iluminada por
los faros, con los ojos envueltos en una polvorienta
mezcla de sueño, lágrimas y temor. Tú sabías que en
tres días no había dejado de llorar y, sin embargo, no
tuviste otras palabras de consuelo. No era crueldad ni
tampoco una fórmula ociosa para endulzarme el próximo desenlace, sino una simple y mera convicción.
Tú habías dicho (después de fracasados tus propósitos
de rendición) que la mejor razón para prolongar aquella guerra había que buscarla entre las compensaciones
de la derrota. Que la guerra había que perderla, costase lo que costase, no ya para adquirir un convencimiento más firme en la maldad del adversario como
para perder definitivamente toda confianza en la historia y en su porvenir. También me dijiste que el fruto
de la victoria de mi padre y sus amigos lo podrían
saborear aquellos que, como yo, sin haberlo buscado
y sin tener culpa ninguna saldrían del conflicto sin
confianza en sus padres, ni fe en su religión, ni ilusiones
acerca del futuro. En aquella ocasión, como en tantas
otras, cómo te equivocaste.»

Cuando llegaron a Región todos los arrabales estaban humeando y cuando cruzaron el puente sobre
el Torce empezó a caer una lluvia muy fina. A los
pocos días de conquistada la ciudad estalló un depósito de municiones que los republicanos habían ocultado en una bodega de las afueras. Un chico, vestido
con unos grandes pantalones atados con una soga y
una destrozada guerrera militar que le llegaba hasta
las rodillas, les adelantó corriendo y gritando, impul-
sado por esa inconsciente determinación que le había
de permitir atravesar los incendios, las alambradas, los
puestos de control sin otro salvoconducto que sus cuerdas vocales. En cada esquina —como si cada calle constituyera una raya del pentágrama— su grito perdía
un semitono para perderse al final, entre los desolados

baldíos, en una nube rosácea de fuego, lluvia y humo
de pólvora. Casi todas las puertas estaban cerradas y
las fachadas de la calle Císter parecían bambolearse,
bajo los soplidos de la lluvia y el humo, como el telón
de carácter tétrico que ha descendido sobre el escenario tras el último y augural calderón. Las calles se hallaban sucias y desiertas; antes de que llegara la noche
un incendio se produjo en la barriada del río que, detenido o reducido por la lluvia, iluminó el horizonte
con una quieta, opalina e iridiscente claridad que sólo
parecía alterada por el grito de aquel chico, por la
rotura del silencio provocada por la carrera de un sonido sin control, en una emulsión de lluvia, incendio
y tinieblas. Cuando se hizo la noche sonaron algunos disparos: disparos cercanos y sin sentido que cuando en-
contraban una pared dejaban en el aire un eco menudo y seco, un chisporroteo de flatulentas explosiones
como si, allá en el arrabal, la lluvia cayera sobre una
plancha de hierro al rojo. Se cortó la luz eléctrica, casi
todos los cristales de las ventanas estallaron en sus
marcos. A medianoche el cielo comenzó a abrirse y el
resplandor del incendio se reflejó en unas nubes bajas,
con tintes morados y anaranjados. El carro se detuvo
en una esquina, próxima a la casa. El paisano apenas
se movió: la cabeza hundida y cubierta con un sombrero
de fieltro negro, enmarcada entre las orejas de la mula,
que al cabo de los años es traída de nuevo por la memoria para recordar lo que fue la guerra: una caballería
inmóvil, con las orejas enhiestas, negras sobre el resplandor del incendio y una cabeza de paisano tan quieta
como si meditara, entre las pancartas rotas y los cadáveres de los perros, acerca del paso del tiempo. El portal
estaba entreabierto y el zaguán encharcado pero al final
de la escalera, por encima del brillo de los casquillos,
parpadeaba una línea de luz de carburo. La cocina
estaba encendida y el mismo puchero que hervía en la
montaña hervía de nuevo allí, sin aroma ni ruido. Las
mismas camisas de niño y los mismos delantales de dos
años atrás colgaban de una cuerda, encima del hogar,
puestos a secar. Una voz de edad, femenina y pausada,

hablaba detrás de una puerta cerrada al tiempo que el
sonido de la bola de cristal que corría una vez más
por el pasillo en sombras, saltando en las juntas de la
tarima hasta golpear el zócalo, parecía ironizar sobre
la futilidad de aquella guerra, sobre la fugacidad de
tantos meses que habían bastado para completar un
ciclo de desastres y muertes pero no habían sido suficientes para apartar al niño del juego de la bola.
Estaba delgada, muy delgada y encanecida, con la tez
tostada por el hambre. Con la puerta entreabierta se
secaba las manos en el delantal, con el mismo gesto con
que la vio partir —tiempo atrás— conducida por dos
hombres armados:

—Hija mía, ¿de dónde sales tú a estas horas? —le
preguntó con el acento sorprendido, alterado y rega-
ñón de quien no ha hecho otra cosa que cuidar niños.
Aún se oía en las afueras —figuraciones de una noche
en la que no entraba el miedo porque no había nada
que esperar de ella— el grito de aquel chico harapiento que corría por los descampados, más sonoro y perti-
naz que la caída de la lluvia o el zumbido del incendio. Casi toda la casa estaba a oscuras, los muebles
cubiertos con lienzos blancos. Sólo la cocina, al fondo
del corredor, estaba iluminada y —del otro lado de
la puerta, con la nariz pegada al cristal— el niño la
observaba boquiabierto, con la expresión supina e indiferente de aquellos ojos agrandados por los lentes.
Entonces volvieron a sonar —por primera vez en varios años— las horas en el reloj del vestíbulo; era un
sonido macabro, quizá la señal convenida para que
fueran retirados los forros de los muebles; sólo en
aquel momento comprendió que la guerra había terminado.

3

«No sé si sería cierto pero tenía muy buenas razones para decirlo, me imagino» —dijo el doctor, volviendo a llenar su copa—. «Hay que comprender que para ellos no quedaba la menor oportunidad y la guerra no fue sino el postrer y más lógico acto de un proceso fatídico; algo así como el anuncio público de la suspensión de pagos de una sociedad que el antiguo empleado —que ha comprado el diario para leer las ofertas de empleo— lee al paso. Sin duda ese hombre recibe —no es que le sirva de mucho— una última justificación de la mecánica social que le ha dejado sin nada que llevarse a la boca, pero ellos ni siquiera recibieron eso. La guerra, la guerra... para los que se vieron envueltos en ella sin haberla tramado ni haberla esperado, no podía ser asunto de reflexión, ni de reflexión ni de otra cosa sino temor. Había sin embargo una clase de gente para la que la guerra constituyó la mejor oportunidad de encontrar la paz con ellos mismos. Llevaban mucho tiempo viviendo en emulsión: un rencor disimulado y diferido, la larga espera de un

desastre que ha sido anunciado, pero que no acaba de
tomar cuerpo, esa delicuescente armonía en la sucesión
de días con que una orfandad sin recursos, un país
asolado por el hacha, un subsuelo mezquino, un vivir cotidiano y una generación sin porvenir han venido a restablecer el orden en la herencia de los padres. Y todo
el futuro suspendido en el vacío colgando de un hilo
que ha de romperse al primer arrebato, ese deseo de
violencia solamente frenado por un guarda forestal viejo
y mudo, encarnación de una voluntad que duerme a la
intemperie, dispuesta a despertar al primer sonido extraño. Pero al solo anuncio de la guerra civil la emulsión
se rompe y las neutras partículas de la memoria cobran
de súbito una forma y coloración violentas. Se rompe
hasta la mortuoria armonía de la calle y cambia el
silencio de las huertas. Por encima de los sembrados
de patatas —todas las ventanas estaban abiertas y las
persianas echadas, era un día de verano de mucho
calor y las radios, a todo su volumen, repetían cada
cuarto de hora las mismas noticias de la sedición, sin
cambiar una palabra— se paseaba una voz gangosa y
gutural que con acento ctónico y sílabas arrastradas
anunciaba el fin de la tregua y el preludio de la revancha.
Hubo un momento de perplejidad gracias al cual hasta
las caras, los rincones más familiares cobraron un nuevo
sesgo y se hubiera dicho que —ocultándose tras las
esquinas— hasta los muertos habían sido violentados
de sus tumbas por aquella voz terrible y átona para
vagar al atardecer, con la camisa desabrochada, en pos
de un silencio perdido. Ya no era cosa de memoria porque la radio no dejaba recordar nada. Desmemoriados,
trataban de encontrar un principio de conducta entre
una maraña de sentimientos: venganza y miedo, desprecio y afán. No los buscaban en la memoria que acaso
no es sino la piedra que cubre un hormiguero el cual
—una vez levantada por la mano infantil, asesina o cu-
riosa— no sabe hacer otra cosa que correr en contra-
dictorio frenesí, sin otra protección entre el cielo y la
colonia que el miedo mutuo. Así ocurre con la memoria
individual y tanto más con la colectiva: por una econo-

mía de almacén no recuerda el odio pero atesora el rencor y, cuando actualiza, no busca lo que el alma guarda sino aquel sentimiento que, tras la expansión, la vuelve a llenar de cólera o coraje. El sustantivo se me escapa: pero yo vi en aquellos días, por doquier, el fantasma de muchos instintos y la búsqueda a deshoras de una confianza que ya había perdido todas sus piezas de convicción y trataba de encontrarlas en los lugares más insólitos, las cosas más fútiles y las creencias más ridículas —las márgenes del río y las bodegas abandonadas, los trasteros atiborrados de despojos, los retratos de familia, los viejos disfraces—, como si aquel anuncio, como si aquella media docena de noticias —repetidas con una monotonía obsesionante— procedentes de los cuarteles más olvidados de la península no constituyera otra cosa que la invitación al baile lanzada desde el estradillo de la música a un público reservado, que aún no ha tenido tiempo de percatarse de la verdadera naturaleza de la fiesta ni de superar su vergüenza pública. En el entreacto —entre obsoletas marchas militares, mezcladas con aires republicanos— cierto sentido de la prudencia trataba de poner orden a las emanaciones de la memoria, un paladar hecho a la sobriedad procuraba disolver el gusto de una mezcla insaturada, agria y ácida de rencor y asombro que afluyó a la boca tras un gesto inoportuno. No se trataba de luchar, todavía, sino de comprender. Era preciso —así lo decía la radio— saber; y la lucha será —también lo decía— la única forma de estudio tolerada. Los últimos días de julio las calles quedaron desiertas y creció la resonancia de las radios; una sola, en lo más hondo de una portería, en lo más alto de una buhardilla, bastaba para llenar una calle soleada, ahogada y desierta entre las tapias de dos conventos. Fue tal vez el temor al disparo de los «pacos» lo que indujo a toda la gente a vivir en las habitaciones traseras, de cara a los patios; allí, tras las persianas de canuto, alguien trata de comprender: quién habla ahora, quién lleva razón, qué pasa en Madrid, qué ocurre en Macerta... mezclados con esa ebullición de pompas propias que la radio involuntariamente

ha desatado: «el nombre de la familia», «los enemigos
de la casa», «el bienestar de los tuyos», «la ira de
Dios», «el bien de la patria», «el odio, el odio...» Siguió
un momento de vacilación, más íntimo que callejero; ese
pueblo llevaba tanto tiempo en el olvido que sin duda
necesitaba un cierto espacio de tiempo para llevar a cabo
su elección. Una guerra civil, en un país en ruinas, es
siempre así: es preciso esperar —en el seno de cada
sorprendido corazón— a que los reactivos del coraje,
el rencor, los resentimientos, el deseo de venganza, el
afán por el valor, transformen la emulsión de lechosos
copos en un precipitado de violenta coloración. Sólo
al cabo de unas semanas —no tanto de inquietud como
de incertidumbre— se producen las primeras salidas,
escapadas al desván, paseos mañaneros, un bulto que
es arrojado al río, un montón de papeles que se quema
en un estercolero. Durante esos días los hombres de
que le hablo tratan en vano de comprender; tratan
de saber no la clase de tormenta que amenaza al país,
sino la clase de hombres que ellos son. Tal vez no era
fe ni confianza lo que les faltaba, sino credenciales;
habían crecido en un país cubierto por el jaramago,
el tomillo, la retama; toda su vida se habían alimentado de ruinas, nunca llegaron a ver cómo se pone
una piedra; las fincas abandonadas, los predios incul-
tos, las sernas en barbecho, los bosques talados, los
campos sedientos y los torrentes destructores no eran
para ellos obra del azar ni de la desidia sino que constituían la médula de una tierra cuyo estandarte era la
escasez, cuyo himno la plegaria y cuyo bastión más
inexpugnable, el miedo. Y muy lejos —sordo, inflado,
sibilino, reticente y despectivo como un magistrado
oriental— ese representante de la burocracia indiferente al lento curso de la historia. Cuando todo el país
fue dividido por la catálisis del 36 no supieron al
punto a qué polo acudir, cuál era la naturaleza de su
carga íntima. Porque aquel que respetaba la Religión,
¿cómo iba a ponerse del lado del Padre Eusebio? Y aquel
que por sus lecturas se sentía republicano, ¿qué forma
de respeto iba a guardar para Rumbal? Más tarde lo

aprendieron, sí, cuando tuvieron que hacer abstracción
de todo lo que sabían o creían saber para convertirse,
por consiguiente, en los verdaderos derrotados; no lo
sé, estoy hablando en nombre propio, inmerso en el
pacífico líquido neutro que después de la electrólisis
se ha visto despojado de todas las partículas con carga
y carece, por ende, de todo valor reactivo. Para los
que tenían que hacer la guerra aquel momento de
vacilación duró poco, incluso para aquellos —que fueron muchos, quizá los más— para quienes la polaridad
estuvo definida por la proximidad al polo o por el flujo
de partículas en torno a él. Yo no sé cuál fue el agente
que metió la corriente ni quién era el catalizador; la
historia dará en su día su fallo que es muy distinto al
de los contemporáneos porque no somos capaces de
conformarnos con una simplificación. Lo que sí creo es
que cuando una sociedad ha alcanzado ese grado de
desorientación que llega incluso a anular su instinto de
supervivencia, espontáneamente crea por sí misma un
equilibrio de fuerzas antagónicas que al entrar en coli-
sión destruyen toda su reserva de energías para buscar
un estado de paz —en la extinción— más permanente;
de la misma forma que los colegiales sorprendidos por
la ausencia inesperada del profesor se dividen en dos
equipos de fútbol en cuya formación apenas intervienen
la afinidad, la amistad o las diferencias sino un cierto
sentido del equilibrio de fuerzas que les ha de permitir
mantener el interés del juego durante esa hora de paréntesis. Yo estoy seguro de que antes que la razón, la
pasión y el miedo habían elegido ya. Porque lo primero
que surge sin duda es el enojo. Me acuerdo de mi juventud y de mi vida de estudiante y cuando quiero reconstruir el hilo de mis decisiones, siempre lo veo al
fondo, última *ratio*. Lo veo también allí, una noche de
juego en el principio del otoño, supremo arquitecto de
un montón de fichas de nácar iridiscente que, entre cri-
selefantinos destellos, avanza hacia el centro del tapete
para conquistar aquella moneda que se le había resistido
todo el verano; y lo veo también (no es el rubor) alojado en aquellos ojos profundos, siempre pesarosos, que

sobre la mano enguantada que ha levantado para ocultar
su sonrojo mira hacia la mesa del combate donde ella
sabe que su suerte se decide mientras inspira y levanta
el pecho con un gesto de esperanza que acalla los lati-
dos secos y pausados de su agitado corazón. Yo estaba
a su lado; y cuando hizo aquel gesto —sin esperar a la
suerte del naipe aun cuando en el momento en que su
espalda cruzó la puerta el aire se llenó del silencio y la
vibración de la navaja— con el que quería confirmar
una decisión de la que tanto habíamos hablado, yo
asentí. Cómo me equivoqué, cómo supe que aquel error
suponía una vida de deudas. En el momento en que se
decide a abandonar a su propio judas no es el desprecio
ni el arrebato de orgullo ni el súbito asesoramiento, sino
el enojo purificador que la limpiará para siempre del
desaire. Y no hay duda que parecía orgullo: sobre la
mesa dejó el pequeño bolso negro abierto —del que
cayó un espejo, una cadena de oro y asomó un pañuelo—
y con paso tranquilo abandonó el salón mientras todo el
público corría hacia el corro donde la mano del militar
había sido atravesada y unida a la mesa con una navaja
de resorte. Y lo veo más tarde aún, en el porte y en
la mirada de todos los cazadores partidos en su busca
—o en busca del montón de fichas—, e incluso en las
narices de los caballos y sus iracundos alientos por los
caminos de Mantua, aquellas mañanas tan frías y húmedas del otoño serrano. Pero si ese enojo cunde en un
clima de laxitud que siempre precede a la tragedia entonces aflora la pasión sin necesidad de que intervenga
un agente. No, no hubo tal ardid por parte de la razón:
aquel agosto fue caluroso en demasía y la gente de Región,
ante el desarrollo de unos sucesos que en lugar de resolverse cada semana se volvían más complicados y te-
mibles, decidió permanecer en sus casas por temor a los
paseos y saqueos. Y sin embargo, Región parecía desierta, abandonada a un Comité de Defensa y a unos
cuantos milicianos armados que todas las tardes —a la
caída de la fresca— subían a unos coches requisados y
pintarrajeados, unas camionetas y unos autobuses destar-
talados para —con el pretexto de acudir al frente de

Macerta— hacer correría por la vega; registraban dos
o tres fincas, saqueaban una bodega y se volvían a la
ciudad por la madrugada, con un botín que consistía por
lo general en un viejo gramófono de cuerda y un admi-
nistrador corrompido y venal que, con las manos atadas
a la espalda, el pantalón medio caído y abierta la chaqueta del pijama, había adquirido ya esa falta de expresión y esa palidez de tez, consecuencia de muchas
sacudidas internas, del hombre que ya ha dejado de
existir cuando es conducido al sótano del cuartelillo.
Las calles no eran frecuentadas y casi todas las fachadas
y las tapias fueron decoradas con grandes letras y siglas
proletarias, pintadas con alquitrán; no había toque de
queda pero nadie salía a deshoras; no había milicias ni
serenos ni otro alumbrado que aquel, al fondo de una
calleja cortada por una tapia de carbonilla, de un pequeño y agitado colmado en cuyo interior se congregaba
todas las noches el bullicio republicano: unas cuantas
botellas de vino blanco común y sesiones arrabaleras de
cante, con letras patrióticas y alusivas a los revoltosos,
cantadas en torno a los máuser y los gorros de cuartel
mientras la burguesía, en sus grandes pisos cerrados y
oscuros, rumiaba horrorizada su vigilia esperando la llegada de la brigada de registro que en el bar de la esquina
se había detenido a echar un trago y escuchar un fan-
dango. Fue un verano, para la clase acomodada, sin paz
ni sol, que transcurrió todo él en las habitaciones de
atrás; las radios habían sido confiscadas y no recibían
otras noticias que los rumores recogidos por la vieja y
fiel cocinera —la única que salía de la casa— en un
puesto del mercado. Y en cuanto al frente... allí la vida
debía ser más sana y la gente más honrada, aunque a
decir vedad no hubo frente hasta el siguiente año. Pero
los hombres decididos no quisieron saber nada de todo
esto: Eugenio Mazón, que no tenía creencias religiosas;
ni él tampoco, indiferente a todo. Las tenía en cambio
Juan de Tomé, aunque, no sé por qué, las ocultaba.
Eran los únicos tres que podían haber declinado toda
participación en la lucha sin que nadie tuviera por qué
llamarse a engaño; y los tres que, una vez metidos en

ella, podrían haberse salvado porque conocían los caminos de Mantua desde que eran unos chiquillos. Ninguno hizo el más leve gesto —si no fue al final— de retirada porque en su conciencia, tengo para mí, había ciertos límites que no estaban dispuestos a transgredir. La explicación... no sé dónde hay que ir a buscarla, acaso a la misma Mantua. Lucharon como todos e incluso con más habilidad y lucidez que sus compañeros de armas porque supieron elegir el campo. Es lo único que eligieron, lo demás —el horror, la lucha fratricida, la mediocridad de los dirigentes, el engaño de la doctrina, la falta de apoyo y hasta la carencia de entusiasmo— les fue dado. Así que jugaron a sabiendas de que la partida estaba perdida, ¿qué más se podía pedir de ellos? Porque a fuer de sinceros es preciso considerar que si hubieran cambiado un par de circunstancias, es posible que hubieran combatido del otro lado. Quizá fue el padre Eusebio quien les empujó hacia las izquierdas. ¡El padre Eusebio! ¡A quién no empujaría ése! Aún le estoy viendo desfilar, como capellán del regimiento, ansioso de enseñar sus polainas. Y después de la guerra, como era de esperar, empezó a hablar del suburbio, de la pobreza de Cristo, de la humildad. Pero un momento antes también le veo echar la gorra al aire, para celebrar la victoria, ante las mismas tapias del cementerio donde a la madrugada absolvía a los reos. Luego les vimos arrodillarse y bajar la testuz, con las bocas de los fusiles que apuntaban hacia el firmamento, para que el padre —su silueta, con el sobrepelliz colocado sobre el uniforme, se recortaba en la línea de la colina— impartiese su bendición sobre tanta cabeza victoriosa y humillada, sobre una tierra silenciosa, curvada por el peso de una imposición que, con su terca e impasible topografía, había tratado durante dos años de abortar. No hay duda de que en aquellas fechas ya habían aprendido lo que desconocía el verano del 36: lo que era el frío y las trincheras, pero, sobre todo, lo que era el enemigo y el odio al enemigo. Ese era su doctorado; al día siguiente amanecieron en una cocina soleada para saludar el alba de la victoria con un tango arrabalero-

patriótico, coreado por cinco reclutas y un furriel.
Y luego, con un trago de café, se dirigió al suburbio
para hablar de la caridad, de las fuerzas del bien, de
los hermanos caídos que se sientan a la diestra del
Dios padre, de cuyo poder y de cuya gloria aquella
victoria era prueba irrefutable. Un poder que había
tardado dos años en conquistar una loma, un amor que
no vaciló en matar para satisfacer el frenesí de su
obstinación. No veo por ninguna parte un resultado
honroso, una prueba de nada. Veo, como siempre, que
la iglesia es el más consolador y duradero edificio que
el hombre ha inventado. En mi tiempo las cosas, si no
eran más ciertas, al menos eran más simples y atractivas.
Y, por supuesto, aunque siempre se buscaba la confirmación, el mentís venía pronto. Eso es honradez y seriedad. Me refiero al Numa, claro está, no al padre
Eusebio. En mi juventud —al poco de la muerte de mi
padre— la gloria debía hallarse muy cerca de Retuerta;
es una venta que se llama así, muy cerca del collado del
mismo nombre. Es un lugar notable, situado casi a dos
mil metros de altitud y abierto a los vientos del norte
y del oeste; siguiendo su vertiente sur, la única por la
que es accesible, se llega a los cortados de la Cautiva.
Pero ¿qué estoy diciendo? Usted lo debe conocer muy
bien, por lo que me ha dicho. Es solitario, sí, pero en
primavera y verano acostumbra a ser visitado para el
pasto por esas manadas de caballos pequeños y salvajes
que no sirven para el tiro ni para el arado pero que
cada cuatro o diez años provocan el apetito comercial
de algún tratante de sangre gitana, más descreído que
desmemoriado, que los compra por docenas al primer
paisano que encuentra durmiendo entre las carquesas. Es
un empeño extraño y una inversión nefasta, aunque mó-
dica, tan reiteradamente inútil e incomprensible que llega
uno a asombrarse de la veracidad de los mitos y de lo
bien fundadas que están casi todas nuestras leyendas.
Que las fábulas, como las del padre Eusebio, tengan
buen sentido, eso ya es otra cosa. Pues por aquellas
alturas es asunto conocido que los pastos que esa raza
frecuenta adolecen de aguas muy calizas y salinas, que

el aire se halla infectado de emanaciones grisutáceas y que, entrado el mes de abril, en el plazo de una semana, los prados, los ribazos y cómaros quedan tapizados de una flor grande y roja, parecida a la bromelia, de hojas carnosas en forma de vaina, ligeramente peludas y de un color algo más sanguíneo que el de la amapola, que nacen reunidas en una bráctea, con motas pardas, de aspecto atractivo y pernicioso. Son los cálices, al decir de los pastores, que guardan la sangre del padre Abraham, y del rey Sidonio y del valeroso Aviza —el joven protestón— y de todos los caballeros cristianos que a lo largo de los siglos han caído en los combates del Torce y de los que se alimentaba en su niñez aquel Drácula rural de comienzos del siglo —el vampiro Atilano— que en los primeros días de junio —cuando las flores marchitan y se abren sus secas bayas para extender por doquier unas bolas pequeñas, rugosas y pardas como alcaparras—, bajaba de noche hasta las tapias de Bocentellas, de El Salvador, Etán y Región, envuelto hasta la cabeza con una manta de paja, la boca coloreada de un tinte vegetal; también es la sangre de todos los que cayeron en aquellos pagos, víctimas de su impaciencia y del cruel e insaciable apetito de revancha del viejo guardián de Mantua. Es la flor de la inquietud, de la desazón del alma, de los contrastes del espíritu, de ese impulsivo anhelo que se apodera de la voluntad para conquistar las alturas cuando los primeros días temperados despejan las nubes que las han ocultado durante todo el invierno, para envolverlas con un halo morado, preludio de la sequía... El paisano la maldice, no la coge jamás ni la extirpa ni se atreve a llevar el ganado allá donde ella brota. El día que distraído la pisa, da un salto atrás, cae de hinojos y se persigna tantas veces cuantas flores se hallan a su vista; y si ha llegado a aplastarla o romperla la costumbre le obliga a practicarse un pequeño corte en el dedo y, a fin de redimir su falta y aplacar el enojo del muerto hollado, vierte unas gotas de su propia sangre sobre el tallo cortado. Porque nace siempre donde descansa un resto humano, un hueso o un escapulario que está pidiendo venganza, recuerdo y redención al mundo de los vivos. Tan considerable es la fuerza de la maldición que en más de una ocasión el paisano que ha visto sus sembrados tapizados por el repentino brote solferino (un pelillo temblón y urticante) no lo ha pensado dos veces: sin lágrimas, desesperación ni aspavientos ha recogido el ganado y la familia, ha llamado a sus vecinos para decir adiós, ha subido sus trastos al carro y —según la magnitud de sus culpas o sus remordimientos— ha cerrado la casa y los corrales y se ha marchado de allí, tras prenderles fuego. Y puede también que sea la flor de Mitra, de que habla algún geógrafo romano, y que más tarde buscarán en sus peregrinaciones, en el fondo de los precipicios y en las venerables grutas de los santos, aquellos grandes pecadores de la alta edad media para quienes ni Roma ni la ascesis sabían encontrar la penitencia adecuada. Los jugadores de azar —todos hombres de fortuna— del primer cuarto de siglo, tras esa última y trágica postura que les había de empujar a la mina, se la colocaban pomposamente en el ojal, muy entrada la noche, antes de abandonar la casa del vicio. Ya no le quedaba otro patrimonio que un paquete mediano de cigarrillos —los suficientes para desechar toda idea de suicidio—, la silueta plateada del Monje, las noches de luna clara y, en las breñas de enfrente, en una ladera muy negra, las luces tintineantes de la vieja mina de sílice, semejantes a las de los pequeños barcos pesqueros inmovilizados en aquel punto donde se confunden noche y océano y que para el náufrago del trasatlántico que inesperadamente se sumerge en las aguas, representan la única posibilidad de salvación. De igual forma que el dandy convertido en náufrago en virtud de una grosería de la máquina, el jugador recientemente arruinado —con la flor en el ojal— (y al igual que aquél lo hace por encima de la borda, tras una mirada fugitiva al salón por donde ya corren las mesas), lanza el cigarrillo a un tiesto de hortensias y (tras una breve búsqueda de la mujer que en el salón prolonga la tertulia sin sospechar el resultado de la última postura) salta por encima de la balaustrada para echar a correr, en busca de salvación, por las tinieblas de esos campos que la tarde anterior le eran tan indiferentes, donde cantan los grillos y —cerca del arroyo— croan las ranas para acompañar el canto apenas perceptible de un minero. Era un criadero perdido en una hoz de la montaña, que en sus años de mayor actividad —durante la guerra del 14— no debía producir arriba de medio millar de toneladas al año, de un grano de sílice muy fino y limpio— con un 98 por 100 de pureza—. El producto se transportaba en carreta a Región y de allí se enviaba —no se sabe por qué medios de transporte, a falta de aquel ferrocarril que no entró nunca en servicio— a la industria del cristal y la cerámica de Vizcaya y Levante, donde era muy apreciado no se sabe si por la pureza y uniformidad del grano o por la irregularidad de los envíos. Pero pese a todas las dificultades aquella industria —que nunca perdió su sabor rancio, su carácter corporativo y su envergadura familiar, fue en mayor medida que la explotación de magnetitas de Ferrellán, los grasos del Formigoso o las piritas del monte de San Pedro, uno de los más altos exponentes del auge minero y del activo bienestar que conoció el país en los tres primeros lustros del siglo, y quizás el último vestigio de un quehacer industrial que quedó clausurado —sin llegar a cuajar, como lo testimonian los desiertos túneles y las obras de arte invadidas por la vegetación que crece en las impostas y las delirantes vías de ese ferrocarril que no conoció otro tráfico ni otras composiciones que las de los burreros— en los primeros años de la Dictadura. Fue siempre propiedad de una familia de boticarios de Región que, cada cuatro o cinco años, la arrendaba a un capataz emancipado cuya mujer heredó una partija, a un jugador sin fortuna que —para su regeneración en el trabajo— apela por última vez a su padre o a un carbonero escéptico —terriblemente escéptico— que aspira a edificar una fortuna no con el aprovechamiento de la sílice, sino con el hallazgo de una de esas arcas repletas de monedas fernandinas que —según se afirma, con absoluta convicción— hay escondidas en aquellos parajes de misteriosos perfumes. La sílice —ciertamente— tenía muy buen precio en el reducido comercio de Región; tan bueno que ni siquiera subió con la Segunda Guerra Mundial sin dejar por eso de rendir un amplio margen de beneficio a quien sabía explotarla, aun haciendo uso de procedimientos arcaicos y manuales, con un poco de continuidad. Porque lo cierto es que sólo se volvía a ella cuando se extenuaban los recursos para llevar a cabo la excavación arqueológica que —aparte de alguna punta de lanza o alguna alcarraza de barro poroso—, jamás sacó a la luz la menor traza de aquellos supuestos tesoros. El personal de la mina despreciaba la sílice porque aquel grano —tanto por su aspecto y color como por la imposición divina— le recordaba la miga del pan; era un personal —no el capataz, sino los peones— que tenía sus ínfulas y que sólo picaba en la sílice —porque su vocación era la arcilla negra que nunca dio nada— en casos de extrema necesidad, cuando la mera subsistencia (la despensa agotada, los pies descalzos, ni un mal saco de carbón en los peores días del invierno) constituía un problema que sólo podía ser resuelto con la carga y el embarque a Región de tres o cuatro carretas de aquel producto ingrato pero necesario. Solamente el juego les podía hacer abandonar tal atonía, cuando —aburridos de los inocentes pasatiempos propios de solteras— se decidían a recaudar un poco de dinero para reanudar las partidas nocturnas de naipe grueso. Aparte del capataz —que vivía solo en un chamizo aislado y que guisaba para sí mismo— trabajaban allí todo el año ocho o diez peones que se alojaban en una barraca de madera. Ninguno era de baja extracción, no tenían afición a la pala ni tiraban bien del pico pero —en contraste— todos tenían apellidos sonoros; más de uno tenía título y gustaba de labrar sus armas, a punta de navaja, en los testeros de la litera. No eran desgraciados; no se alimentaban del rencor, al menos en el mismo grado que en la sociedad que los trajo al mundo. Añoraban mucho pero no a sus padres ni a sus injustos, desmemoriados y ambiciosos hermanos. Había un deseo común —pero que no era el de venganza— cuyo mantenimiento —sobre todo en verano— se hacía excesivamente fatigoso e inaguantable (cuando las luces del casino se alumbraban una noche para anunciar el comienzo de la temporada) y que por fuerza daba paso, en el invierno, a un más sedante sentimiento de nostalgia. Era el propio capataz, en las épocas de bonanza, quien se acercaba al peón —amargado, indolente, roído por el rencor— para preguntarle la causa de sus males: «Qué te pasa, hijo, ¿por qué lloras?» No había otra medicina que una pequeña bolsa de arpillera, atada con un cordel, que guardaba en el cajón de su mesa. «Pero ten cuidado, mucho cuidado; y recuerda a tus hermanos, a los de aquí, tus verdaderos hermanos.» Y él mismo, tras recomendarle prudencia (sobre todo si tenía la desgracia de tener buena fortuna en la mesa, que también eso ocurrió algunas veces) le ayudaba a escabullirse por la noche, para no despertar la envidia de sus compañeros, en dirección a la casa de juego, con la bolsa bamboleante, arrollada a un botón trasero del pantalón. La mayoría de ellos tenía que volver a los pocos días —cuando no esa misma noche, decepcionado pero curado— y si bien es cierto que a algunos no se les volvió a ver también lo es que de más de uno se supo que, tras levantar la mesa con una puesta de mucha consideración, había cruzado el Atlántico para invertir sus ganancias en unas minas del Perú o del Brasil. Ya ve usted qué cosas, qué poder tremendo el de la educación. La afición a la mina —se lo aseguro— acaba metiéndose en la sangre. Y aunque en aquélla no existían limitaciones para la admisión —tal como obran, por ejemplo, en los clubs distinguidos—, cualesquiera que fueran el carácter del capataz o las intenciones del arrendatario (porque los boticarios de Región no quisieron nunca, o no se atrevieron, a escuchar las proposiciones de compra) para entrar a trabajar en ella había que tener algo: buenas maneras, un apellido conocido, una educación cabal y también un cierto espíritu de clase. La entrada en la mina fue siempre consecuencia de una postura elevada y que no estaba al alcance de cualquiera; si el capataz —en mucha mayor medida que el *croupier*— exigía un mínimo en la postura no era llevado por un espíritu de clase, sino porque, responsables del negocio, sabía muy bien que podría permanecer allí quien cansado y decepcionado de tal mentalidad supiera renunciar a ella y no quien, llevado de un impulso de emulación, tratara de adquirirla mediante aquel subterfugio. Por consiguiente, le era necesario guardarse tanto de la gente de poca monta como de aquellos advenedizos y trepadores de temporada que, encubriendo unas intenciones muy distintas, llegaban allí con los pantalones arrollados por los calcañares y los zapatos manchados de barro, para solicitar un puesto arriesgado y ganarse la confianza de sus compañeros; unos días más tarde trataban de hacer un préstamo leonino, pretendían comprar una joya de familia a un precio ridículo o bien, por el espacio del invierno, cerrados todos los establecimientos que habían elegido para su actuación, no querían sino matricularse en aquella escuela gratuita para aprender unas maneras que les eran imprescindibles si habían de triunfar en la próxima temporada. No hay que olvidar que algunas familias —y no se trataba de una extravagancia— renombradas de Región mandaron allí a alguno de sus vástagos, tanto para que con el pico adquiriese una constitución física como para que el contacto con sus compañeros le imprimiese un sello que de otra forma había que ir a buscarlo a un colegio inglés. Era, sin embargo, un acto suicida: el chico volvía a casa, al término del verano, transformado... y eso cuando volvía: despegado de los padres, ajeno a los placeres domésticos, enajenado por el espíritu de la mina, las noches del juego, las luces del balneario, los disparos y las leyendas de Mantua. Mira si no qué ejemplos tan elocuentes: Eugenio Mazón, Juan de Tomé, Ruán, aquel Enrique Ruán tan callado... Esa educación en tierras extrañas resulta siempre, se quiera o no, una confesión de impotencia, una reclusión y un exilio. No quiero decir con todo eso que una temporada en la mina involucraba una transformación perversa del individuo. O una evolución hacia un estado desde el cual su edad anterior sólo podía contemplarse como una prolongación de la niñez, informada por todos los vínculos y mitos que sujetan al niño. Era eso o no era eso; debía haber algo allí que atraía al peón por su misma simplicidad; quizá la mesa de juego del salón del balneario no admite comparación, a la hora de medir el placer que procura, con esa manta de Béjar, echada sobre la litera de un compañero al que puedes insultar cuando saca un buen naipe, salpicada de pañuelos sucios, colillas y cuarterones de tabaco. Y tampoco la admite el mejor vino de la casa con ese trago de media mañana de una botella cobijada en la sombra de una oquedad del frente de cantera donde corre un hilillo de agua. ¿Y para qué hablar de la siesta? ¿Cuál cree usted que será mejor? Si ahora al hombre le quita usted la ambición, el instinto de emulación y competencia y el apetito por todos los falsos bienes que le enseñan sus padres y la sociedad, dígame dónde es capaz de vivir mejor. Pero hay más: hay sin duda un goce en el rebajamiento, un placer en la desventura y una delectación en la miseria que —para el prisionero que arrastra sus botas por los caminos del cautiverio, para el penado que escupe en las manos antes de coger la pala, el jugador que maldice su penúltima pieza y el escolar que, solo en el aula, contempla embriagado y aterrado ese montón de páginas en blanco que ha de llenar con el odioso proverbio en el que ya no creerá jamás— tanto más perdurables y estimulantes cuanto que no conocen el hartazgo ni la satisfacción ni el premio. El yacimiento se halla en la margen izquierda del arroyo Tarrentino, un par de kilómetros aguas arriba de su confluencia con el Torce, encerrado entre paquetes verdosos, pardos y verticales de cuarcita ordoviciense y arenisca devónica, escondido entre las fragosidades de un estrecho y zigzagueante valle cubierto en su mermada anchura de un manto de césped, unas hileras de melancólicos chopos y un sonoro y violento curso de agua apenas visible bajo un continuo seto de salgueros, abedules y mahillos, espinos y piruétanos y arces, limitado en sus dos caras por aquellas abruptas y sombrías laderas, cubiertas de urces y carquesa, roble raquítico y helecho gigante. Las aguas del arroyo son limpias y rápidas y en los ribazos abundan los miosotis, el cólchico y la filipéndula; pero cuando algún caballero de Región (o algún desalmado) se decide a sepultar sus ahorros en las antracitas y piritas de la montaña de San Pedro, las aguas del arroyo se tiñen en seguida de un color de grafito, las júncias, los jacintos silvestres, la filipéndula, brotan entonces a través de una fina capa de légamo negro, agujereado por las lombrices. No hay camino de he-

rradura hasta el yacimiento: el producto hay que trans-
portarlo hasta la orilla opuesta del Torce, en sacos y a
hombros. No hay ningún puente por allí; el río es preciso cruzarlo en un pequeño y negro esquife (en cuyo
fondo plano hay siempre cuatro dedos de agua aceitosa)
propiedad de una vieja barquera que lo impulsa tirando
con las manos de un trozo de cable de mina —destrenzado
y seco como un sarmiento, sus alambres sueltos no son lo
bastante afilados para herir aquellas manos terribles—
amarrado en sus extremos a dos golfines hechos con ma-
deros podridos. No parece que cobre nada por el servicio
pero tampoco se niega a recibir limosnas, aunque bien es
verdad que apenas hay alguien que se las dé. No se sabe
muy bien de qué vive, en una diminuta choza de la margen derecha, cuyas paredes están formadas por unas em-
palizadas de medio quemadas traviesas del ferrocarril, cubierta con una barda de paja y broza. No tiene cerca ni
puerta, pero tampoco tiene otra cosa que hacer —aparte
de tirar de la barca— que recoger por las riberas gusanos
y raíces con los que alimenta una pequeña sartén donde permanentemente hierven unos aceites terribles. Aquel
que llegue al lugar —los pantalones arremangados por los
tobillos— sólo tiene que dar un breve silbido y al punto,
encorvada y descalza, cubierta con una saya negra, saldrá
de su guarida con paso corto —sin mirar al neófito—,
mientras se aguanta la risa y suelta por la ribera unos en-
jutos que rompe nerviosamente. Siempre se esconde la
cara para ocultar una risa maligna. «Suba el caballero. Je,
je. Suba, suba. Je, je, ahí está bien, ya lo creo, muy bien.
Je je.» Se tiene en la proa con el aplomo de un ballenero,
con las piernas abiertas y una mano —que se sucede a la
otra— siempre agarrada al cable del que tira. Y tira con
tal vigor —lanzando de vez en cuando una mirada inqui-
sitiva y mostrando al reír unos pocos colmillos luperca-
les— que siempre se las arregla para embarrancar el esquife, en la orilla del légamo negro, con un golpe tan
brusco y violento que el viajero desprevenido por fuerza
cae de espaldas, yendo a dar con el culo en el fondo encharcado de la embarcación. Es el momento en que —la
muy bruja— echa a correr, saltando y hundiendo sus pies

horrendos en el *schlamm,* para ganar la orilla seca y ti-
rarse por un prado para retorcerse de risa, sujetándose los
riñones y enjugando las lágrimas con el borde de la saya.
Me imagino que ante semejante burla el Viajero novato
(quién sabe si era la primera vez que a través de las ropas
de etiqueta sentía la humedad del trasero) tenía por fuerza
que apercibirse de que había cruzado el umbral de una
vida nueva, que un destino grotesco, zumbón, hiriente e
incierto había venido, en unas pocas horas, a sustituir la
frialdad de la madurez educada por las apasionadas emociones de la edad colegial. En cuanto a la barquera... todo
parecía indicar que se trataba de una leyenda, alegoría de
la pudrición y el desatino, imagen viva de esa perversa y
gratuita alegría que cunde en el reino de los malditos.
Y cuando el viajero que al alejarse por la senda de la
mina trata de recompensar su dignidad —al atusarse el
cabello y el trasero y bajar sus pantalones y sacudirse los
espinos— vuelve la vista atrás —más corrido que un
chucho apedreado— aún tiene ocasión de gozar de todo
el sonrojo de que es capaz de procurarle su sangre: sentada junto al agua aún se retorcía de risa mientras le se-
ñalaba con gestos procaces, agitando las sayas y echando
los pies por alto. En la mina no la odiaban, pero la temían.
A veces no la temían y entonces la odiaban y todos en
tropel, los sábados por la tarde, bajaban hasta la ribera
del arroyo para apedrear su chamizo —al otro lado de la
corriente— y llenarla de salvajes insultos; ella corría alrededor de las tablas, como un animal enjaulado azuzado
por un grupo de colegiales licenciosos, jurando y gesticu-
lando; se revolcaba en la hierba y —entre risas, hipidos
y blasfemias— se rasgaba las sayas, se despojaba de sus
lanas para aparentar los actos más obscenos, los más sucios regocijos y los más crueles orgasmos. Uno de ellos,
en particular, la hacía sufrir más que los demás; era un
joven extraño, atrayente y vicioso que llegó aureolado de
un pasado cuajado de tribulaciones y amoríos. Atlético,
altanero y despectivo, gustaba de introducirse desnudo en
la corriente, fregarse con el lodo y enguajarse todo el
cuerpo con el agua, con una delectación del artista que conoce los más sugerentes e insignificantes atractivos de

un pliegue y un músculo, mientras la pobre vieja —refugiada tras sus tablas, mordiendo una moñiga negra— sufría indecibles tormentos. Yo no sé muy bien de cuándo data la primera denuncia; se me ha dicho que antes del beneficio de la sílice existía también allí una capa de grasos donde, el siglo pasado, habían intentado su regeneración unos cuantos menestrales de Región. Es posible que no existieran tales grasos, sino unos sedimentos espúrios y un cambio de coloración en los paquetes estefanienses, pero como en aquellos tiempos las cosas no se valoraban tan sólo por sus propiedades intrínsecas —y el carbón podía valer tanto por las calorías que extraía del minero cuanto por las que entregaba al fogonero— un puñado de hombres dispuestos todavía a sentirse en el reino de los vivos, asentó allí a trabajar con ahínco cualquiera que fuese el fruto de su labor; porque de lo que se trataba mayormente —y era su mejor ganancia— era de trastear al capataz y burlar al padre, defraudar al dueño y engañar a la administración de tal forma que el trabajo —llevado a cabo sin disciplina ni orden, sin responsabilidad ni capataz, sin estímulo ni rigor— empezó a rendir unos beneficios tan desproporcionados e imprevisibles (se abrieron nuevos cortes, se descubrió la sílice y se amplió la denuncia) que fue necesario imponer una limitación, a través del orden, a tal estado de cosas. Por primera vez llegó allí un capataz que se construyó una chabola independiente —y bastante alejada— del barracón. No se ocupó de otra cosa; era un hombre entrado en edad, serio y consciente pero muy triste; casi sesentón vivía al parecer abrumado por una tragedia familiar que le había ocurrido cuando era un adolescente y dejaba transcurrir las horas, los días y los inviernos, encerrado en su chamizo, sentado en un taburete con la cabeza apoyada en una mano mientras con la otra tamborileaba en el tablero de una mesa de pino, cuando no se metía dentro del petate a llorar a lágrima viva. Y, sin embargo, a pesar de ejercer un mando tan moderado y suave su presencia empezó a levantar recelos entre el personal. De aquella boca del joven apuesto salieron las primeras palabras de venganza, de cobardía, de indignidad, de liberación y con tanta reiteración (no se pasaba una noche, durante el juego, que no hablase de aquella «humillante condición») que pronto le reconocieron como un cabecilla. Pero tal capitanía sólo servía para dos cosas: para, los sábados por la tarde, bajar a engatusar, zaherir y apedrear a la vieja barquera y para, los domingos a la mañana, subir a despertar al capataz, arrancarle a tirones del camastro y obligarle a picar en el corte (él, que nunca había cogido un pico y que se hería los pies con él) mientras todo el peonaje a su alrededor se reía de su falta de destreza. Un día llegó por allí —y sin pedir explicaciones ni permiso a nadie ocupó una litera y un puesto en el frente— un peón un tanto singular; más parecía un empleado de banca que un jugador; vestido con un traje de confección —y un sombrero de ciudad que nunca se había visto por aquellas latitudes— trajo consigo una maleta de madera, lo que produjo cierto estupor y llevó a más de uno a preguntarse si no sería un recluta engañado por una broma de veteranos. Pero no se trataba de un agente provocador, aquello saltaba a la vista. Era el hombre más débil del barracón y también el más limpio porque, a diferencia de los demás, no sólo se rasuraba la barba todas las mañanas, sino que guardaba en su maleta una jabonera de latón y una toalla de buena felpa con la que cada tarde —al volver del corte, mientras los demás caían en los camastros hasta la hora de la partida— salía hacia el arroyo para, tras unos matorrales, enjuagarse el torso y lavarse los pies. Acostumbraba a volver cuando ya estaba la partida inciada; jamás —en la primera parte de su estancia allí— tomó parte en ella; muy al contrario se refugiaba en su rincón, al fondo opuesto de la barraca, para escribir unas anotaciones con trazo muy fino y preciso en una pequeña libreta con tapas de hule que apoyaba en el muslo, alumbrado por una lámpara de carburo que trajo consigo. Luego se supo que una vez por semana bajaba hasta el Torce para proporcionarse un baño completo del cuerpo, en una poza que escapaba a la vista de la barquera.»

—¿Qué son esas voces? ¿No ha oído usted? —interrumpió ella, entreabriendo los ojos.

—«No, no es nada. No es absolutamente nada. Es decir,

lo es todo. Hay que acostumbrarse a ello, nada más. Una
vez conseguido ¿qué importancia tiene? ¡Hay que acostumbrarse a tales cosas! Era un hombre del montón, sin
duda, pero educado y correcto; no era un arruinado ni
un agente provocador ni un desertor. ¿De qué se trataba, entonces? Tampoco le prestaban demasiada atención
hasta que un día su actitud y su puesto dentro de la comunidad cambiaron de raíz; era un sábado en el que demostró tanta educación y tanta firmeza que a partir de entonces, sin necesidad de mandar ni ser obedecido, fue
mirado y respetado como el primero de todos ellos. Acaso
las bromas y procacidades de aquel joven insolente habían llegado a un límite intolerable; debajo de cada riso-
tada, debajo de cada voz había una protesta, un gesto
abortado e insatisfecho de vergüenza, una sensación de
pecado. Era un joven —le dije— con un cuerpo atlético
pero poco atractivo, marcado con las señales de la crueldad femenina que exhibía con un orgullo que a veces producía lástima y otras, irritación. Y no hizo otra cosa sino
meterse en el agua, tomarle de la mano —no le llegaba
a los hombros— y (sin que el joven opusiera la menor
resistencia, toda su docilidad emanaba de su asombro o
de su cobardía) arrastrarle hasta la empalizada tras la que
se refugiaba la barquera y obligarle a hincarse de hinojos
y desnudo ante ella hasta recibir su perdón. Perdón que
ella otorgó complacida y estirada, con un amplio gesto
de la mano que voló sobre la cabeza del postrado para
dirigirse —como en un adiós— a todo el grupo de hombres que al otro lado del río contempló la escena rete-
niendo la respiración. A partir de aquel día cesaron las
burlas para con la barquera, nadie se atrevió a volver a
humillar al capataz que, refugiado en su chabola, ajeno a
toda iniciativa, jamás se llegó a percatar del favor que se
le había hecho. Sus visitas a la barquera menudearon; no
era raro verle sentado en un prado de la orilla, siempre
cerca de la jabonera envuelta en la toalla, en animada conversación con la vieja que, arrodillada a sus pies, la cara
animada por una expresión de incipiente alegría y modera-
dos y amainados gestos, replicaba al viajero que pretendía
distraerla para recabar sus servicios con un gesto de cal-

ma en virtud del cual tenía que esperar durante varias horas y renunciar, a veces, al cruce porque se echaba la noche encima. Debieron hablar mucho aquel invierno, aunque no puedo imaginarme de qué; supongo que sería de amor y de política. El dijo después —y no en tono de confidencia— que aquella primavera la vieja le había explicado lo que era la vanidad. Un día se llegó a saber —era sin duda una de las últimas tardes de un septiembre dulce y dorado— que, sentado sobre una piedra en el centro del río y completamente desnudo, durante un par de horas largas y placenteras en las que la vieja se aplicó a ello con el mayor mimo y esmero, había sido enjabonado y fregado por ella. Alguien llegó al barracón y lo contó, jadeante, y al punto estuvo de cancelar la partida de naipe grueso. Ya entrada la noche llegó él, tranquilo pero no jactancioso, con la jabonera en la diestra, envuelta en la toalla empapada, y bien peinado. Se quitó las ropas de campo y, tras extraer de la maleta de madera una muda limpia y un terno planchado (una corbata de lunares, también) se vistió de ciudad, esto es, no como un perfecto caballero, sino como todo hombre discreto y correcto, con una cierta refinada y elaborada tendencia a la vulgaridad. Quizá fue aquella vulgar negligencia, aquella ausencia de afectación, de cuidado del detalle lo que les llevó al convencimiento de que —sin un traje adecuado, sin una moneda en el bolsillo y sin demasiada soltura para presentarse en aquel lugar cuyas estrictas reglas conocían de sobra— estaba dispuesto a intentar, aquella noche, el asalto a la fortuna en unas condiciones que —por estar tan lejos de las consabidas— por fuerza debían considerar ultrajantes e insufribles. Así que le vieron salir con desdén. Por eso mismo ninguno del barracón se atrevió a llamarle la atención sobre ciertos pormenores que hasta aquel día se habían considerado si no imprescindibles al menos muy importantes. Y así —de paso— eludían la necesidad de hacerle cualquier advertencia. De forma que cuando cerró la puerta por el barracón se extendió una sensación de alivio que nadie confesó. Una noche, ya muy entrada la hora, cuatro o cinco días después (cuando apenas alguien se acordaba ya de él) se abrió la puerta y una

luz intensa y desacostumbrada iluminó el umbral (todos
los cuerpos se rebulleron en las literas como los gusanos,
al levantar una piedra). Pálido, demacrado y ceñudo, allí
estaba de nuevo con una lámpara de sodio sostenida en
alto en la mano derecha y un hatillo en la izquierda.
Apenas saludó, cruzó la doble fila de literas mientras al
compás de sus pasos sus compañeros se incorporaban del
lecho (con ese súbito, estupefacto y hierático automatis-
mo de los muñecos de barraca que surgen de sus tumbas
y sus urnas al paso del visitante), se quitó la chaqueta y
la corbata y en la última litera arrojó el atado que sonó
a quincalla. Vació de sus bolsillos un buen puñado de billetes arrugados y muchas monedas, entre las que había
algún reloj, lo dejó todo encima de la litera, tomó la toalla y la jabonera y abandonó de nuevo el barracón sin
que nadie fuera capaz de hacer una pregunta ni pronunciar una palabra. Aquélla fue una noche de suspiros y lamentaciones, de sueños agitados y pesadillas, nadie durmió
en paz. A la tarde siguiente, peinado y perfumado, tocado
con una camisa de rayas, carente de toda timidez, se
arrimó al grupo de jugadores que pronto le hicieron un
sitio.

—¿Te damos carta?

—¿Qué es lo que hay que hacer?

—Hay que hacer nueve. Si tienes buena carta, te
plantas. Si te pasas, pierdes. Estas no valen nada y éstas
su número. Si tienes menos de tres tienes obligación de
pedir naipe. Luego, tú verás. ¿Te damos carta?

—Venga el naipe.

—Esa vale dos. Otra más.

—¿Qué tal te fue por allá?

—No me puedo quejar. ¿Y esta otra?

—¿Te dejaron entrar al salón?

—¿Qué salón?

—La sala de juego, se entiende.

—¿Y esta otra?

—Un ocho, y dos, diez. Al pozo, perdiste la apuesta.

—Hay que cogerlas así, mira que nueve tan rico. A
ver tú.

—Ladrón, ¿qué formas son ésas?

—Venga el naipe, estoy impaciente.

—Al principio siempre es así. Ya te irás calmando; entre caballeros siempre se debe perder.

—Otro nueve. ¿No sacas tú muchos nueves?

—Así, pues, ¿te dejaron entrar allí?

—¿Qué te pareció aquello? ¿Lo conocías?

—No, no lo conocía. Dadme naipe de una vez.

—¿Te dejaron jugar?

—Y ésa, ¿qué vale?

—¿No lo ves? Es un dos.

—Aguarda, hombre, aguarda. Se echa de menos la educación. Entre caballeros... te he dicho que aguardes.

—¿Y ésa?

—Ten paciencia.

—Anda, saca otro billete que no te vamos a comer. ¿A qué crees que estamos jugando?

—No parece que te han ido mal las cosas.

—¿Qué cosas? ¿Y ésta?

—Un as. Pero, ¿jugaste mucho?

—Todas las noches.

—Pero, ¿tenías dinero?

—Lo tenían los demás. En eso consiste el juego, creo yo.

—¿Cómo dices?

—¿Entonces, ganaste?

—Todas las noches.

—¿Y llegaste a ganar mucho?

—Todo lo que me dejaron. ¿Vas a dar naipe de una vez?

—Aguarda, hombre, todo llegará. ¿Es que nos vas a enseñar a jugar?

—Pero ¿todas las noches? ¿Lo que se dice todas las noches?

—Sí, todas las noches y todas las jugadas. Yo ya lo sabía, no tiene ningún mérito, ¿de qué os asombráis?

—Carajo.

—¿Qué has dicho?

—He dicho carajo. Lo he dicho en tono de admiración no de ofensa. No tienes por qué ofenderte.

—Sigamos, venga el naipe. O ¿es que esto se ha acabado?

—Ten paciencia, demonio, que queda mucha noche. Ahí va el naipe. Suerte, señores.

—Y las mujeres... ¿viste qué mujeres hay allí?

—¿Te quieres callar?

—Está bien, no te enfades; ahí va el naipe. Señores, que haya suerte.

«Jugaron hasta la madrugada y lo perdió todo —todo lo que había traído consigo— a excepción de la impaciencia y una moneda que parecía de oro y que, al filo de la mañana, se puso a contemplar tumbado en la litera. No parecía disgustado ni extrañado de su mala suerte. A la noche siguiente desapareció de nuevo, enfundado en el mismo traje de confección de color claro, y no volvió al barracón sino al cabo de una semana, con el mismo aspecto fatigado, sucio y hosco, los bolsillos repletos de monedas y billetes arrugados, papeles escritos y doblados que leía con parsimonia y rompía en pedazos muy pequeños con un gesto de desdén, paquetes de chocolatinas que se derretían debajo de su litera, cadenetas y sortijas y relojes que vaciaba en la maleta con la ostensible negligencia de ese viajante que abre un fardo repleto de navajas, peines y maquinillas de afeitar ante un corro de cohibidos e indecisos paisanos. Volvió a perderlo todo en el curso de una noche, sin alterarse ni mudar el talante por ello; en cambio frenó su impaciencia y ganó en compostura. No parecía interrogarse sobre el cariz inmutable de su fortuna que le llevaba a perder, en una noche y sin una compensación, todo lo que traía de la casa de juego. Sin duda consideraba que ello entraba en el orden de las cosas del que él no tenía por qué ser beneficiario, sino mero agente. Nunca levantó la menor protesta ni mencionó su mala suerte ni —lo que era más notable —trató jamás de retirarse del juego si le quedaba una moneda qué perder. Solamente conservaba aquella hermosa moneda de oro, del tamaño de un reloj de bolsillo, que todas las noches, cuando se retiraba a su litera, contemplaba fascinado y le sacaba lustre con el pañuelo, tras echarle el aliento. Era una moneda muy pesada, de oro de ley y cuño americano, que nadie sabía cómo había llegado a sus manos —aún cuando se suponía que se trataba de una ofrenda de la vieja barquera, a cambio de quién sabe qué dones— y que jamás entre sus compañeros de barraca puso en la tela del juego. Jugaron durante una larga temporada, todo aquel otoño y el invierno siguiente y casi toda la siguiente primavera hasta la llegada de aquel violento, intempestivo y fugaz verano en que había de morir, con sus anaranjados destellos y entintados nubarrones, con el eco de las cabalgatas y los disparos solitarios, con el susurro de los abedules y los graznidos de las cuervas en torno a las monturas agonizantes y los jinetes enloquecidos, toda una edad sin razón y un pueblo sin la menor medida en el consumo de su orgullo. No quedó sino un grito, el sonido de unas pisadas en las primeras hojas muertas, la ilusoria visión de un hombre que corría hacia el río por una ladera cubierta por el brezo, a la hora del crepúsculo, para atravesar la corriente con el agua por la cintura y volver a resucitar —en el mismo punto donde la leyenda dice que bajaba a beber el viejo Atilano— la mancha roja de la sangre de Aviza, del rey Sidonio y los voluntarios carlistas. Como antes le dije, un par de kilómetros aguas arriba de la barraca de la barquera desemboca en el Torce por la derecha el más caudaloso y constante de sus afluentes, el Tarrentino; su cuenca se extiende al valle del mismo nombre —5.000 hectáreas de monte en estado salvaje que es dicho «porque en él se nombran tantos valles como días trae el año»— y las estribaciones de los montes de Mantua, el Monje y la tenebrosa montaña de San Pedro, siempre sola y grande. En planta, el arroyo describe un amplio arco de ballesta cuya cuerda mira hacia el mediodía en paralelismo con la línea límite del escudo primario —esos bancos de sombría arenisca devónica y esas atormentadas crestas carboníferas— que parece rodear y proteger con un alto cinturón de rocas ácidas el orgulloso promontorio calizo que apuntado como un rompeolas y destruido por su milenario combate con el océano se asoma a la meseta terciaria para buscar refugio entre sus secuaces continentales. Es hacia el sur donde se levantan las cum-

bres más altas y blancas de la cordillera —quizá porque
en virtud de su calidad de capitanes de ese diezmado ejército el continente les ha otorgado una hospitalidad que
negó a los rasos acantilados, condenados a la dura vida
del litoral para seguir sufriendo la agresiva vecindad del
mar—, enhiestas, altivas y encopetadas como esas señoras
de la alta sociedad que en una mesa protegida por un
dosel mendigan el agua para la sedienta meseta. El Torres, con sus dos mil ochocientos y pico metros y su
aguja desplomada; y el Acatón, de perfil heráldico y
nombre grecorromano que aún perece pedir esa mitología
con que un pueblo pobre en inventiva no ha sabido
adornarle; y el Malterra, romo y roto, aislado como una
torre de homenaje sobre cuyas almenas anidan las cuervas y crece el té y que a todo trance trata de abrir el
diálogo con el orgulloso Monje quien, con su penacho
blanco, reina sobre el circo de Región y gusta de ro-
dearse de una corte de enanos negros, pequeños y
siniestros comparsas, los plumones y cascabeles de Mantua. Nace el arroyo en el Collado de los Muertos, adonde,
en lo que va de siglo, nadie da fe de haber subido. Allí
se sitúa la divisoria de los términos de Región, Macerta
y El Salvador materializada en una hermosa lápida miliar, una cruz de San Antonio y una inscripción que dice:
«ego sum». Su nombre es, al parecer, moderno y procede
de un sangriento combate de las primeras guerras carlistas en el que perdieron la vida muchos miles de hombres. Es cierto también que durante la última de aquellas
guerras una partida de guerrilleros, perdida ya la campaña del Maestrazgo, en lugar de seguir su éxodo hacia Seo de Urgel prefirió retirarse a lo largo del valle
del Ebro con el fin de alcanzar los núcleos vascos de
resistencia; pero aislada y rechazada un sinnúmero de
veces se vio obligada a atravesar peleando todo el norte
de Castilla para al fin buscar refugio en aquel monte
impenetrable donde la historia o la leyenda sitúan, su-
cesivamente, un castro celta, un campamento de la
Legión VII levantado por el padre de Pilatos, un
templo mitraico en el que se prolongarán el culto y las
costumbres prohibidas incluso después de la invasión

africana; un monte de penitentes que se desvían del camino francés —porque aborrecerán los encantos, los placeres y los umbrosos huertos de la Tebaida española— para cantar las alabanzas al Señor rodeados de brezales, nieves y alimañas; y una fundación del císter, cuatro torres, una tapia y un huerto cercado de avellanos silvestres donde en las mañanas de otoño se escucha el canto sibilino de los faisanes en celo; y para postre, una fábrica montaraz de pólvora, a comienzos del xix, con la que el lugar vuelve a su línea guerrillera durante las campañas de Dupont. Allí fue a refugiarse aquella partida carlista que —sin ninguna fe que conservar ni línea dinástica que defender— se decidió por la vida del monte antes que cavar acequias o sirgar barcazas de grano por las sedientas llanuras de la Castilla borbónica. Los pastores y leñadores que se adentran por el valle del Tarrentino cuentan que el monte se halla sembrado de grandes losas y piedras tumbales, ataúdes tallados en arenisca que hoy sirven todavía de pilones y abrevaderos, crestones que no se han meteorizado y que conservan, como si se tratara de un fósil más, una indescifrable inscripción cúfica, fechas incomprensibles talladas en la cuarcita y cubiertas de jaramago; entre las atormentadas raíces de una encina o en el centro de un macizo de espinos surge de pronto la cabeza herrumbrada de una lanza que se yergue todavía hacia el cielo sosteniendo el raso descolorido y desflecado del distintivo regimental; las losas de tantos obispos y abades que, se diría, fueron elevados a la mitra tan sólo para gozar de un ornamento en su sepulcro; o el enigmático símbolo de un triángulo escaleno, con un número en su interior y una orientación dirigida por su vértice grave, para señalar un itinerario perdido entre la espesura del monte y medido en antiguas varas rurales. Al viajero inadvertido que trate de llegar al corazón de la serranía —o que aspire a escalar la cumbre del Monje por su vertiente sur— por el valle del Tarrentino, todo parece invitarle a una excursión prometedora. Las primeras cuatro leguas, desde el desagüe en el Torce hasta la confluencia de los dos arroyos que casi por igual lo forman, por el camino que bordea el cauce —y que los paisanos aprovechan para llevar el ganado a pastar durante los cuatro meses cálidos; para la corta de leña de roble en la primera quincena de octubre y la tala del haya cada cuatro o diez años (lo necesario para que el comprador de la madera haya olvidado los desastres de la contrata anterior); para la pesca de la trucha todo el verano y la caza de la alimaña en las vísperas de Navidad— no se parecen a nada del resto del país porque la naturaleza ha prodigado allí lo que ahorrado por doquier, con una tal providencia que no es posible reducirla a los límites del cultivo y la cultura. Pero trascendida la Y que forman los dos arroyos, el de los Muertos y el propio Tarrentino, las cosas cambian: la cara del monte que mira hacia el sur no conoce otra vegetación que la planta enana del roble y el brezo, laderas sombrías y muy pinas que de tanto en tanto se abren a una cañada más ancha coronada en el horizonte por una cresta caliza azulada cuya presencia se hace sentir por el penetrante y sofocante aroma de las olagas, por una diadema de pequeñas encinas o el graznido solitario de las grajas. Aislados entre los brezales surgen los esqueletos torturados de un viejo roble o un salguero calcinado, deformado por los ventones que soplan del collado y cubierto de harapos de muérdago, loranto y verdín. Pero en la cara septentrional continúa el bosque; desde el cauce, cerrado por una barrera casi infranqueable de avellanos silvestres, espinos y majuelos, se suceden y prodigan los setos de mahíllos, esos manzanos bravíos que dan un fruto pequeño y agrio, tan resistente a las heladas que con él se alimenta el ganado los años de clima recio; entre ellos despuntan susurrantes y acogedores esos redondeados macizos de abedules, de hojas siempre temblonas que preludian un espejismo de brisa en las tardes más calmas, y cosidos entre sí por filas de alces; un verde más pálido, el del fresno, se acompaña siempre de un árbol de sombra parecido a la acacia, pero más corpulento, el argumeno, donde anida la verradilla, una ave que canta de noche para imitar el balido de la cabra. Por encima de los 1.300 metros de altitud cunde el acebo que en el collado de los Muertos adquiere la envergadura de un árbol maderable. El haya, el enebro y el tejo van menudeando a medida que se pronuncian las pendientes hasta que, siempre de forma súbita, un espeso seto y un bosque cerrado e impenetrable ocultan la vista del collado, interrumpen el camino y —con letrero o sin él— se empeñan en frustrar ese intento de ascensión. Se dice que hace años existía un camino hasta el collado que hoy se ha perdido porque la falta de conservación y de tránsito, el avance de las hayas, la acción de las aguas y el temor de los paisanos han devuelto las laderas a su estado original. Así pues, si el viajero animado de un espíritu infatigable, cuenta con una fortaleza excepcional y un equipo como para atravesar la manigua, logrará cruzar el bosque de hayas (a costa de su razón, sin duda, porque nadie con un adarme de cordura ha de arriesgarse en una empresa que no parece la más adecuada para devolver el juicio a quien carece de él) pero no el monte bajo, esa selva de urces, brezos y negrales, esas trincheras cubiertas de raecilla y frambuesa brava, esos fosos camuflados bajo los mantos de espino y escoba, majuelo y venenosos columbros, mezclados y dispuestos con arreglo a ese riguroso orden no carente de un punto de regocijado sarcasmo (la esbelta, grácil e inestable bromelia que surge en el centro de un maremagnum de espinas y ramificaciones; la mariposa violeta que se pierde y guiña en el calor de la tarde por encima de una muralla de acebos y cariátides) que parece insinuar que su disposición está dictada por el propósito de defenderse del leñador, del rebaño, del arado y del camino. Sólo el fuego llega hasta arriba: un día cualquiera, entre agosto y septiembre surge una llama que se aviva y en un par de horas toda una extensa zona del monte se convierte en una chisporroteante hoguera, avivada por los vientos que soplan de Galicia, que tres días más tarde se agota y extingue en las lomas meridionales acaso porque su propio frenesí carece ya de voluntad para llevar más lejos su devastación. Y, sin embargo, con ser tan considerables, no son los obstáculos que opone la Naturaleza los que han de empujar al viajero a su propia desespe-

ración. Es algo difícil de explicar, un tanto increíble y
misterioso y que, no obstante, sucede siempre; consecuencia de la falta de juicio, de la temeridad o de un
temor que poco a poco va invadiendo el campo ocupado antes por el orgullo. El viajero avispado y tenaz,
dispuesto a avanzar a razón de un kilómetro al día —ta-
lando a machetazos una broza en el monte bajo, la cabeza protegida por una escafandra de malla, única tela
capaz de resistir los ataques de esos enjambres de mosquitos descomunales, dispuesto a dejar un rastro de jiro-
nes de ropa, de piel y de pelo entre las ramas de los
matorrales (esa especie de aliaga de tallo negruzco y
espina alargada que se adhiere a la carne con más tenacidad que el esparadrapo)— ¿qué puede hacer ante los
toques de campanas, los cantos funerales con que a veces
se anuncia el nuevo día? En ocasiones, al cabo de una
mañana ocupada en escalar unos pocos crestones de
roca revestidos de hostil vegetación, cuando el viajero
toma asiento para contemplar el camino recorrido y en
el momento en que levanta su cantimplora para calmar
su sed con un trago de vino fresco, un sonido que le es
familiar viene a distraer instantáneamente su atención.
Lo conoce pero no lo sitúa y cuando escéptico trata de
apurar el trago, la memoria le obliga a reconocer lo que
su incredulidad rechaza; no hay duda, está fuera de lugar pero se trata de un motor de explosión; olvida su
hambre y su sed y sin abandonar el punto cuya conquista le ha sido tan cara, trata a todo trance de localizar
la procedencia de las explosiones. Es un día soleado y
seco y el contorno de los horizontes se difumina entre
la calina. Se hace de nuevo el silencio y con él vuelven
a sus oídos los sonidos tranquilizadores de la montaña,
el susurro de las hojas, el zumbido de los insectos, el
alto graznido de los cuervos que acotan en el cielo una
dimensión comprensible. Trata de saber si tiene fiebre
o si ha sufrido los efectos de un vapor fugaz, consecuencia del esfuerzo realizado; humedece sus muñecas, moja
sus pulsos y su frente y cuando, reconfortado pero des-
ganado, se recuesta para descansar después de refugiar
su cabeza a la sombra, en una pequeña gruta bajo un

arbusto, es de nuevo sobresaltado por ese sonido que vuelve con intolerable y grotesca claridad; ya no le cabe la menor duda de que, escondido en un punto del bosque que el eco aproxima con increíble fidelidad, un hombre trata de encender a la manivela un motor de combustión que al cabo de unas pocas revoluciones vuelve a detenerse con un eructo inconfundible. Y de pronto (mientras el viajero jadea) se enciende de nuevo, excesivamente acelerado, para silenciar con su rugido todos los susurros del monte y espantar un bando de cornejas (testimonio objetivo que el viajero ya no puede dejar de tomar en consideración) hasta que tras una serie de explosiones decrecientes en ritmo y sonido —y que resuenan en todo el ámbito con un tono sarcástico— se detiene en seco para abrir un nuevo compás a la calma del monte. El viajero que no quiere creerlo no tiene más remedio que aceptarlo; contempla el cielo sin una nube, luego su calzado destrozado; busca por todas partes el humo de las explosiones hasta que descorazonado pero no vencido decide desentenderse del caso para conciliar un sueño y despejar una cabeza que, por causa de la fatiga, el vino o la picadura de un mosquito se deja engañar por unos síntomas falaces y unos sentidos duales. Pero el sueño es difícil, el calor intolerable y la inquietud impaciente. Un par de horas después, sin haber logrado conciliar el sueño y en ese lindero del duermevela en el que todos los sonidos externos se asimilan a ciertas imágenes recurrentes que se van sucediendo apoyándose las unas en las otras, como los motivos musicales de un *potpourri,* surge otra vez la cadena brutal de explosiones de un motor que a todo gas se ha puesto de nuevo en marcha a pocos metros de su lecho. Entonces se levanta y se pone a gritar, está atardeciendo. El sol se ha ocultado detrás de los sombríos montes de pizarra y contra un cielo purpúreo describen sus altos círculos una pareja de aguiluchos que no parecen afectados por esa extraña contingencia. Cuando exhausto y afónico comprende la inutilidad de su gesto se ha hecho de nuevo el silencio, tras unos resoplidos fallidos y fatídicos que se prolongan lo bastante para resultar convincentes. No está dormido,

ni se siente febril y como la luz declina, decide, antes
de que se haga de noche, deshacer su camino para ins-
peccionar los alrededores. Pero no logrará encontrar nada
hasta que, desconcertado y entristecido, se verá obligado
a hacer noche en aquella misma peña donde horas antes,
con un estado de ánimo bien distinto, había decidido
hacer un alto en aquel itinerario que se iba desarrollando
de acuerdo con los mejores auspicios. Así que enciende
la lumbre y ante ese fuego corto y azulado de las raíces
del roble, con unos cuantos mordiscos a las galletas y al
queso —porque ya recela del vino— su espíritu se re-
conforta para recobrar una parte de aquella confianza
cuya pérdida una vez más atribuye al cansancio, las
moscas o el sol. El cielo está estrellado y en derredor
suyo cantan los grillos; poco a poco se va sintiendo
vencido por un sueño que se promete reparador. ¡Cómo
te equivocas, paisano! Un poco antes de la medianoche
una luz inesperada, acompañada del canto de una carra-
ca, le deslumbra y despierta. Ofuscado, obligado a pro-
tegerse la vista con las manos y a gatear con los codos
para salirse de entre las matas, acierta a levantar la
cabeza. Pero ¿qué haces, desgraciado? Antes de que un
círculo de luz fosforescente, en cuyo centro parpadea una
luz roja envuelta en capitosos vapores, se desvanezca en
la noche entre furiosos aleteos y graznidos, un terrible e
instantáneo aguijón se hunde en su espalda a la altura de
sus riñones para derrumbarle de nuevo al suelo entre
gritos de dolor y lágrimas de miedo; y toda la noche
permanecerá tirado sobre la roca, tembloroso y tiritón,
mordiéndose las falanges, acariciando con temor y aprensión el bulto ardiente que emerge de la picadura, mal-
diciendo su imprudencia, insultando a esa tierra que no
se deja hollar y que sólo otorga su hospitalidad a los
ángeles caídos... el joven Aviza, el viejo Atilano, los
Cayetano Corral, Eugenio Mazón, Enrique Ruán, adversarios en la victoria y hermanos en el pavoroso exilio.
También se dice que por allí existe —aunque el viajero
nunca lo logrará saber con certeza— una especie degene-
rada de ave rapaz, de plumaje oscuro y alas cortas y pega-
josas (una suerte de cuervo de corral, hipertrofiado de

abdomen, de extraña torpeza y ninguna inteligencia) que
parece haber perdido el derecho a perpetuarse y que, en
su fase de extinción, sólo acierta a alimentarse de insectos nocturnos, en las noches claras, gracias a una estratagema de la luz que refleja en su paladar. Son —en
cierta manera— parecidos a aquellos hombres y mujeres
fosforescentes que por un azar —no por una tradición—
solían en el verano concentrarse en un caserón de las
riberas altas del Torce al que aun careciendo de manan-
tial transformaron en balneario para poder jugar toda
la noche, en la primera década del siglo. Fue en aquellos
años cuando ciertas licencias en las costumbres de la
alta burguesía acarrearon tal incremento de las enfermedades secretas —que entonces adoptaron tal título— que
en casi todos los ríos se alumbraron manantiales con po-
deres curativos. «Yo creo que por aquel tiempo» —había
de añadir el Doctor, y si no lo añadió lo pudo hacer—
«también se inventó el verano. No sé mucho de historia,
pero no puedo menos que pensar que un gran número
de cosas que hoy consideramos naturales y que, a primera vista, han existido siempre, son en realidad consecuencia de la máquina de vapor: el verano, la noche de
bodas y —en gran medida— el horror. O al menos se
revistieron entonces de una nueva importancia y una intención social de indudable carácter. Mi padre fue el
prototipo de persona nacida en un medio rústico, arras-
trada por su tiempo a otro muy distinto y que, en verdad,
nunca llegó a comprender. Fue telegrafista, pero hasta
muy entrada su juventud no había conocido otro sistema
de comunicación a distancia que las señales de fuego.
Compréndalo, después de eso que el telégrafo tuviese hi-
los o no ¿qué importancia podía tener? Lo importante e
incomprensible fue lo primero, la rueda maldita que giraba
a una velocidad endemoniada y que perforaba en el papel
lo que a cualquier insensato se le podía ocurrir en el otro
extremo de la península o en el más allá. Y eso, a una
persona como mi padre no sólo no le incrementó su confianza en su país y en sus contemporáneos, sino que le
restó la poca que tenía. Esa civilización demoníaca —esto
es, inútil e impuesta, dada que no elegida— tenía que,

para ser atractiva, presentar su contrapartida y por eso se
inventó el verano, los viajes de placer, la emancipación
de la mujer y tantas otras cosas que a nadie un poco avi-
sado le tentaban lo más mínimo. Y para disfrutar de todo
ello también se inventó Región. Pronto comprendieron
que como se trataba de una civilización cuyo mayor orgullo era que se diferenciaba de todas las anteriores, muchas cosas que habían existido con anterioridad (tales
como el adulterio, la virtud, el fraude, el amor al prójimo)
debían adaptarse a las nuevas circunstancias y vestirse
con la ropa adecuada. Y entre ellas —y no la menos importante— el miedo. Ya se comprende que como el miedo siempre se refiere a algo cambia mucho con los gustos y
las modas. Aquellas máquinas y aquellas costumbres acabaron con muchos miedos de carácter menor —y casi familiar— que eran un alivio para el hombre, como se vino
a demostrar después porque a partir de entonces surgió el
miedo a sí mismo y sobre todo a sus semejantes. Y sin
embargo, creo que nunca se percataron cabalmente de la
trampa en la que habían caído; fue un momento difícil, el país vivía en paz, el bandolerismo, la facción política habían pasado a la historia, unos casos aislados de
suicidio o de locura no eran suficientes para disipar la
alegría de aquella inconsciente convivencia. Cuando yo
llegué a la edad de la razón muchos hombres conservaban
una barba hirsuta, de color de humo; parecían tranquilos, decentes, bastante cultivados y enteros. Y creo que
también gozaban de una salud más corta pero más completa; es decir, tenían tan buena salud que morían muy
jóvenes. Fue una generación notable que desapareció
—*spurlos versenkt*— en menos de cuarenta y cinco años
v de la que hoy ya no se acuerda nadie. Aún conservaban
la costumbre de subir al monte casi todas las semanas, es-
poleados por el miedo ciudadano, armados de una garrota
y una navaja, ya que nunca se decidieron a aceptar la
escopeta que les ofrecía «El Siglo XX», aquel pedante almacén atiborrado de género, quincalla y molinillos domésticos, que se abrió en cada pueblo. Se escondían entre los
matorrales, se llamaban unos a otros imitando el canto
del pecu o del faisán y, de tarde en tarde, le abrían la ca-

beza a una zorra o a un peluquero, de un solo garrotazo. Acostumbraban a poseer a su mujer los sábados por la tarde —antes del paseo— y los domingos por la mañana se bañaban en un barreño de agua tibia y cambiaban la blusa de fustán por una extraña pechera escarolada por entre cuyos pliegues y ojales asomaban —como restos de otra edad— aquellos pelos morenos y rizados. Acudían a misa y al paseo y a la tertulia siempre del brazo de la mujer: tenían mucho más de domesticados que de civilizados; en verdad, se veía que aquellas costumbres y aquella vida ciudadana les encajaba y cuadraba tan bien como el traje de camarero con que se viste a un mono en un entreacto circense. No sólo era falta de confianza lo que se vislumbraba en el guiño de sus ojos, era miedo, algo de furor, un extraño fluido que debajo de cada almidonada pechera vibraba y pugnaba por salir de ella, parecido al zumbido interno que se percibe en los postes de conducción eléctrica mucho antes de que en el horizonte asomen los primeros síntomas de la tormenta. Era una pasión anacrónica, pero no suicida; no tenía en cuenta a sus hijos —bien es verdad— ni se paraba a pensar en el progreso porque no acertaba a creer en el fin del rencor. Lo único que puede progresar es la ingenuidad, eso ya se sabía por entonces: esas abuelas en cuyo vientre se engendró la soledad y que, respirando su propio horror, deambulan sin sentido ni duración (no existe el aburrimiento ni la memoria en esa suerte de limbo sideral en el que oscilan) por las desnudas habitaciones donde la luz no ha entrado desde hace años para no levantar acta del estado de ruina; y ese pequeño jardín donde antaño se celebraban las veladas de julio y septiembre, que han convertido en el minúsculo huerto cavado con la pala y la rastrilla del niño que vivió lo justo para morir o enloquecer en la guerra civil, y del que logran sacar unas pocas patatas pardas, algunas matas de habas y unas cuantas plantas de col polaca con la que en tiempos mejores se alimentaba el ganado de matanza y que, hervida con un poco de sal gruesa, constituye la alimentación básica de la generación superviviente; sus grandes hojas pálidas cuelgan a secar y amarillean junto a las centena-

rias palmas en casi todos los balcones del barrio aristo-
crático del tiempo de la regencia lo que da a Región,
cuando se entra por el puente de Aragón, ese singular
aspecto de estación bacaladera. Existe una terracilla donde secan unas pocas mazorcas y un pozo del que la anciana, una vez a la semana, saca un cubo de agua que her-
virá durante seis días encima del hogar, alimentado con
patas de sillones y viejas mecedoras, montones de libros
y retratos patricios que en la hipóstasis del fuego lanzan
su última mirada de sereno rencor hacia las tinieblas de
la supervivencia, desde las primeras horas del domingo
hasta el atardecer del sábado no se sabe si para hacer
comestible la hoja de ese cardo o para mantener viva
—a fuerza de palmetazos— la llama memorial de los difuntos en una enorme y desvalijada cocina convertida en
santuario gracias a una estampa ahumada que representa
un beato levantino el cual contempla el crucifijo que sos-
tiene con las manos en alto con el mismo supino asombro
con que el pescador extasiado levanta una pieza que no
esperaba cobrar. Vecina al hogar una habitación en sombras —se han caído y roto los cristales y los huecos se
hallan cubiertos de papeles y esparadrapos— conserva aún
un resto de mobiliario: el lecho virginal que ha perdido
su dosel pero ornado aún con el rosario colgado en la
cabecera, el espejo cuyo azogue se ha ido desprendiendo
para dejar a la vista las manchas y escamas del degenera-
do estaño, y el pequeño tocador donde queda un solo
frasco que no contiene sino polvo endurecido sobre una
sustancia seca y transparente como resina mineralizada en
la que quedó encerrada y conservada una mariposa nocturna para materializar y preservar la imagen del revolo-
tear sin causa. Hasta hace relativamente poco tiempo, los
seguía visitando aun cuando ni siquiera se apercibían ya
de mi presencia: un brazo delgado, duro y pálido como un
cirio, cubierto de una piel moteada de manchas ocres y
lentejuelas pardas y encrespadas venas donde yo aplica-
ba el aparato para constatar una vez más que aquel pulso
hermético y empecinado, sitiado por la soledad y el desamparo, seguía latiendo con el mismo ritmo violento que
el día de sus primeros amores. Y no lo comprendía; tra-

taba de hacerlo y, una y mil veces, hasta el enfurecimiento, de llegar a entender la razón de ese asedio y de tal resistencia sin tener que recurrir a la respuesta más obvia: sólo vivimos para nosotros, tan sólo es necesario un suelo de odio y rencor para alimentar y desarrollar y hacer prevalecer a la planta humana. Y ese pulso no es nada misterioso, la medida del rencor, acaso el mismo furor que vibraba en las pecheras almidonadas, aquellas gorgueras y puñetas escaroladas que quedaron manchadas de sangre, colgando desgarradas entre los matorrales del monte de Mantua a lo largo de un camino señalado por fichas de nácar, restos de cadáveres mutilados y esqueletos que se conservan completos bajo aquellas balmas, vestidos de levita y calzados de botines. Tan es así que sin mucho esfuerzo se llega a pensar hasta qué punto es verosímil esa maldición, hasta qué punto el futuro (¿persistiremos mucho en llamar futuro a eso, el verano de las viudas, las hojas hervidas de la polaca, las reverberaciones urticantes de un pasado dominguero?) ha de seguir determinado por la cerrazón y la puntería y el insomnio de ese viejo guarda. Quizá ya no existe sino como cristalización del temor o como la fórmula que describe (y justifica) la composición del residuo de un cuerpo del que se sublimaron todos los deseos. Ahora sabemos lo caro que costaban, un precio que no es comparable al poco valor de lo que ahora gozamos; al conjuro de esta cuenta se ha decidido —créame usted— que la maldición se prolongue cuanto sea posible. Por eso acostumbran a ir allí cada año, a escuchar los disparos celestiales de un Numa que por lo menos, no se equivoca nunca. No entrega nada pero al menos no permite el menor progreso; no aprieta pero ahoga. No vea usted en él una superstición; no es el capricho de una naturaleza ni el resultado de una guerra civil; quizá todo el organizado proceso de una religión, unido al crecimiento, desemboca forzosamente en ello: un pueblo cobarde, egoísta y soez prefiere siempre la represión a la incertidumbre; se diría que lo segundo es un privilegio de los ricos. Yo no creo que siempre fuera así, pero a estas alturas es difícil hacerse cargo de cómo el crecimiento y el progreso —esa acumulación de números y subter-

fugios con que la historia se regala a sí misma para darse
un aspecto consolador— han trastornado nuestra naturaleza original. ¿De qué estaré hablando, demonio? Pues
bien, no cabe duda de que el así llamado progreso se
consigue a costa de algo, quizá de lo que no puede progresar; el juicio, el sano juicio, es uno de ellos, ¿no será
menester sacrificarlo si hemos de andar todos al mismo
paso? Esa enfermedad se avecina. El Numa no es más
que el pródromo. Es cierto que vivíamos atrasados, ¿y
por qué no habíamos de hacerlo así? Y ahora nos estamos embutiendo en un disfraz sin saber cuáles eran las
ventajas del antiguo vestido, sólo porque era una antigualla. Al hombre le pasa lo mismo, es otra antigualla.
Cuando se escribe tanto acerca de él es porque apenas
cuenta, a punto está de ser retirado a los desvanes y los
museos. Lo que importa es su sociedad, su religión, su estado y su silencio; en tiempos de mi padre se creía todavía que había que cuidar y celar esas cosas para servir al
individuo; y ahora, a lo más, es al revés. El hombre es
una pieza arqueológica; en tiempos de mi padre se creía
que era posible redimirle de su esclavitud y liberarle de la
explotación por sus semejantes; y todo eso ha venido a
parar en que ya nadie explota pero todos somos explo-
tados, por el estado, por la religión, por el bien común,
por lo que sea y contra lo que nadie puede luchar de forma que lejos de suprimir la explotación lo que se ha hecho
es transformarla en cosa invulnerable y sacramental. Y los
que antes eran unos retrógrados hoy serán unos adelan-
tados y así será siempre, en este mundo. Lo que no sabía
la generación de mi padre es que aquella fuerza común
que había de liberarles de sus opresores iba, inconsciente,
taimada y sibilinamente (y lo que es peor, con el consenso de todos) a transformarse en un instrumento impersonal y electivo de explotación contra el que, por su
propia índole, no cabe lucha alguna. Me imagino que así
debe ser el reino de los cielos: apenas nos hemos apercibido de ello y estamos cruzando sus umbrales. Y todo
por hablar demasiado de los hombres y de sus derechos.
Pero ¿es que se habían preocupado alguna vez de aquella
palabra?, ¿una denominación común implicaba unos de-

rechos?, ¿no bastaba con llamarse Sebastián o Mazón o Tomé para saber lo poco que había de común entre ellos?, ¿qué derechos podían gozar en común sólo porque una palabra, cuyo significado a diario se cuidaban de negar, les abrazase a todos para destruir aquella condición diferencial que les había bautizado? Así que la cabeza del rey Sidonio —como reza la leyenda— saltando sobre las aguas revueltas del Torce y remontándose aguas arriba hacia sus escondidas fuentes ¿apunta hacia el poder omnímodo de un río y de un monte que no admiten otra jerarquía ni otro estado de cosas que el dictado de sus caprichos? ¿Y la locura del joven Aviza, abriendo las entrañas del cadáver de su padre para purgarle del vino que lo mató (y al clamor de las copas sucede el de las espadas ultrajadas), informará para siempre la conducta de un pueblo desahuciado y envilecido, empujado hacia la decadencia y el atraso a fin de preservar su legítima potestad? Tal es el enigma que en estos años, quizás en estos días, se ha de resolver. Cuando se levanta el telón para dar comienzo al segundo acto (o tercero, cuarto... ¿qué más da?) se advierte al instante que el escenario ha cambiado: la escena representa, con un decorado convencional, un paraje semejante al anterior pero el estado del tiempo es mucho menos apacible que en los días venturosos de la mina y la casa de juego; corre una ligera brisa setembrina —no se sabe qué preludia— y las urces se agitan con un susurro singular; acaso como símbolo de la paz perdida, en el centro, una pastora tocada a la usanza del país, apacienta el rebaño que bala entre las peñas sin temor. Yo no he visto nunca pacer a las ovejas con temor, pero eso, amiga mía, es igual. Al pronto surge por el lateral derecho una agitada turba de caballeros vestidos a la moda de 1925, los unos a caballo, los seguidores a pie, armados de toda clase de instrumentos. En segundo plano, apenas visibles, se distinguen unos militares con sus teresianas azules. Al balido de las ovejas sucede los ladridos de la jauría y el toque de las cornetas. Al detenerse la turba en el centro se levanta una nube de polvo que durante varios minutos —o largas horas— oculta los confines de la sierra mientras otro toque cazador, mucho más

lejano, indica que un segundo escuadrón cabalga por las
riberas del Torce. Un corneta —portavoz de los caballeros— descabalga y se dirige a la pastora con tonos agresivos y apremiantes para que, sin la menor dilación, le
señale el camino que ha seguido el fugitivo. La pastora,
indiferente, se arregla la falda, se sacude el polvo y le
mira de soslayo. Hay quien opina que no se trata sino
de la vieja barquera, en uno de sus famosos travestis. Todos los caballos relinchan a la vez y la turba se impacienta. El corneta le advierte, con malos modos, que su vida
peligra pero la pastora, a guisa de respuesta, saca de entre
las faldas un caramillo y entona una canción obscena. Muchos caballos se ponen de manos y algunos jinetes, mal
precavidos o poco diestros, muerden el polvo. Por entre
los brezales, apartando las ramas, surgen las miradas llenas
de malicia de la jacquerie regocijada. El corneta, vejado,
la amenaza de palabra. Ciertas risas contenidas se oyen a
través de los brezales, agitados por un viento de fronda.
Un escalofrío recorre a la turba que, impávida, las miradas
contenidas, los puños crispados sobre los borrenes, aprue-
ba el sacrificio que el corneta, desenvainando un sable
corto y curvo, se adelanta a consumar. Uno de los espec-
tadores, en particular, no es capaz de reprimir su temblor; es un militar que ha perdido su guerrera, enfundado
en una pelliza prestada entre cuyos pliegues, mientras
lanza unas miradas oblicuas, esconde una mano vendada
con unas hilas sucias y manchadas de sangre. Ya por
aquel entonces acostumbra a morderse las uñas, incluso,
las de la mano herida que se lleva a la boca ayudándose
con la otra. Y en el momento en que el corneta se dispone a hundir el arma en aquel pecho virginal y amplio y
nacarino, el corpiño se desata, un golpe de viento levanta
las sayas de la pastora y una ficha de marfil, con un número 50 pirograbado en el centro, cae al suelo como si
se tratara de la prenda más íntima de la virtud; la confusión es enorme, todos quieren cogerla. «¿Y la moneda?
¿Y la moneda?», una voz insistente e irreflexiva surge
con agobiante reiteración mientras el grupo se bate y mal-
trata; porque a la zozobra anterior sucede ahora un
combate que apenas se vislumbra a través del polvo, el

flamear de los cuchillos, los fogonazos, las salpicaduras de la sangre y el piafar de los caballos, los relinchos y las lamentaciones de los moribundos que, cuando el humo se disipa, ocupan el centro de la escena reculando y reptando, arrastrándose por el suelo en busca de la ficha, de la moneda, de la vergüenza o de la venganza, de una quimera mortuoria o de una página del código sobre la que vomitar la sangre que inunda sus pulmones. Y a este respecto quiero una vez más llamarle la atención sobre cierto particular: cómo las contradicciones que un pueblo está engendrando —y que un día u otro provocarán su caída o su ruina— en muchas ocasiones cobran figura material y toman cuerpo de tragedia en torno a unas personas o a unas situaciones con las que no guardaban más que una relación episódica. Como el destino, al pronto, para fustigar a un pueblo que tal merece elige a un actor de paso, capaz de catalizar las pasiones antagonistas y dar lugar a un clima de destrucción sin que, para conjurarlo puedan intervenir los intereses que mantienen un equilibrio inestable. Porque, en suma, todos aquellos caballeros lanzados en persecución de un fugitivo, azuzados por un montón de fichas de nácar y marfil ¿qué buscaban, qué pretendían? Apenas se habían apercibido de su presencia el primer día de su visita a la casa de juego; sólo por su extrema vulgaridad podía haber llamado la atención. Se lo podía tomar por uno de esos horteras de otra época, que ni siquiera juegan los domingos y si lo hacen, es por la mañana; que se colocan un ticket en el ojal y pasean por los salones, con un paquete de tabaco que no acostumbran a fumar y que han adquirido para esa ocasión, mirando a los techos. Que parecen indiferentes a las mujeres porque cuando se cruzan con ellas vuelven la cabeza y sólo las miran más tarde, de lejos y a hurtadillas. Sin duda deben también tener sus pasiones, unas pasiones tan complicadas y pertinaces que cuando estallan... no se puede saber lo que provocan. De su primera visita apenas se puede acordar nadie, tal vez solamente aquel militar —presunto amante de María Timoner— que todas las noches se jugaba las fincas de sus tías. Después de reconocer todas las salas se sentó junto a una mesa de naipes, en un puesto rezagado, donde permaneció toda la noche sin hacer un gesto, sin mover un dedo pero haciendo ostentación de sus cigarrillos. Cuando ya, al final de la velada, los jugadores se levantaban para retirarse, se dirigió al joven teniente, quien —tras una noche afortunada— ordenaba sus fichas en diversos montones según su tamaño y su color. Hurgó durante un rato en el bolsillo del pantalón —a pesar de que era manifiesto que era lo único que llevaba en él— y sacó una pieza dorada del tamaño de un reloj. «Me juego eso», dijo. «¿Y eso qué es?, preguntó el otro, con cierto sarcasmo. «Una moneda de oro, ¿es que no lo ve?» «¿Una moneda de oro? ¿De ese tamaño? Déjeme ver.» «La podrá ver todo el tiempo que quiera, si la gana.» «¿Es suya?», preguntó. «Eso lo ha de decidir la carta», respondió, con cierta flema. «¿Y contra qué la quiere jugar?», le preguntó mientras se agachaba a mirarla, ya que el otro la sostenía con el índice y el pulgar, como quien enseña la hora a un transeúnte. «Contra una de esas fichas blancas.» «Una de esas fichas blancas... no ha dicho usted nada. ¿Sabe usted lo que vale una de esas fichas?» «¿Y sabe usted lo que vale esa moneda?», preguntó el otro, a guisa de respuesta, con un tono provocativo. Se la había dado la barquera, la tarde anterior, después de muchas advertencias; apenas le había escuchado con atención; toda la tarde había estado rascándose las manos, mirándole de soslayo y mostrando al sonreír unas encías agujereadas, encogiendo la nariz y meneando la cabeza. De repente le dio una palmada en el pecho, tumbándole en la hierba, y salió corriendo, animada de una risa convulsiva. Luego tosió largo rato; se sentó, fatigada, muy lejos de él y dándole la espalda mientras se secaba las lágrimas con el borde de las sayas; de debajo de las cuales extrajo la pieza de oro que echó al aire varias veces, contando las que salían cara y las que salían cruz, colocando unos palos y unas piedras a cada lado. De repente un grito sacudió todo su cuerpo al tiempo que reculaba y se agarraba en pelo; en la mismo postura —pero más serena— volvió a gritar, girando la cabeza para lanzar el sonido en varias direcciones, como un gallo encima de una piedra.

Fue al punto donde había quedado la moneda y contó de nuevo montones de piedras y palos hasta que debió cerciorarse de algo. Encorvada, se dirigió a él, le agarró por los bordes de la camisa y le preguntó:

—¿Así que eres tú?

—¿Qué es lo que soy yo?

—Eres tú, eres tú. ¿Cómo no me di cuenta antes? —y le besó en la mano prolongadamente, dejándole en la palma un resto de saliva que el joven se secó con el codo—. Está bien; lo dicho, dicho está. Tómala, juégala como quieras; pierde cuidado y sobre todo, no seas prudente, no lo seas nunca —le dejó la moneda en sus manos y echó a correr; a bragas enjutas cruzó el río, aquellos días en su mayor estiaje.

—Está bien —dijo el teniente—, ¿y a qué quiere jugar?

—A lo que jugaba usted.

—¿Conoce las reglas?

—¿Es que no las conoce usted?

Perdió tres veces seguidas. Cuando entregó la tercera ficha se quedó pensativo, tamborileando sobre el tapete al tiempo que miraba simultáneamente la moneda y todos sus montones de fichas, casi intactos.

—Vamos a probar otra vez, ¿le parece? —preguntó el teniente.

—No digo que no. ¿Cuánto va?

—Lo mismo que antes —dijo el jugador.

—¿Cree usted que una moneda que gana a tres vale lo mismo que una ficha? Si quiere jugar ha de poner tres fichas, amigo.

—¿Quién ha dicho eso?

—Lo digo yo. ¿Acaso no es mía la moneda?

—Adelante; ahí van las fichas.

—Adelante; venga el naipe.

Perdió de nuevo y tragó saliva. Con un gesto experto cogió con dos dedos todo un montón de fichas blancas y, tras contarlas con la mirada, dejó caer tres de ellas sobre el tapete: «Vamos a ver cuánto le dura», dijo.

—Probaremos una vez más; en total son tres duros, ¿qué es eso para mí?

—¿Tres duros? ¿Cree usted que una pieza que gana seis vale solamente tres duros? Ha de poner seis, si quiere jugar.

No quiso insultarle porque prefirió ganarle, confiado en la cuantía de sus montones. Tomó otras tres de mala gana, mirándole con encono.

—Se está usted pasando de listo. ¿Es que piensa que la suerte le va a ser constante todas las jugadas? No sea loco. ¿No ve todo lo que tengo ahí? Puedo aguantar mucho, hasta que cambie la suerte. Y entonces... ¿qué?

—Así que van seis, ¿no?

Cuando volvió a perder empezó a sudar. El jugador se sentía irritado consigo mismo no tanto por su mala suerte como por no poderse salir de un juego infantil que se empezaba a poner serio e incómodo. Así que jugaron largo rato, rodeados de luces apagadas y bajo la vigilancia de un camarero somnoliento. Era ya muy tarde cuando el teniente se levantó, con aire fatigado; con velada irritación y manifiesto temblor recogió unas pocas fichas de escaso valor que habían quedado en su campo, insuficientes para completar una puesta.

—Mañana seguiremos —dijo, mientras se abrochaba el cuello, contemplando cómo el otro se metía las fichas en los bolsillos.

—¿Mañana?

—Eso es; un caballero siempre concede la revancha. ¿No lo sabía usted? ¿O es que no he estado jugando con un caballero?

—Cada día se aprende algo nuevo —dijo el otro.

En las siguientes semanas la pieza de oro fue llamando la atención de algunos habituales de la casa. Ganaba siempre; no así las ganancias que ella procuraba y que —se diría— parecían gozar de una virtud opuesta porque cuando abandonaba una mesa con los bolsillos llenos y se sentaba en otra para jugar con fichas, y al objeto de no arriesgar la clave de su juego, perdía siempre; de forma que aun cuando ganó mucho —mucho más que lo que la pieza podía valer cualquiera que fuese su precio— sólo pudo guardar aquella parte de sus ganancias que supo no arriesgar. Por eso mismo era más atractiva la moneda de forma que, entre los habituales de la casa, pocos fueron capaces de resistir a la tentación de envidarla. Pero sin duda el más terne —por ser el más ofendido, el que por haber sido el primero en envidarla se consideraba que en cada postura gozaba de unos derechos de tanteo— era el teniente quien sabía en otras mesas (y entre caballeros) buscar la compensación a las pérdidas que le procuraba aquella moneda cuya adquisición empezó a obsesionarle. Su prometida (o su amante, o lo que fuera) no pisaba nunca las salas de juego pero desde lejos —rodeada siempre de un corro de hombres maduros, estudiosos e indiferentes al juego— adivinó y siguió toda la aventura con creciente inquietud. La primera vez que la vio fue una tarde en la que dejó al militar, en menos de un par de horas, sin una pobre pieza. Cruzó el salón a grandes pasos y desde la puerta de cristal le hizo una discreta señal a la que ella obedeció, abandonando el corro de admiradores con risueñas excusas. Fue —repito— la primera vez que la vio, apoyada contra el quicio de la puerta, inquieta pero no azorada cuando con una ceja ligeramente levantada observaba —sin tratar de disimularlo ni de aceptarlo con rubor— cómo su prometido buscaba afanosamente en el interior de su pequeño bolso; fue el primer atisbo de aquella mirada serena —ni alegre ni melancólica— y abierta que, capaz tan sólo para la contemplación, no era susceptible de ser conmovida; había en ella un algo atónito y reflejo — y un poco pueril— que emanaba de una aparente actitud interrogante pero que en el fondo no se interesaba por ninguna respuesta: al contrario, a la vista (y al conjuro de ellos) de aquellos grandes, hermosos y quietos ojos todas las respuestas parecían tranformarse en interrogantes, o al menos en conjeturas. Así que al poco rato se sentaba de nuevo el militar frente a él, con un reducido montón de fichas verdes colocado encima del tapete. «Yo creo que será mejor dejarlo por hoy», le dijo para disuadirle. «Esa no es la manera de conducirse de un caballero», le contestó al tiempo que adelantaba el montón. «Es tarde.» «¿Para qué es tarde?», pero ya había desaparecido de su vista, oculta entre los corros del salón vecino. «Debe ser tarde para muchas cosas», dijo, con un tono abatido. «Está bien, jugaré con mis propias ganancias», añadió adelantando un montón de fichas equivalente al del otro. «Ah, esto ya es otra cosa», dijo el militar al descubrir los naipes, «ya le advertí que su suerte no le podía durar siempre.» «Tampoco durará la suya», replicó el hortera. Al poco rato había perdido todas sus ganancias que habían pasado a manos del militar; ya estaban solos, en el salón vecino —casi todas las luces apagadas— sólo quedaba su prometida con aquel joven doctor que seguía su tratamiento en la clínica de Sardú y que constituía su escolta todas las noches de juego. Sólo le quedaba —una vez más— la moneda de oro y el militar, con talante satisfecho y gesto arrogante, se levantó de la silla: «María, Daniel, venid aquí que esto merece verse», dijo. El otro se levantó y guardó su moneda: «Es muy tarde, buenas noches». «Aún le queda a usted algo por jugar.» «Y soy muy dueño de quererlo jugar y de fijar su precio», dijo. «María, Daniel, venid acá.» Y cuando se acercaron a la mesa cogió con displicencia y menosprecio un grueso y desordenado puñado de las fichas más grandes y las echó al centro de la mesa. Pero el otro no se inmutó; volvió a sacar su moneda del bolsillo, apartó el puñado del otro y escogió una sola ficha, la más pequeña y de menos valor de todas. «Ese es su precio por esta vez y esta es la última jugada. Adelante, saque el naipe.» «¿Y ese es su precio?» «Adelante he dicho.» Y ganó: «No teniendo ninguna fe en conservarlas, hay cosas que no tiene usted derecho a apostar», dijo, y mientras recogía la única ficha se dirigió hacia aquellos ojos inmóviles y apacibles, más atentos a sus pasos que a los bloques de fichas que apilaba su prometido. Fue una larga partida a lo largo de un tiempo vago, verano, otoño, invierno y primavera fundidos en torno a una lamparita verde y sin otra mutación que el vestido de María que todas las noches, del brazo del médico, acudía al último envite. Un día fue un reloj, con una miniatura de ella enmarcada en la primera tapadera. Unas semanas, o unos meses, más tarde, una pulsera que su amante soltó de su muñeca, oculto tras los pliegues de un cortinaje. No había en su actitud ni afrenta ni reproches; sin querer obser-

varlo adelantó su brazo desnudo con la misma voluntaria
obediencia que si le fueran a poner una inyección. Sólo
cuando retiró el brazo volvió su mirada —impasible, indiferente, ignorante— hacia el verdadero autor del expolio, por encima de los hombros de su amante que se
acercaba ya a la mesa con la pulsera colgando de su dedo
índice. Quizá ya no había nadie y la lámpara de flecos
alumbraba un círculo del tapete tan pequeño que sólo
se veían sus manos. Pero hasta muy entrada la primavera
siempre le fue posible encontrar un ardid para conservar
la moneda fuera del juego y reintegrarle lo que procedía
de ella. Y al fin fue una sortija, con un brillante, lo que
hizo comprender que no se trataba solamente de la alhaja,
sino de la promesa que encerraba. Los ojos —en la actitud
más pasiva, más irreflexiva, más condescendiente—, lo
confirmaron con un gesto que por no indicar nada antici-
paba su aceptación pero él —el jugador, sólo se veían sus
manos en el círculo de luz que arrojaba la lamparilla,
las uñas negras y los puños de la camisa con los bordes
deshilachados y sucios— rehusó semejante prenda y, en
revancha, se las arregló siempre que la sortija de la promesa coronaba el desordenado montón de fichas, para retirar la moneda de oro que se escondía debajo de él, sin
que el rival se apercibiese de ello. De forma que moneda
y sortija ganaban siempre porque nunca se enfrentaban en
la misma postura, durante aquel vago y largo plazo que
duró el juego y que no urdió el Jugador sino el Tiempo,
deseoso de encontrar su propio fin en el hombre que en-
vidiaba. Pero un día del verano concluyó al fin no tanto
porque el rival supo obligarle a dejar la moneda (no contaba con fichas con que esconderla y al fin la tuvo que
equiparar únicamente a la sortija) como por aquella mirada rezagada en el umbral de la puerta vidriera que supo
cerrar los ojos en el preciso instante para que el dueño
de la moneda lo pudiera interpretar como un ruego; porque ella ya lo sabía, mucho más tarde me di cuenta de
ello. Y cerró los ojos para decirle: «Por favor, termine
de una vez. Ya sé que va a ganar. No lo acepto, se lo
ruego, se lo ruego...» Así que adelantó su montón de fichas, un montón muy considerable, y encima de él colocó

la moneda; no había enfrente más que la soritja, y detrás de ellos, María; y detrás de María, el joven e inexperto doctor. El militar dio los naipes y el otro se levantó, sin mirarlos. El militar, bajo la lámpara de flecos, fue abriendo con estudiada lentitud el abanico de sus cartas observando tan sólo el símbolo del margen. Luego se volvió hacia la oscuridad del salón contiguo mostrando en la mano el abanico abierto: «Esta vez no hay duda», dijo, con una firme sonrisa al tiempo que el sonido de los tacones le indujo al otro a pasar al salón contiguo. La cogió del brazo —y el doctor no supo impedirlo— y le dijo: «Ya está hecho». «¿Y qué importa eso?» «Hasta ahora no importaba nada. Ahora lo es todo», le contestó y no esperó su respuesta, sino que volvió corriendo a la mesa de juego —donde el militar apilaba y contaba sus presuntas ganancias, rodeado de unos cuantos adictos que bromeaban en torno a él—, para decirle: «Para guardarse eso es preciso levantar esos naipes». Los extendió uno a uno, los volvió a separar, incrédulo, boquiabierto y jadeante, mientras ella —a su espalda— se apretaba las manos y trataba de reprimir el temblor de sus labios.»

El Doctor se había apercibido, tiempo atrás, de un cambio; no sólo la encontraba más distante, no sólo aceptaba su compañía no con el desenfado de antes, sino con la resignación que impone toda exclusión, sino que toda su actitud para con la gente que la rodeaba y admiraba parecía teñida de una reserva que —el Doctor lo sabía muy bien— no se podía atribuir solamente al cansancio o la timidez. Desde el primer día en que se puso en juego la sortija el Doctor comprendió que por parte de ella —y de manera tácita, por tanto mucho más irremediable— había quedado roto uno de los vínculos que le unía a su amante. No quizás el afecto pero sí el respeto; no la promesa ni la fidelidad ni la obediencia, pero sí la lealtad. Y el Doctor no tardó un solo día en sentirse el tercer protagonista, llamado a sustituir al veleidoso capitán, pero decidió avanzar por aquel terreno con paso muy prudente, con la cabeza sobre los hombros y sin dejarse arrastrar por el atractivo de María. Había ingresado en la clínica de Sardú un año antes, para curar una dolencia nerviosa que al principio le dio que pensar pero de la que pronto se convenció que era asunto baladí, si no una pura comedia. Era una dolencia lo bastante vaga y caprichosa como para justificar su permanencia en la clínica mientras su prometido difería en las mesas de juego su decisión al matrimonio. No se le había ocultado a él, desde los primeros días, que se trataba de su amante quien además de inducirla a trasladarse allí para tenerla cerca e iniciar su incorporación a la sociedad regionata no quería de ninguna manera verse envuelto —en gracia de la reputación de su nombre, de la posición que gozaban sus tías y de la herencia que de ellas esperaba— en un tipo de relación que si se traducía en escándalo pondría en compromiso aquellas prendas o le abocaría irremediablemente al matrimonio. Para un caso tal la clínica ofrecía una solución y un refugio seguros; no sólo justificaba, por razones de salud, la presencia en la ciudad de una joven atractiva y desconocida que en otro lugar, incluso con casa propia, habría dado lugar a habladurías, sino que, transcurridos unos cuantos meses de obediencia a la dieta, la aureolaba de una inocencia y una delicadeza tanto más dignas de respeto cuanto mayores eran las irregularidades que, en otro contexto, su propio estado le hubiera permitido. Y además «un estado delicado de salud» constituía el mejor pretexto para todas aquellas demoras, retiros y separaciones a que se obligaba un amante cuidadoso para justificarse ante unas tertulias siempre ávidas de sucesos de salón. El doctor, empero, descubrió muy pronto la urdimbre de la comedia. Sardú, llevado de su manera de ser enredadora y traviesa, le había encomendado desde el primer momento el cuidado de la enferma con una atención que por su celo y esmero se salía de los hábitos de la casa. No se trataba solamente de la vigilancia clínica, sino —más incluso que eso— también de su presentación en sociedad. Quizá Sardú, pero no el doctor, recibía del militar un plus a cuenta de los gastos de representación. En cambio el doctor, y a instancias de su

patrono, se vio obligado a invertir el importe de sus primeras mensualidades en un traje de etiqueta y en un
curso de baile por correspondencia a fin de poder acompañar con toda propiedad a las veladas del casino y a
algunas fiestas de Región tanto a ella como a otras enfermas de más edad que sólo padecían de un mortal
aburrimiento. A los seis u ocho meses de su ingreso en
el establecimiento, pasadas las fiestas navideñas, el doctor
empezó a vivir en tal estado de permanente zozobra
y ansiedad que, de todo el establecimiento, él era el
único que parecía necesitar una cura de nervios; porque
ya no sabía cuál era su profesión, porque no sabía qué
clase de mujer era la que le atraía y, lo peor de todo, no
sólo qué futuro le aguardaba, sino de qué clase de presente era posible disfrutar sintiéndose atraído por una
mujer de cuya filiación no recelaba tanto como de su compromiso toda vez que las muchas fluctuaciones que su-
frían sus relaciones con su amante tanto le hacían concebir esperanzas de llegar a ella por unos caminos mucho
más limpios y breves que aquellos a los que ella parecía
estar habituada, como parecían alejarle —definitiva y
desesperadamente— de una persona en la que todo, hasta su conducta, le era desconocido, ajeno y velado. Aquel
invierno —el que precedió al último verano— el doctor
tuvo un encuentro (o una visión, como se quiera llamar)
que le dio mucho que pensar, que afectó a su ánimo y
transformó su ansiedad en un incontenible deseo de resolver aquella situación y abandonar, en compañía de María, aquel lugar. Y fue lo que, en definitiva, le empujó
a una decisión respecto a ella que al albur de sus frecuentes vacilaciones —y de los cambios de fortuna y de actitud de su amante— no habría sido engendrada. Fue hacia el final del invierno, una de esas raras noches que
por precursoras de la primavera gozan de un aroma incipiente que más tarde el clima se ocupará de abortar; y
la conducta de ella —aún no se había puesto la sortija
sobre el tapete de juego— pasaba por un momento firme
y sereno, un tanto despegado de todo lo que en aquellos
días giraba a su alrededor. Habían salido después de ce-
nar, a tomar el fresco bajo los olmos de la carretera; re-

cuerda el doctor que fue una de las primeras noches que
la tomó del brazo para hablarle de un tema que conocía
muy bien, una meditación quizá comenzaba bajo el sol
africano, en una trinchera del Rif; le estaba diciendo en
qué —a su parecer— se diferenciaba el amor propio del
orgullo, dos sentimientos muy parecidos respecto a todas las cosas propias y que sólo —si degeneran en dolencia— se pueden curar con fracasos; el primero es el que
se cura, el segundo el que se agrava porque el fracaso
viene a demostrar al hombre que aquello propio que tanto quería, hasta hacerle perder la lucidez, no era digno de
tal amor; mientras que el orgullo prefiere negar esa evidencia y, antes que poner en entredicho el amor a lo propio, prefiere atribuir las causas de su fracaso a los errores
ajenos que no a sus propios desatinos... cuando en esto
alguien le silbó, una sombra que columbró más atrás —al
otro lado de la carretera— escondida tras un tronco. Se
excusó por un instante, retrocedió unos pasos (tuvo un
escalofrío) y preguntó en voz alta quién le requería.
«Acércate», dijo una voz apagada, con un tono muy seco.
No acertó a vislumbrar sino una cabeza envuelta en sombras, adivinada más bien por los reflejos de la frente y los
pómulos, y un cuerpo cuyo vestido no era fácil distinguir
a pesar de la claridad nocturna; acaso no tenía pelo y
protegía su calvicie con un pálido y gaseoso velo que se
cerraba por debajo de la barbilla, a la altura de la boca.
«Sebastián ¿no es así?» «Eso es», repuso él, pero con
cierto recelo, «¿qué es lo que desea?» «Esa mujer que
te acompaña...», se diría que, bajo sus hábitos, consultaba una agenda de notas. Creyó ver también unas manos enfundadas en guantes de cuero negro en uno de
cuyos dedos —y eso le sorprendió más que cualquier
otro detalle— brillaba una alhaja. «Yo diría que se
llama... vamos a ver...» El Doctor esperó. «Se llama...
aquí está: Gubernaël, eso es.» «¿Gubernaël? En absoluto, se apellida Timoner, María Timoner.» «Gubernaël,
Timoner... qué confusión más pueril; pero muy expli-
cable», dijo, con una sonrisa suficiente. «¿Y cómo se encuentra?» Ni por un momento se le ocurrió al Doctor salir
al paso de aquel impertinente interrogatorio. Contestó,

«Bien, se encuentra muy bien. Fuera de todo cuidado».
«Cómo lo celebro. Hago votos por su salud y porque
no se repitan estas enojosas confusiones» —añadió,
con un tono más seco aún; de su boca manaba un aliento
que no era cálido ni fétido pero tan seco que sus palabras parecían salir de un instrumento de barro. «¿Y Gubernaël?, ¿no tienes una enferma de ese nombre?» «Eso
es.» «¿Y cómo está?» «Está delicada; pasa por un momento estacionario pero su estado general me inspira…»
«No me digas más, no me digas más. ¿Estará durmiendo
a estas horas?» «Sin duda, hace un par de horas que la
di un calmante.» «Está bien, está bien. No tardes en re-
tirarte. Estas noches son traidoras. Buenas noches, doctor Sebastián…» y no le vio irse. Al instante le pareció
advertir que deshacía su camino, en dirección a la clínica,
pero pronto desechó esa idea. Al volver con María le embargaba la sensación de haber sufrido un espejismo, uno
de esos espasmos involuntarios que la memoria inicia pero
que la realidad no ratifica o el recuerdo entenebrece y
que en adelante quedarán suspensos en un tiempo de nadie, un instante abortado y un pasado sin sanción ni registro. No le dijo nada, evadió sus preguntas y procuró
abreviar el paseo. Aquella madrugada, en la clínica, murió una señora anciana apellidada Gubernaël, de ascen-
dencia flamenca, que llevaba varios años en el establecimiento, aquejada de una dolencia nerviosa que no tenía
solución pero cuyo estado tampoco hacía temer un desenlace inmediato. María le contó, unos días después, que
la noche del paseo había sufrido algunas pesadillas —una
en particular que insistía y reiteraba sobre el mismo
tema; envuelta para ser transportada era un millar de
veces desenvuelta y vuelta a envolver por culpa de muchas deficiencias y contraórdenes— y que, protegida por
un sueño muy superficial, había tenido la sensación de
que alguien en la madrugada la había ido a visitar a su
habitación. Había llegado hasta su cabecera y levantó
sus sábanas pero al reconocerla se retiró sigilosamente,
avergonzado de su propia indiscreción o confundido por
el mismo error que informaba la pesadilla. El Doctor
quedó muy pensativo: la confusión de nombres de la

víspera, la actitud incrédula de la sombra, la muerte de
la Gubernaël y las noticias de la visita que llegó a levantar el embozo de sus sábanas y que sólo se hacía
sentir por su aliento... todo aquello le llevó a pensar
que, gracias a una orden cursada por error, se había
puesto en marcha un mecanismo con la meta puesta
en María y que no iba a detenerse sino a la cabecera de
su cama, gracias a... En las semanas que siguieron su
inquietud fue en aumento; no quiso salir al paseo vespertino, la prodigaba toda clase de exagerados cuidados
y, con la ausencia de Sardú y el pretexto de una repentina anemia, la sometió a un plan cuyo rigor llegó a levantar sospechas de aquel prometido que en ningún momento podía dar crédito a la pretendida dolencia, aun
cuando por aquellas fechas lo único que le importaba se-
riamente era la moneda de oro de aquel jugador de medio pelo. Fue una razón, y no la menor, por la que estuvo ausente durante la mayor parte de aquella larga e
incierta partida de naipes en la que, a partir del momento en que entró en juego su sortija de prometida, ella
misma por propia y tácita voluntad se convirtió en prenda. Porque no había olvidado ni su gesto ni su frase de
despedida, cuando con mano experta le birló la moneda.
La partida se prolongó mucho tiempo, en un escenario
casi desierto; y con la llegada del buen tiempo disminu-
yeron los temores del Doctor por lo que menudearon sus
visitas al casino para presenciar el resultado que aquellos
dos hombres, absortos y furiosos, incapaces de superar
con la tenacidad y el tiempo las leyes de unos números
que parecían conjurados para destruirlos, habían decidido sin contar con ellos (y ahí hay que incluir al Doctor). Y en los dos últimos meses ya no se apartaron de
la mesa; ella más pálida, reservada y serena contempló
inmutable (y secretamente esperanzada, quizá), sin un
momento de desmayo ni un cambio en el sentido del
azar, cómo su prometido perdía su fortuna que sólo momentáneamente pasaba a manos del otro —inmutable
también, serio y paradoxal, vestido siempre con el mismo traje de confección y la misma camisa de puños mugrientos, la misma corbata de dibujos escoceses, carente

ya de forma y anudada a su cuello como el cordón de un penitente, sentado ante la mesa de juego con la terne e inalterable discreción de un empleado probo, reservado y puntual— para evaporarse entre excrecencias de pasta e hipóstasis del nácar, última sublimación de un dinero que nunca asomó pero que un día, reducido a un papel arrugado y plegado y la sortija de promisión que quedó en el centro del tapete, conoció su extinción.

El Doctor no llegó nunca a saber cabalmente cómo se hizo el trato. Es posible que no hubiera trato ninguno sino que a lo largo de tantos meses —y tantas vicisitudes— ambos jugadores comprendieron que la mujer, representada por la sortija, se hallaba incluida en el lote. Y ella lo corroboró, segura del poder de la moneda, con aquel cerrar de ojos con el que —además de otorgar su asentimiento— hizo comprender al otro de qué se trataba realmente. Así que fue ella —no el militar que todo lo más la había de dar por perdida pero no ganada por el otro— la que decidió la suerte de los tres; de los cuatro, más bien. Porque el Doctor también se equivocó, convencido de que todo aquel juego no representaba para ella sino una humillación, un despojo y una decepción; no supo tomar en consideración la presencia del rival que, celoso de su juego como de su deber, sin abandonar su actitud discreta y resuelta, apenas tuvo una mirada para ella. Por eso el Doctor calculó y midió muy bien sus actos pero sin apercibirse de que el único que había de sacar provecho de ellos era aquel a quien nadie miraba, deslumbrados por su pieza de oro; sin que mediara una declaración, de principio obviada por su anterior abnegación y por la delicadeza de una conducta que a todo trance le procuraba ocultar el estado de sus sentimientos a fin de evitarle en aquellas circunstancias mayores mortificaciones e incomodidades, cuando le sugirió la idea del viaje (y lo hizo sin participarle la intención de acompañarla sino solamente como un remedio a los muchos trastornos que le provocaba la continuación del juego) no recibió sino un tácito y apesadumbrado asentimiento, un «más adelante, más adelante» exponente de tantos dolorosos trances que en los últimos días vi-

nieron a transformarse en una actitud de ansiedad y expectación y del reconocimiento de una manifiesta incli-
nación por el jugador —no mitigada por el encono de
un orgullo herido— independiente del agradecimiento
que le debía al hombre que había sabido reconfortarla y
del enojo que le provocaba aquel que no había hecho
sino humillarla. A partir de entonces el Doctor supo a qué
atenerse; sabía por supuesto que, antes del final de la
partida, la decisión no partiría de ella —o de aquel orgullo en estado convaleciente, de aquel ingenuo aplomo no
ratificado por la reflexión ni el interés sino por otras virtudes más simples y, por así decirlo, naturales—, paralizada en un momento un tanto expectante y atónito
—las manos a media altura, los ojos vueltos hacia un
rincón— como un muñeco al que se le ha acabado la
cuerda antes de dar fin a su baile. Se diría que, olvidada
por aquella mano que la había puesto en marcha no era
capaz de recuperar el movimiento a menos que otra mano
igualmente hábil reparase en aquel mecanismo que la
otra había olvidado de súbito. Bastaba pues —de acuerdo con los cálculos del Doctor— un poco de tacto; lo
decidió —ella solamente asintió, casi paralizada por la
última humillación y enajenada por un psíquico pudor
que aún buscaba en su dedo la sortija de prometida, una
de las primeras noches de septiembre y una de las últimas de juego—. Arregló sus asuntos en la clínica, hizo
las maletas y para no despertar rumores se trasladó a una
fonda de las afueras de Región, una venta aislada, situa-
da en el cruce de dos caminos, adonde un coche de alquiler —que había de recoger previamente a María— le
había de ir a buscar a la media tarde. Y decidieron asistir a la velada por última vez aun cuando el doctor no
las tenía todas consigo; se maliciaba que —sin querer
darle el carácter de un ultimátum— trataba de llevar a
cabo un postrer y casi involuntario —dominado por la
inercia y la indecisión, al igual que el jugador harto de
perder se siente incapaz de levantarse de la mesa, de do-
minar su curiosidad por un resultado en el que se mezclan intriga y esperanza, nunca hastío y cansancio— intento de restaurar el orden subvertido por el azar. Estaba

casi exhausto y el otro había acumulado un considerable montón de fichas de diversos colores; apenas les
miró al entrar cuando, espoleado por un guiño del Tiempo que al correr por un pasillo vecino y entrecerrar una
puerta daba a entender la índole de su apresuramiento,
decidió aventurar la última postura. Del bolsillo de la
chaqueta sacó un sobre arrugado que colocó en el recua-
dro acotado del tapete; luego, con parsimonia, se recostó
sobre el respaldo y levantó el mazo de cartas con una
mirada interrogante e impertinente hacia el otro. Era el
sobre que contenía la sortija y con él la renuncia pero el
doctor no sabía eso; para saberlo había de esperar unos
cuantos años. «Y eso ¿cuánto vale?», preguntó el otro,
con cierta flema. «Lo sabe de sobra; no vamos a andar
con tapujos a estas alturas.» Ya jugaba con soltura, había
aprendido a contar un montón y valorar una apuesta con
una simple mirada; adelantó todas las fichas que tenía
delante pero, tranquilamente recostado, meneó la cabeza
y le hizo un signo con la barbilla; no tardó mucho, no
quiso mirar hacia atrás y —sin querer discutir, sin demostrar la menor voluntad de recusar un fallo que le
era dado— sacó del bolsillo del pantalón la moneda y la
arrojó al centro de la mesa. Luego se cruzó de brazos y
esperó los naipes como quien, ante la ventanilla de un
despacho oficial, aguarda por un certificado. No descubrió sus naipes, no vio el gesto del militar; se levantó
y sólo después de cambiar con ella unas palabras recordó
que debía volver a la mesa no para retirar su ganancia
—de eso estaba seguro— sino para recibir el certificado.
Entonces fue cuando el doctor —atento a la marcha de
ella— oyó el ruido de la silla al caer; le pareció que el
otro quería huir pero antes de que el cuerpo iniciara la
carrera el miedo ya había reflexionado. Y se abalanzó sobre la mesa porque comprendió que en aquellas circunstancias ya no tenía tiempo de explicar que él no era el
responsable del engaño, que por tanto no había robo sino
que se trataba de una apropiación que el Tiempo había
sancionado y consagrado al obligarle a aceptar la regla.
Porque no había envite por su parte sino una mera aceptación de una puesta y de una función de la que ahora el

azar trataba de burlarse. Era el Tiempo el que unía dos
actos independientes: una jugada que contradecía e inva-
lidaba a todas las anteriores y el compromiso adquirido a
lo largo de éstas. No era su intención robar al militar
—ni mucho menos herirle— sino obligar al tiempo a
desdecirse de su jugada y restituir el orden, del que de-
pendía la salvación de aquella mujer, que había trastornado a su capricho sólo para demostrar, una vez más, que
había de prevalecer su señorío. No había, pues, dolo. Era
el Tiempo el que, como distribuidor cicatero y caprichoso de sus propias decisiones, transformaba en acción do-
losa el respeto a sus adquiridos compromisos ante los que
El tenía que responder toda vez que los había inducido
al transformar la jugada en ley. Pero el propio agente del
tiempo —había empezado a ordenar los montones para
llevar a cabo el inventario— no tenía otra instrucción
que llevar la ejecución adelante; se abalanzó sobre la
mesa en cuanto comprendió que era inútil explicárselo
(tan inútil como el intento de discutir el espíritu de las
leyes con el recaudador de contribuciones), porque no
tenía tiempo para ello toda vez que una mentalidad de jugador no había de aceptar las explicaciones de un pensamiento causal y porque —en consecuencia— necesitaba
de una prórroga, que la sentencia le negaba, para presentar su apelación y tratar de invalidar el fallo; y sobre
todo porque ella se había marchado ya. Antes de que el
otro tomara el sobre ya se había concedido la prórroga,
la mano quedó detenida sobre el tapete y unida a él por
una navaja clavada entre sus huesos y que, salpicada de
sangre, vibraba aún con el diapasón decreciente de su
vengativa justicia hasta que el fluir de la sangre, corriendo
sorprendida de su reciente liberación, detuvo el temblor
fascinante del acero para anunciar el dolor y la culpa. Luego vio los montones de piezas de nácar y la moneda de oro, que cogió a puñados para vaciarlos en los
bolsillos, un gesto que formaba parte del mecanismo que
accionó el cuchillo una vez que la voluntad decidió ape-
lar y la memoria le obligó a aceptar todos los hechos del
sumario. Al instante todos volvieron atrás; se diría que
habían estado ensayando una escena mil veces repetida

y que, alcanzada una cierta perfección, podían pasar a la
siguiente; y entonces vacilaron porque apenas recorda-
ban cuál era el ademán, el gesto, y el tono requeridos por
esa siguiente. «El acto tercero —o el que sea— se refiere
a las desventuras del escuadrón», dirá el Doctor más
adelante, «desde los primeros momentos de su formación en torno a la mesa de juego donde hemos dejado
clavada la mano del jugador (en escena se anuncia el
soplo de la némesis; todas las antiguas faltas van a encontrar su correlato en el aparato de la ruina) hasta los
pavorosos vivacs en el corazón de la montaña, los lamentos infantiles del viento en las cañadas, los presentimien-
tos del castigo, los premonitorios avisos del guarda cuyos
pasos resuenan en la hojarasca. Consumido por la fiebre
y abrasado por el deseo de venganza, un hombre —la
barba de tres días, se come las uñas de una mano sujeta
con un torniquete—, observa con recelo a sus compañeros de avanzada que tratan de distraerse con los naipes, una noche de malos augurios. Ya no sabe qué es lo
que quiere porque venganza, mujer y fortuna se mezclan
en su furor, avivado por la impotencia que le embarga
ante la inmensidad de la montaña; la vista del nácar,
cuya futilidad alguien menciona para justificar la retirada,
obnubila su mente. De nuevo brillan los cuchillos, los
cuerpos comienzan a luchar, al grito sucede la carrera, a
la carrera... un disparo solitario en los confines de Mantua. Una escena de sainete se convierte en el final de una
época y unos aficionados inexpertos tienen que representar a veces el mismo papel de Catón; el telón de una
anacrónica comedieta de costumbres se levanta para dar
lugar a un escenario en ruina y en el intermedio, mientras los comparsas se cambian los disfraces y los actores
fuman en los pasillos, estalla la guerra civil. Los que hemos llegado tarde a la representación apenas nos hemos
hecho cargo de la clase de comedia que nos ha tocado
presenciar...»

—Pero ¿y esas voces? ¿No ha oído usted unas voces?
Parece que dentro de la casa...

—Sí, las he oído pero no las escucho —repuso el
Doctor. Y añadió: «Es lo que queda de aquel entonces,

voces, suspiros, unos pocos disparos al final del verano...
es todo el alimento de nuestra postguerra; vivimos del
rumor y nos alimentamos de cábalas pero nuestro momento ha pasado ya, ha pasado para siempre... El presente ya pasó y todo lo que nos queda es lo que un día
no pasó; el pasado tampoco es lo que fue, sino lo que
no fue; sólo el futuro, lo que nos queda, es lo que ya
ha sido; en esa última cocina habitada por una heroína
de anteayer —incluso las moscas la han abandonado—
sólo las manecillas de un reloj barato se mueven para
señalar una hora equivocada, no tanto para medir ese
tiempo inmensurable y gratuito que el Jugador nos ha
legado con infinita largueza como para materializar con
su interminable movimiento circular la naturaleza del vacío que nos envuelve, del silencio que sucede a un Pasado ultrasonoro cuyos ecos resuenan en el ámbito de la
ruina, los últimos cornetazos, el golpeteo callejero de
los cascos que entre los colores malvas de la tarde frus-
trada por los goznes de las puertas y los débiles susurros
de las cortinas agujereadas y los largos suspiros —eructos
de un tiempo empachoso e indigesto— tratan de ascender de un ayer gaseoso a un hoy sin memoria para caer
una y otra vez, como ese escarabajo informado por una
terca y grotesca voluntad que no deja lugar a la reflexión,
que vuelve al suelo patas arriba cada vez que intenta tre-
par por un zócalo, no en el olvido sino en el desinterés, y
que sólo resucitan con los estertores lejanos de un motor
que se acerca por una carretera polvorienta en pos del
cual acuden —los uniformes trocados en guardapolvos,
las barbas hechas de algodón y arañuelo, todo el orgullo,
el empaque y la guardarropía de la cabalgata reducidos a
los límites de una atribulada caravana de cómicos de la
legua, las miradas hipnotizadas por un punto del más
acá—, a acogerse a la delirante hospitalidad de los supervivientes, los espectros de un ayer tantalizado. Pero la
premonición es exacta; después de tantos años de resignación el inconfundible sonido del motor (hubiera hecho
jurar al más paciente) vuelve una vez más, para poner su
fe a prueba o para aliviar su purgatorio, ¿quiénes serán?,
¿son muchos o pocos?, ¿son jóvenes también, como nues-

tros padres?, o, por el contrario, han alcanzado nuestra
edad... Y del otro lado, ¿se acuerdan todavía de nosotros?, ¿piensan quedarse?, ¿van a la guerra?, ¿piensan
quemarlo todo, una vez más?, ¿se dirigen a la sierra?,
¿les espera el anciano?, ¿vienen o van? A medida que el
sonido se aproxima se hace la oscuridad en la habitación,
siempre es así. Se cierran los postigos, los fraileros, las
fallebas; se encienden las candelas y arde el reverbero,
los otros espectros salen de los cajones, los tarjetones
empolvados, las estampas de los misales, las fotografías
orladas de terciopelo. La luz de los faros de un coche
obligado a maniobrar en una encrucijada del pueblo ilumina furtivamente, a través de los resquicios y los agujeros de las tablas, ese mórbido escenario: todas las paredes padecen de humedad, ya no quedan sillas, techos
vencidos vacilan y medran, por un pasillo enfilado hacia
las sombras corre torpemente un bulto atacado por la
fotofobia que apenas necesita empujar una puerta para
buscar refugio en el sótano de los gemidos. Entonces se
opera el fenómeno de la luz y del ruido, el tiempo se
rompe para correr hacia aquel instante en que quedó en
suspenso; ya sé que no fue un instante y que probablemente nunca sonó aquel aciago picaporte, como no sonaron los cascos de los caballos ni las cornetas y disparos de Mantua, pero lo que ayer no fue hoy tiene que
haber sido; como no hubo grandeza hoy son necesarias
las ruinas, apenas existieron esas familias que hoy se
apiñan en las tumbas y los devocionarios, ni había la riqueza que justifique la podredumbre que hoy cunde, ni la
fatiga, la falta de apetito procede de un desengaño porque
nunca se llegó a hacer la famosa promesa; así que no llegaron a pronunciarse las palabras que hoy los techos y
pasillos devuelven convertidas en añoranza. Es cierto que
la memoria desvirtúa, agranda y exagera, pero no es sólo
eso; también inventa para dar una apariencia de vivido e
ido a aquello que el presente niega. En una nube de polvo se llega a ver a un padre desesperado, una grieta de
la pared ¿cuántas veces representa una figura en actitud
de ofrenda? Hay un vaso en particular en cuyo fondo
canta toda una tarde de verano, punteada por las voces

de los chiquillos que juegan ante un estanque. Y sin embargo, no existía tal estanque. A veces calla: escucha en
silencio el testimonio de un amor propio herido (el amor
propio siempre está herido, por eso se conoce su existencia) que trata en vano de justificar la conducta que la
vanidad ensalza; quién sabe, repito, si existió aquel padre, aquel prometido; pero sin duda hay treinta o cuarenta años de desolación, de eutanásico desprecio a la
calle y a la mañana y a sus semejantes cuyas ofensas no
quiere perdonar y sobre cuyas incógnitas no quiere interrogarse porque su adúltero concubinato con el espectro
de su intimidad la fuerza a olvidar y deformar su único
vínculo legítimo. Fue algo también combinado con la luz,
como si luz y espejo hubieran tratado de distraer su atención con un reflejo casual a fin de que no reparara en el
ruido postrero del picaporte, mucho más abajo. Luego
volverá a él, ya transformada en una abuela mitómana, a
compartir con él ese apasionado maremágnum de ilícitos
amores y enclaustrada grandeza que, al tiempo que aporrea la puerta cerrada, se magnifica por el mismo impulso
de la ira o la vergüenza para adoptar una actitud altanera
frente al espejo de la alcoba. ¡Cuánto le hablaría de la
comedia representada frente a ese espejo —ese monstruo
de la doblez y la enajenación— en cuyo helado interior
se va a desarrollar en los años siguientes toda la inmunda
descomposición de un apetito frustrado, entre cuyos furtivos brillos se va a producir la completa inversión de un
orden que, carente de una sola partícula de amor, no tendrá más remedio que devorarse a sí mismo para restituirse a la estabilidad de la podredumbre, de la ruina, de la
sinrazón y del orgullo! Pienso que supo en seguida engañarla con una imagen falsa que tomó sólo la mitad demente de su pasión mientras la otra mitad se resistía
—por los pasillos silenciosos y el sótano en penumbra—
a creer en aquel ruido fatídico, el clic terrible que sonó
allá abajo apenas más perceptible que la caída de un alfiler o el chasquido de un relé que detuvo el mecanismo
de la casa, que rompió el frágil precinto que preservaba
nuestra edad ninfa de las venganzas, vicisitudes y contradicciones de un tiempo pigre y marrullero. Era el

adiós; la joven que ante el espejo compone su figura y
retoca su peinado adivina en seguida —al igual que el
celador experto percibe, por encima del zumbido de la
central, el disparo de la válvula— las horas de vejez y
soledad que se avecinan tras el ruido del picaporte. Apenas vestida correrá escaleras abajo, romperá las cerradu-
ras y los cristales, aporreará las puertas y atravesará todos
los pasillos hasta que de improviso (el eco del abandono
se ha extendido por doquier) la mitad cuerda se encuentra encerrada en la nueva crisálida gaseosa del desamparo mientras la otra mitad, indiferente y sarcástica, en-
saya los pases de baile al compás de su propio silbar. En
esas circunstancias pocas veces se produce la renuncia,
llega antes una especie de acomodo a la miseria —mitigada por las fábulas— del mismo carácter que aquel insolente y degradante apego al bienestar; es ese apego el
que aguanta, el que no tolera los cambios, el que, esas
raras noches de los finales de verano, volverá a encender
un cirio para contemplar las fotografías de antaño y ro-
gar, entre lágrimas, hipidos, estertores y trémolos al
Numa una venganza radical. Existe un paraje, muy cercano al que usted anda buscando, al que podríamos llamar el tabernáculo de la ruina. Le diré dónde es: pasado
el Burgo Mediano, un pueblo deshecho desde la guerra,
hay que tomar la carretera que sube hacia Mantua y pararse en un pueblo que llaman El Salvador. Ya se imagi-
nará usted por qué lo llaman así. En verdad, sólo la torre
de su iglesia permanece en pie. Era un pueblo, sin embargo, situado en un paraje único, en una vega amena y fér-
til enclavada en el centro del circo de montañas; así que
desde esa torre aparece toda la sierra de Región como al
alcance de la mano; en el centro, y en el norte justo, el
Monje cuya enigmática presencia se columbra hasta en
las noches más negras; y al este, mucho más lejos en
apariencia y siempre orlado de nubes, el Malterra... la
verdad, no sé de qué me asombro. Esas noches de que le
hablo (y acostumbra a ser en septiembre) un par de
fechas después de haber sido visto el coche por la carretera de Región, acuden al campanario unas cuantas personas que ya no pueden vivir sino a expensas del sacrifi-

cio. El viaje es largo, sin duda, para hacerlo a pie, pero
el premio lo compensa todo. No olvide usted que lo que
está en juego es una clase de supervivencia; ni más ni
menos. Apenas cogen allí y aunque las noches son cálidas
y despejadas en torno a la torre —que las cornejas abandonan para tal ocasión, tal como los vecinos y propietarios de un pueblo invadido por los veraneantes— no se
oyen sino invocaciones y lamentos, ese chisporroteo senil
de mil deseos abortados medio siglo atrás que afloran a
los labios para subir al cielo en una interminable fuma-
rola de susurros. Pues allí, en Mantua, escondido entre
los ardientes espinos, las verbenas y los espliegos, duerme nuestra postrer esperanza; o no, acaso no duerme
nunca; es torpe, viejo y tuerto y —al decir del vulgo—
de su bandolera cuelga todo un rosario formado con las
muelas de oro que ha arrancado a sus víctimas; a la llegada del otoño, cuando da por terminada su temporada
de caza, acostumbra a cantar una canción muy larga y
muy triste, que viene a durar diez o veinte días, en la
que se narra la desgraciada historia de aquella unidad
carlista que se refugió en el valle, y que, trivializada, despojada de su poder hipnótico, adecuada a una letra popu-
lachera —«por un pedazo de pan» o «vosotros, los del
metal»— se entona con voz desafinada en todas las terrazas habitadas de Región, las mañanas del alivio. En invierno se viste como un pastor de la taiga, una pirámide
de lanas vírgenes coronada por un morrión de pieles de
zorro y conejo, anudadas salomónicamente, y bajo el que
se mueven continuamente sus ojos pequeños, negros y
vivaces, que no tienen necesidad de mirar para saber
dónde pisa, dónde se agita la hojarasca y dónde se estre-
mece el matorral. Su historia —o su leyenda— es múl-
tiple y contradictoria; se asegura por un lado que se
trata de un superviviente carlista que —con más de cien-
to y pico de años— del odio a las mujeres y a los bor-
bones saca cada año nuevas fuerzas para defender la inviolabilidad del bosque; por el contrario, también cunde
la creencia de que su existencia se remonta a muchos años
y decenios atrás: un monje hinchado de vanidad que
abandona la regla cuando la intransigente reforma mo-

deradora trata de restringir el consuelo del vino... Se
afirma también que no se trata sino de un militar que
todos hemos conocido y que, habiendo amado a una mujer hasta la locura, se fugó despechado y se retiró allá
para ocultar sus voluntarias mutilaciones y cobrar venganza en el cuerpo de sus seguidores. No parece inverosímil; yo no digo que tales cosas no puedan ocurrir
también en este siglo, pero sí afirmo que entonces, quiero decir, antes, tenían unas consecuencias más nefastas.
Lo que sí parece cierto, es que siempre espera a la noche
para empezar a actuar. Algunas se hacen interminables,
el oído agudizado en la dirección del horizonte donde
por última vez se vislumbró el resplandor de los faros;
es la espera de la confirmación de ese límite que la miseria ha impuesto a la supervivencia para consagrar su condición, en un rellano de la escalera del campanario. En
algunas ocasiones —cuando, por ejemplo, una partida de
belgas quiso llegar allá con ayuda de muchos aparatos
científicos— les ha obligado a esperar varias noches, pero
al final el Numa responde siempre. Está bien, lo mato.
No me pidáis más, yo lo mato y asunto concluido. Así
vuestra conciencia sigue tranquila y el bosque sigue siendo mío. ¿Es eso lo que queríais, no? No os preocupéis
más, ahí va eso, ¿satisfechos? Volveos tranquilos, nadie
puede llegar hasta acá, que yo me cuido de eso. Ya comprendo que vuestra miseria no sería tolerable a sabiendas
de que cualquiera puede llegar hasta aquí; así que esto
es lo mejor para todos, ya lo comprendo. El pago... de
sobra lo conocéis: nada de inquietud y sobre todo que
nadie abrigue otra esperanza que la del castigo del trans-
gresor, no digo ya del ambicioso. Una paz, por muy ruin
que sea, es siempre una paz. Yo me cuido de mantenerla
aquí al igual que vosotros la celáis allá abajo. ¿De acuerdo? Ahí va eso. ¿Qué dices tú de la condición? ¿Y del
futuro? ¿Que carecéis del futuro? Reflexionad: un futuro sólo se abre a las amenazas, todo lo demás son habladurías. Volved a casa; no os llaméis cobardes ni ruines,
no ha lugar a eso porque en vuestra ruindad hay escondida toda una ciencia del destino. Sí, no hay duda, es el
Tiempo lo que todavía no hemos acertado a comprender;

es en el tiempo donde no hemos aprendido a existir y es tras el tiempo —no después de la desesperación— cuando nos resistimos a aceptar la muerte. Tenía razón el Jugador: él no había hecho trampa ninguna, fue el tiempo quien se negó a aceptar la validez de sus razones y aceptó, en cambio, una estúpida combinación de cartones. Así es él, qué le vamos a hacer. Y me pregunto cómo es posible que persistamos en mantener tal abuso: en habilitar al tiempo como depositario de nuestra esperanza cuando es él —y solamente él— quien se encarga de defraudarla. Hay quien se ha acostumbrado a tener un futuro ante sí y hay también quien, en su desvergüenza, afirma que la parte más importante y decisiva de la vida es la que todavía no se ha vivido. ¡Que nos lo pregunten a nosotros! Ya le contaría yo a ése cómo en Región, a la mañana siguiente, se hace de nuevo la paz y una mitigada alegría, cantada por el hervor de las teteras, las risas de los sobrados y las canciones desafinadas en las terrazas, de una frivolidad añeja y ridícula, viene a sustituir por pocas horas el chillido de las ratas, los crujidos de las vigas combadas por el liquen. Enmarcada en una alta ventana una cara risueña y pacífica y ligeramente escorada parece entregarse a la recreativa contemplación de una mañana de sol con esa indiferencia de quien está acostumbrado a los ecos sobrenaturales, de la misma naturaleza que la de esos paisanos que —en el tapiz de Bayeux— labran su tierra sin prestar atención a los fenómenos y apariciones celestiales que pueblan el firmamento a espaldas de ellos. ¿Por qué esa paz? Sin duda porque no cuentan con el porvenir, el Numa acaba de decir esa misma madrugada: «Queden las cosas como están, el futuro a la mierda.» Ningún resto de esperanza, en esta tierra de los desengaños, ha prevalecido desde que el tiempo fue sellado con el clic del picaporte o con el disparo de Mantua; para nuestra salud nada mejor podía haber ocurrido; ni prevalecerá —se lo puedo asegurar— mientras quede una postal, una fotografía amarillenta como esa que usted trae, un recuerdo de cualquier índole con el que sondear el abismo de un hoy que no es sino un fue, un algo que no ha existido nunca porque

lo que existe fue y lo que fue no ha sido. Sonó el picaporte —y como si obedeciera a un mecanismo escenográ-
fico— se cerró la casa, desapareció la calle, se hizo la penumbra y callaron las voces de los chiquillos y todo quedó
—como esa alegre colonia de insectos que en las narra-
ciones infantiles pasa de la bullanga veraniega a los rigores y penurias del invierno— en el estado en que ahora
lo ve usted. Me he pasado mi vida entre ellos; toda mi
ciencia se ha consumido al tratar de conservar ese último
resto de pulso que latía en sus brazos sin saber por qué,
en nombre de qué. Creo que la vida del hombre está
marcada por tres edades: la primera es la edad del impulso, en la que todo lo que nos mueve y nos importa
no necesita justificación, antes bien nos sentimos atraídos
hacia todo aquello —una mujer, una profesión, un lugar
donde vivir— gracias a una intuición impulsiva que nunca compara; todo es tan obvio que vale por sí mismo y
lo único que cuenta es la capacidad para alcanzarlo. En la
segunda edad aquello que elegimos en la primera, normalmente se ha gastado, ya no vale por sí mismo y necesita una justificación que el hombre razonable concede
gustoso, con ayuda de su corazón, claro está; es la madurez, es el momento en que, para salir airoso de las comparaciones y de las contradictorias posibilidades que le
ofrece todo lo que contempla, el hombre lleva a cabo
ese esfuerzo intelectual gracias al cual una trayectoria
elegida por el instinto es justificada a posteriori por la
reflexión. En la tercera edad no sólo se han gastado e
invalidado los móviles que eligió en la primera sino también las razones con que apuntaló su conducta en la segunda. Es la enajenación, el repudio de todo lo que ha
sido su vida para la cual ya no encuentra motivación ni
disculpa. Para poder vivir tranquilo hay que negarse a
entrar en esa tercera etapa; por muy forzado que parezca debe hacer un esfuerzo con su voluntad para permanecer en la segunda; porque otra cosa es la deriva. Pues
bien, le diré una cosa: mi pueblo, mi gente, mi generación apenas vislumbró la primera edad; en seguida nos
dieron todo, no pudimos elegir casi nada. Mediante un
esfuerzo más considerable que su estimación logramos

sobrevivir gracias a una justificación incompleta, ilógica y defectuosa pero suficiente. Y duró muy poco; en verdad no hemos conocido sino la deriva o quizás el encallamiento, eso es, un encallamiento en una costa tan sórdida, desértica y hostil que no nos hemos atrevido a salir de la barca que nos trajo a ella. Y, todavía, le diré otra cosa...»

Pero no le dijo cómo aquella tarde de finales de septiembre había perdido a María Timoner. No la había encontrado en la clínica, la misma noche del escándalo. No había encontrado su equipaje ni unas letras ni una razón en la consejería. Fue a la fonda donde sus maletas estaban cerradas; tampoco supo nada de ella. Pero la cita seguía en pie, en una encrucijada a donde llegaba la vista si se asomaba al balcón de su cuarto. Y asomado al balcón dejó transcurrir un par de horas, tres o cuatro. Llegó el coche que tenía apalabrado, subió sus maletas excepto una y fue andando hasta el cruce donde esperó sentado sobre una cerca hasta que se hizo de noche. Cerca de la medianoche no supo esperar más; subió al asiento trasero y le dijo al conductor: «Adelante, ya le diré por dónde.» Le obligó a abandonar las carreteras, a cruzar los arroyos, a seguir los caminos de herradura. «Adelante, adelante», decía, sentado en el asiento de atrás, con los brazos apoyados en el delantero. Al cabo de tres días comprendió la verdad, el coche detenido en un prado junto al Tarrentino, y quizá de labios de aquella barquera que le obligó a desistir y abandonar la búsqueda. «Olvídate de eso; olvídate de eso y vuelve a Región» le pudo decir, con los pies metidos en el agua negra. Comprendió el doctor entonces que hay una clase de deber que sólo se puede amortizar con despecho, el sacrificio no basta. Apenas conocía a la familia que habitaba la caseta; hizo detener el coche frente a la barrera del ferrocarril —que por no funcionar nunca siempre estaba cerrada— y dijo al conductor que como se trataba de una parada muy breve no valía la pena detener el motor. Los padres se vieron tan sorprendidos que apenas supieron responder: «Es su hija, ¿no? Es mayor de edad, ¿no? Me acepta como esposo, ¿no es así? ¿A qué esperamos entonces?» Ni siquiera sabía cómo se llamaba. Sólo le hizo tres preguntas: cómo se llamaba, si había pozo en la caseta y si le gustaba la sopa de berza.

—¿Pero ahora mismo? —preguntó el padre.

—Ahora mismo. ¿A qué vamos a esperar a mañana? —luego dijo aquello que resolvió todas las indecisiones de los padres—. Tengo un coche que está esperando a la puerta.

—¿Un coche de caballos?

—No es de caballos. Es un coche moderno que está esperando a la puerta.

—Entonces podremos ir todos, si el doctor no tiene inconveniente.

—Naturalmente —dijo el doctor.

Apenas tenían nada que coger. El objeto de más valor era un costurero que subieron a la baca del coche, junto con una maleta atada con cuerdas. Los tres se acomodaron en el asiento de atrás, sorprendidos y tiesos, sin atreverse siquiera a cerrar las portezuelas.

—A Región —dijo el doctor.

—Qué suerte tienes, hija; ir en coche tan joven —dijo la madre.

—No ocurrirá dos veces —dijo el padre, con acento sentencioso.

—Procuraremos que no —respondió el doctor. Y añadió—: de prisa a Región.

Viajaron con la boca abierta, sin mover un dedo. La joven se sentó entre sus padres, inmóvil y pálida, la mirada fija y la expresión absorta, un tanto anhelante. Cuando el coche se detuvo sólo supieron mirar al doctor con gesto interrogante y cierto temor; no se atrevían ni a abrir las puertas.

—No hace falta que salgan. Es cosa de un momento —dijo el doctor, frente al ayuntamiento.

—Qué suerte hija, a tus años y en coche.

—¿Hemos llegado ya?

La siguiente parada fue frente a la parroquia.

—¿Hemos llegado ya?

—Salgan ustedes, es cosa de poco tiempo. Usted también —le dijo al conductor.

Tardaron cosa de media hora; los padres estaban impacientes por subir de nuevo al coche. Sólo cuando el doctor retuvo a la joven por el brazo, su madre pareció comprender la razón del viaje.

—Y ahora, ¿qué va a pasar? —preguntó.

—Ustedes volverán a casa.

—¿Y qué va a ser de nosotros?

—¿Y cómo vamos a volver a casa a estas horas?

—Volverán a casa en el coche —repuso el doctor—. Usted les llevará ahora mismo, ya sabe dónde es —repitió, dirigiéndose al conductor.

—Eso ya es otra cosa —dijo el padre.

—Hay que ver, un viaje en coche.

—Dos, mujer, dos —dijo el padre, lacónicamente. Ni siquiera fueron capaces de volver la cabeza cuando el coche se alejó; se habían olvidado de despedirla y besarla y se llevaban de vuelta el pequeño ajuar, el costurero atado con cuerdas a la baca del automóvil.

Aquella noche no la llevó a la nueva casa. Lo hizo al día siguiente, por la tarde; la empujó dentro de la habitación donde cosía su madre, sentada en un alto sillón de madera, muy tieso, especial para su reuma y que el doctor había mandado fabricar a un ebanista del pueblo. No hizo más que la presentación: «Aquí te presento a la señora Sebastián», dijo y salió.

«Le voy a decir en pocas palabras lo que yo creo que es el tiempo», dijo el doctor, aquella misma noche: «es la dimensión en la que la persona humana sólo puede ser desgraciada, no puede ser de otra manera. El tiempo sólo asoma en la desdicha y así la memoria sólo es el registro del dolor. Sólo sabe hablar del destino, no lo que el hombre ha de ser sino lo distinto de lo que pretende ser. Por eso no existe el futuro y de todo el presente sólo una parte infinitesimal no es pasado; es lo que no fue. Por eso sólo puede ser lo que su imaginación no previó. La imaginación es una facultad que sólo se da en las criaturas que tienen destino no para luchar

contra él sino para negárselo a sí mismo. Quiero ver
cómo en un momento de nuestra historia nuestros padres tuvieron un sueño, un sueño de gente educada.
Veinte o treinta años más tarde despertaron con el estruendo de las radios y el anuncio de la guerra. Cuando
sumidos en aquel sueño se insinuaron los primeros síntomas de la Ruina se debió comprender que el destino
y el tiempo, una vez más, se habían negado a financiar
una inversión que sólo en Teruel, en el Ebro o en el
Puente de Doña Cautiva podría ser amortizada. En tales
circunstancias ¿no es más sensato dejar que el Numa
consume una obra tan lógica? Ya que el futuro no existe
a ver si de una vez acaba con el pasado.»

4

No lo sé —podía haber replicado ella. Pero la noche había empezado a refrescar; había descorrido la cortina de nuevo y el resplandor del jardín iluminado por la luna introdujo una cierta fosforescencia en la habitación. Sin que el Doctor la ayudara logró, con bastante esfuerzo, abrir el ventanal. Es verdad —pensó al contemplar el abandonado jardín— cómo en estos últimos días de septiembre el aroma cambia y, de pronto, tras esa desconcertada baraúnda del verano, el campo calla. Cómo parece recluirse en sí mismo e inmovilizarse en la cautela mesmerizada por la amenaza del invierno. Se diría que hasta los chopos contienen la respiración, antes del escalofrío que les arrancará el follaje. Qué rara y contradictoria sensación de calma y tregua para el alma que todo lo ha sacrificado —no el cuerpo— por volver a sentir una reminiscencia de aquel alborotado sentir que nació en estos lugares; y qué no daría ese alma por trocar la memoria —transformada en obsesión por una razón torticera— en la savia suficiente para reproducir el extempóreo brote de aquel vertiginoso presente tan intemporal, fugaz y apasionado que nunca pudo transformarse en pasado.

«¿No cree que exagera, Doctor?»

Una discreta explosión de risa surgió entre los arbustos, desvanecida en el aura plateada de la noche en mil destellos fugaces con que pareció acompañarse, en el momento de su instantánea fusión, para iluminarse a sí misma (un traje pálido y suelto con el que destemporalizarse en el otoño asexuado de un jardín abandonado) con la iridiscente inocencia de una visión, paradoxalmente perdurable y pasajera, carente de estigmas y de edad.

«Estas noches son traidoras. Ese viaje... ya ve que no se lo aconsejo.»

«Yo creo que exagera, Doctor. Si usted hubiera vivido ese presente en el que ahora no cree, ahora no tendría miedo. Quizá el miedo es lo de menos: hay algo antes que él que puede procurar la fuerza suficiente para saltar por encima de él. O para olvidarlo. O algo que no es el miedo pero que lo está pidiendo a gritos. Hay algo de cierto en lo que usted dice pero no es eso lo terrible; lo terrible es que el pago de un presente, que no fue tiempo, ha de hacerse en edad. O acaso es el valor de una misma divisa, en dos monedas distintas, una muy fuerte, la otra... apenas más valiosa que el papel que la representa. No lo sé. Parece que el cuerpo debía haber aprendido a asimilar el paso de los días» (desde delante del jardín en sombras, al otro lado del ventanal, su voz parecía acompañada de una sutil y emotiva fluorescencia que llegaba a iluminar su cara cuando la palabra «se le pegaba a la garganta») «hasta el punto que fuera superfluo llenarlos con un sentimiento, un deber o una memoria. En realidad el presente es muy poca cosa: casi todo fue. Quiero recordar que entonces no había cumplido los veinte años. La guerra civil nos sorprendió en un momento del que —no sé por qué— cabía esperar más alegría que la que esa edad acostumbra a traer consigo. No, no era despreocupación. Dos o tres años antes había abandonado el internado de las Damas Negras y ese plazo es más que suficiente para comprender que todo lo que nos habían enseñado a respetar, eludir o

temer era cosa exclusivamente nuestra. Porque la joven
que al abandonar el colegio religioso tiene que enfrentarse con un mundo ante el que la educación se ha quedado corta rara vez, si no es para incorporarse al orden
burgués por la vía del matrimonio, puede conformarse
con los valores recibidos. Tampoco era rebelión, ni siquiera inconformismo sino, en todo caso, una suerte de
insuficiencia pedagógica que empezaba en el vocabulario
y que había de traducirse en ese crédulo y risueño papa-
natismo al que es sensible el más tosco ganadero de pueblo, agasajado y paseado por la capital en virtud de un
concurso rural. Porque al abandonar aquel colegio no
éramos más que unas señoritas provincianas que abrían
sus ojos ante un mundo muy distinto al representado por
esa educación; esa falta de focalidad crea en el adolescente una especie de estrabismo social que le impedirá, al
principio, hacerse cargo de su situación en un época
que puede no llegar a entender nunca. Seguramente fue
eso lo que provocó en mí, hasta muy entrada la guerra,
esa sensación de ser, en medio de una compañía de grandes actores acatarrados, un comparsa meritorio, chillón y
vocinglero y que, incapaz de sacudirse su propia inhibi-
ción, nunca llegará a entender el argumento de una comedia cuyas situaciones y chistes conoce de memoria. La
mujer de esa edad y de ese medio pocas veces se encuentra desplazada en una sociedad en la que acostumbra a
mirarse y encontrarse como en un espejo. Pero en mi
caso yo carecía de esa sociedad, el espejo no hacía sino
proporcionar una imagen desfigurada y grotesca que de
ser cierta no podría representar más que un papel bufo.
Yo no volví con mi padre sino con una tía suya, diez o
doce años mayor que él, que aún habitaba la casa de sus
mayores. En aquella casa también había vivido mi padre
de estudiante y allí volvió —cuando ya no quedaban más
que dos tías— un verano de 19... a estrenar su primer
uniforme de cadete. Allí nací yo y allí murió mi madre.
Aunque siempre viví distante de él necesité muy poco
esfuerzo para comprender que la carrera de un militar,
educado entre aquellas paredes y bajo aquellas miradas,
debía tarde o temprano trocarse en despecho, un apetito

de regeneración que el país se ocuparía de transformar
en venganza y destrucción. Pero lo que mi padre salió
a buscar una mañana de caza de 1925 cuando yo salí
del colegio no daba pie ni para organizar un baile de
disfraces, de carácter retrospectivo. Quiero decir que
aunque educados en el mismo medio y regados por la
misma sangre aquello que para la generación de mi padre constituía la esencia de su orgullo y el código de
su honor para nosotros no era más que objeto de sorna.
La educación que, por la vía del despecho como por
otra vía cualquiera, había pasado a formar parte de mi
padre no era para mí más que una cáscara inútil y eno-
josa de la que a todo trance tenía que despojarme para
recibir el sol de mi tiempo. Ni que decir tiene que las
relaciones sexuales, o la forma de encararse con ellas,
forman el primer capítulo del nuevo manual; ni que
decir tiene que la Región que yo conocí, a los diecisiete
años, era una ciudad mucho más simple que la de mis
padres, desprovista de toda aquella prolija, peregrina
vestimenta con que el orden arcaico había adornado sus
usos. Yo creo que veinte años atrás no hubiera sido
lo mismo ni mucho menos, la amistad con Juan de Tomé
no tenía por qué haber desembocado en el preámbulo
de una aventura del sexo; pero en mi tiempo era así,
la nueva relación entre los dos sexos no era sino la eliminación de todos aquellos ritos y sacrificios que sin
duda conducirían al matrimonio pero que tampoco fueron sustituidos por otra cosa. De forma que esa amistad
era imposible si no conducía, igual que antes, sin ritos
ni solemnidad, al matrimonio. Fue un momento un poco
ciego; el hombre joven que se creía liberado no sabía
ahora qué hacer con sus manos ni con una libertad a
la que no se había preocupado de buscarle ocupación.
¿O es que las excursiones en coche y los domingos en
una casa de campo eran todo el premio de aquella nueva
libertad? Porque en definitiva no había sino eso: el
coche de un privilegiado, como aquel monstruo que
Eugenio Mazón sacó de nadie sabe dónde, una merienda entre las encinas, una casa en el monte donde vivía
un matrimonio de edad que cuidaba de él y siempre el

fantasma, sólo el fantasma, de nuestra libertad sexual
al fondo. Cuando yo le vi por primera vez, aquel verano que estalló la guerra, era una especie de sátiro
triste refugiado en su bosque sabino, carente de todo
salvo de tutela y —se diría— atormentado por una reciente erupción de masculinidad. No sé si se hará usted
cargo de cómo para la joven que apenas lleva dos años
en el mundo tratando de saber cómo disipar el calor
que ignorante está acumulando mientras la educación y
el ambiente familiar callan, toda esa sociedad sin cáno-
nes, esas vidas sin norte y todos esos deseos carentes de
ambición, sin otra directriz que la de consumirse en el
momento y el lugar donde nacen, prevalecerán en su
ánimo con mucho más entusiasmo que las sensatas reglas
de la razón burguesa. Semejantes abismos y tales antino-
mias sólo se pueden producir en la adolescencia, esa
edad «en la que a nuestro parecer basta nombrar una
cosa para crearla» pero se crea sólo lo que embriaga el
alma y con frecuencia sólo se nombra lo que no se conoce. Lo que no se conoce... todo ese imaginario, fascinante y vertiginoso horror que el destino sitúa ante la
perplejidad juvenil con el único objeto de frustrar su
experiencia ulterior, de defraudar sus prospectos a fin
de, al cabo de los años, lograr extraer de una juventud
malvendida toda una persona formada sobre un cúmulo
de decepciones. De forma que al estallar la guerra civil
yo me encontraba sumida en esa combinación de curiosidad, anhelo y miedo que invade a la persona en las
callejas sórdidas, ante los cartelones y símbolos obscenos
del vicio, como ante la barraca donde se exhiben los
horrores del génesis, las aberraciones de la naturaleza y
el horrendo enigma de la perpetuación. Años más tarde,
en el umbral de una habitación de tolerancia apenas
iluminado por los reflejos opalescentes de los pasillos
equívocos, el alma reconocerá con singular y cruel lucidez que un único miedo, un único orgullo y un único
egoísmo han venido a coser tantas circunstancias heterogéneas para provocar el degout y devolver a la arena los
castillos de la edad inocente. Porque apenas descubre
ni se interroga ni vacila. Tan sólo espera. Le estoy ha-

blando del deseo; no puedo referirme a él sin asociarlo
a la época de la guerra y uncirlo a las guerreras de cuero,
los cristales rotos unidos con papeles de goma y protegidos con bandas de esparadrapo, las noches en el edificio del Comité de Defensa, amenizadas por el tableteo
de las ametralladoras en la vega o en la sierra...

»Usted me dijo antes que el presente nunca había
llegado a suceder. Ha cerrado las ventanas para no oír
los gritos de un borracho o un enfermo que se ha
echado al monte desde hace varias semanas. No sabe
bien para qué. Todo lo que usted me dijo vino a aumentar mi confianza, se lo confieso. Cuando supe que
toda su diversión consistía en ahorcar perros vagabundos llegué a pensar que podía tratarse de un antiguo
conocido mío, atacado por el mismo mal y traducido
en un furor diferente. Pero qué poca diferencia hay,
qué cerca me veo de ese límite incomprensible que le
separa de nosotros. Usted no me ve con fuerzas para
continuar el viaje y yo no me veo con salud para abandonarlo; una vez más porque presenciamos la misma
circunstancia desde dos puntos de vista algo diferentes.
Ambos se sitúan en el miedo, es algo común entre ellos;
pero yo estoy segura que mi miedo no es sino un envoltorio donde se guarda una convicción mientras que
ese del que usted me habla no es más que el último
estado antes de la desesperación. O viceversa. Toda esa
continuidad en el hastío, en la repugnancia y el egoísmo,
de que antes le hablaba, ¿no cree usted, doctor, que
obedece a algo?, ¿no cree usted que se trata de ese recóndito y amargo humor que segrega el alma viciada
por una función impropia para defender y preservar su
último núcleo puro?, ¿qué trata de mantener virgen, ese
furor que le lleva a matar los perros?, ¿adónde quería
en realidad dirigirse? Lo mismo le digo; usted, sin
embargo, tiene que haber comprendido que bajo ese
secreto se esconde el único remedio para una salud que
poco a poco va dejando de creer en todo. Si he hecho
este viaje, si con él ha terminado mi matrimonio, no
será para escuchar unos cuantos consejos respecto al
catarro. Ni para oír hablar del brillo del nogal, en las

noches de otoño. He envejecido demasiado; lo he envejecido todo, mejor dicho, hasta lo que me rodea y he
decidido, por ende, tratar a todo trance de devolver un
poco de calor a los años que tengo por delante. He decidido alojarme en el hotel de Muerte; pienso llegar
allí esta noche o mañana por la mañana. No sé qué
habrá sido de ella, no sé si vivirá, si seguirá habitando
y regentando el mismo establecimiento y ganándose la
vida con el mismo comercio. No la he vuelto a ver desde
que, ya casada, fui de nuevo a su casa a devolverle
el dinero que me había prestado. En realidad, ya se
imagina usted para lo que era. No era yo, era mi marido quien no tenía el menor deseo de ser informado
de aquel respecto. Pero en mi fuero interno ardía un
deseo impaciente no de contarle la historia sino de
contarla con orgullo. De hacerle sabedor de mi orgullo y —era una forma anticipada de la venganza— mi
fidelidad. Pobre hombre, no tenía palabras para decir
que no y —al año de casados, le había hablado de un
hostal en la montaña donde disfrutar las vacaciones
de Pascua— le arrastré allí como la res al matadero.
No sé qué pasó, Muerte regentaba aún el hotel pero
acaso advertida con anterioridad de nuestra llegada decidió blanquearlo por el espacio de nuestra estancia.
Pero hay cosas —aquel hotel al menos— que no se de-
jan blanquear fácilmente. Fue una semana violenta, silenciosa y difícil, que no sirvió para nada. Ninguno aprendió más de lo que ya sabía, nadie pudo vencer las dudas
sobre lo que ya recelaba de forma que aquella estancia
de seis o siete días no sirvió sino para definir con mayor
nitidez los mutuos recelos y sospechas y engendrar todos
los sinsabores y dificultades que —sin salir del estado
latente— darán al traste con una unión que no estaba
basada en algo más que un aprecio recíproco. Ahora
no hablemos, por favor, de los recuerdos. ¡Si al menos
fueran lo que con esa palabra se quiere decir! Yo sabría
a qué atenerme; yo sabría, empero, traducir la gloria
de ayer en la soledad de hoy y reconstruir ese tortuoso
proceso de adulteración que transforma una juventud
dispuesta a todos los sacrificios en una esposa que al

mediodía sabe atender a los invitados de su marido y
por la tarde le engaña con un amante arrabalero. Pero
no lo sé hacer, tal es el drama; no sé cómo saliendo
de aquel punto se llega a este otro, no sé qué ha pasado
entremedias. Sin duda perdí el hilo del discurso en la
caja de la camioneta que en aquellos días del invierno
de 1938 nos llevó de Región a El Salvador, y de allí
al hotel de Muerte, durante diez, veinte o treinta días,
ay, demasiado terribles y demasiado turbulentos para
ser inolvidables. Porque es justamente eso lo que se
olvida, en aquellos días en que la memoria no está
presente. Yo creo que sólo está presente el cuerpo y tal
vez maniatado, amordazado y atontado. Un cuerpo que
para tales momentos necesita estar solo y recusa la compañía de esas acompañantes inoportunas, la memoria, la
conciencia, la educación y todo lo demás. Luego, el
cuerpo no será capaz de recordar nada, como el borracho reincorporado al orden casero tras una noche
de turbulento callejear. Apenas le vi durante los dos
primeros años de guerra. A finales del año 36 había
sido llamada a prestar una declaración cerca del Comité
de Defensa donde, gracias a una intervención de Juan
de Tomé que tenía allí amistades de cierta influencia,
fui tratada con alguna deferencia. Se trataba de saber,
por aquel entonces, cuál era el paradero y la actitud
de mi padre respecto a la guerra pero aun cuando tanto
su carrera como su incomparecencia obligaban a presumir tales respuestas éstas no fueron evidentes hasta el
verano de 1937, cuando se vino a saber que mi padre
había sido asignado al Estado Mayor del ejército invasor.
En agosto o septiembre de aquel año, no recuerdo
bien, fuimos de nuevo requeridas pero mi tía salió
al cabo de tres o cuatro días de internamiento, no sé
si por el poco valor de su persona como rehén, por
el desprecio a que el miedo le llevó a hablar de mi
padre o por el temor a la costumbre del rosario diario que el Comité adivinó que se había de producir
si guardaban a mi tía en sus sótanos. Juan de Tomé
me vino a visitar; me dijo que se trataba de una reclusión voluntaria —pero vigilada— no en calidad de

rehén, sino en evitación de cualesquiera perjuicios que
pudiera ocasionarme el ser hija de quien era. Más tarde
se me comunicó que, a través de las oficinas guberna-
mentales, se había propuesto a mi padre un canje que
de acuerdo con las previsiones había de efectuarse dentro del año en curso. No sé por qué aquella propuesta
vino a suponer un cambio en mi condición; abandoné
el sótano y, sin salir del edificio, se me trasladó al último piso, las habitaciones de servicio del viejo palacio, y
se me procuró un alojamiento decente o incluso un trabajo de oficina bajo la vigilancia de aquella famosa camarada (Adela). Era una mujer pequeña, intransigente y
huraña, que no pudo disimular su disgusto cuando unos
soldados del Comité trajeron de mi casa algunos vestidos
y ciertos objetos de uso personal que yo guardaba en
una maleta, debajo de la cama, cerrada con llave, a la
que ella no tenía acceso. Al parecer el Comité tenía un
buen número de esperanzas puestas en mi canje. Con
frecuencia la camarada (Adela) venía a interrumpir
mi trabajo y, con ostensible enojo, me obligaba a acompañarla hasta un despacho del piso de abajo donde,
después de haber entrado yo, se le cerraba la puerta
en las narices. Juan de Tomé, siempre en traje de paisano, acompañado de otros dos o tres militares, acostumbraba a esperarme allí: «Parece que tu marcha va
a ser inminente. Todo está arreglado y no falta sino
un pequeño detalle que depende de tu propio padre.
Pero ahora se trata de saber en qué medida podemos
confiar en ti...» Casi todo eran palabras abstractas para
mí cuya representación final apenas era capaz de materializar. En primer lugar porque casi no me acordaba
de mi padre o porque mantenía acerca de él una visión
de colegiala. En realidad todo aquello no era muy
distinto de aquellas llamadas en el colegio que, un
par de veces a lo largo de cada curso, me hacían salir
de la clase o de la fila para seguir a una hermana hasta
el despacho de la superiora: «He tenido carta de tu
padre. Está muy preocupado de tu conducta y de tus
calificaciones y me pide...» Tal fue mi filiación infantil
y tal continuaba siendo en mi juventud. Empecé a creer

que mi padre se avergonzaba de mí y que, receloso de
un encuentro, procuraba por todos los medios mantener
una tutela ajena y una disciplina a distancia. Todo ello
la mente infantil lo traduce en indiferencia, alejamiento,
sentimientos abstractos... despecho. Suponía que no eran
sino las consecuencias de la orfandad y que un padre
y una hija, perdido el eslabón de la madre, no pueden
mantenerse unidos sino mediante una paradoxal e in-
flexible separación. Recuerdo perfectamente un pasillo
de mosaico con grandes ventanales soleados a través
de un patio interior y el momento en que, llevada
del brazo de la sor, la colegiala abandona la fila de
sus compañeras para ser conducida a la sala de visitas
donde un señor corpulento, casi desconocido, charla
animadamente con la madre superiora. Recuerdo el beso,
el reconocimiento; esa cara que no es recordada sino
en líneas abstractas (y por tanto el cariño no informa
a la memoria) que aparece de súbito idéntica a sí misma
para hacer más profundo el abismo que le separa de
su imagen no afectiva, ese contacto con la mejilla que
despide un aroma no familiar a loción de afeitar, esa
especie de aturdida e invencible timidez con que el alma
infantil, cuando la extraña mano paterna acaricia sus
cabellos o estrecha su talle, se defiende de un acoso
que no guarda relación con los datos de su memoria.
Recuerdo perfectamente la vuelta al patio donde se
recrean las compañeras, con una caja de bombones, sin
atreverse a volver la vista a aquel rincón del claustro
donde la superiora y el padre —hacia donde convergen
las miradas de todas las niñas— se detienen un último
instante: «Es mi padre» con ese falso e inseguro acento
del desamparo que con un engaño trata de rehabilitar
su orgullo. Porque el niño aloja siempre una clase
precoz de temor a que el equilibrio paterno pueda des-
moronarse y que en ciertos recovecos de su intimidad
no necesita sino un mínimo estímulo para convertirse
en certeza. Es posible, por eso, que cuando dice: «Es
mi padre» apenas lo cree ya, apenas cree en esa palabra,
carente del valor que se supone que no sirve más que
para la galería y que, a la hora de acostarse en el dormi-

torio comunal, liberada de los compromisos y embustes
que su amor propio le impone en el patio, se convierte
en llanto y dolor cuando la mente de la niña sondea la
profundidad de su propio abandono y, en contradictoria y destructiva desazón, aprende a no confiar sino
en sus propios temores y lágrimas. Le aseguro a usted
que esa vida de colegiala huérfana no se traduce en
grandes resentimientos; más bien es sangre fría si quiere usted entender por eso esa carencia de afectos, intereses y reparos de quien se dispone a salir al mundo
sin grandes cosas que defender ni muchos deberes a
los que sentirse ligada. Mi padre, en una parte de su
significado, había dejado de existir antes de morir para
legarme una manda de impaciencia, malogro y anticipación: porque una gran parte de mi vida —ya lo verá
usted— dejará de existir al término de la guerra civil.
Después de la guerra veremos tanto de eso que ni
siquiera nos asombraremos de la rapidez y el desenfado
con que tantos hogares burgueses han de abandonar
los preceptos morales en que se han formado como
consecuencia de la muerte del cabeza de familia, el
expolio de una finca o la pérdida de la plata del comedor. A mí me había ocurrido unos años antes, eso
es todo, no tuve que esperar a la guerra para verme
despojada de padre, hogar, principios morales y puesto
en la sociedad. Ocurrió —no sé si las líneas republicanas se estaban ya desmoronando— que desde un despacho del Comité de Defensa lograron establecer una
comunicación telefónica con su cuartel. ¿Es posible eso?
Tal vez fue un engaño, no lo sé, pero no comprendo
su objeto a menos que obrase en su poder una radios-
copia de mis sentimientos filiales. Era un pequeño salón
que daba la impresión de una inmediata mudanza; todos
los sillones estaban ocupados por carpetas y papeles y
el suelo por los embalajes y las máquinas de escribir.
Cuando yo entré un militar acuclillado frente a un pequeño velador quería a veces reanudar una dificultosa conversación telefónica. No recuerdo quiénes más estaban,
Juan desde luego que no. Unos cuantos de ellos, obedeciendo a una llamada, abandonaron la habitación en tro-

pel para acudir a la centralita donde un oficial de transmisiones trataba de restablecer la comunicación. Creo
recordar que yo me mordía las uñas sentada en el borde
raído de un sillón mientras, apoyado en el marco de la
puerta, vestido con una guerrera kaki desabrochada que
dejaba a la vista una camisa blanca, me observaba de
una manera provocativa y descarada, mezclando el regocijo a la vigilancia. Unas cuantas veces se puso a aullar
el teléfono, a emitir sonidos mecánicos que se mezclaban
a los gritos entrecortados del oficial y todo un Comité
en vísperas del exilio o el cautiverio dispuesto a creer
que al otro extremo del hilo un Pilatos de caballería
accedería gustoso a la concesión del perdón a cambio de
una prenda que, medrosa, huérfana y asustadiza, sin
dejarse embriagar por sus propios anhelos retrocedía
horrorizada hacia el instante temible en que el juego
terminase: era el estado del niño que, tras el alborozo
dominguero en compañía de sus amigos en el cuarto de
juegos de una casa donde ha sido invitado, en un instante
de silencio advierte en el pasillo la voz del aya que
viene a recogerle; cómo la voz familiar en el medio
extraño donde se le han permitido las licencias que la
disciplina de su casa no tolera, se vuelve repentinamente
odiosa, agente de una autoridad que coarta su libertad,
restringe su entusiasmo y subroga sus deseos. Y entonces, de aquel rincón, de un cenicero abarrotado de colillas y de un auricular abandonado en el velador salió
aquella voz impersonal, gangosa y autoritaria que veloz-
mente me hizo retroceder a ciertos momentos solitarios
y amargos, las susurrantes amonestaciones, los cantos de
resignación, los corredores del claustro. Imagínese qué
química complicada se desarrollaba en mi interior bajo el
influjo de aquellos dos agentes antagonistas: los espasmos de aquella voz entrecortada que salía del teléfono
con el timbre morboso y atiplado que el mago utiliza
para alcanzar el subconsciente de la médium, para atraer
hacia sí todas las partículas de mi ser que flotaban co-
loidalmente en el miedo en espera del castigo, la reclusión o el perdón, y aquella desocupada, un poco indolente despreocupación con que —a pesar de su juventud

y su situación—, haciendo chascar un sinnúmero de
veces un encendedor de capuchón que no podía encender,
observaba el maremágnum de aquella habitación, los papeles y oficios por los sillones, el teléfono chillón que
no podía coordinar las órdenes del más allá y la rehén
—o lo que fuera— aturdida y temblorosa. La llama no
llegó a encender, únicamente prendió en mi interior una
mezcla inflamable de miedo, desacato y deseos de fuga,
una mezcla de partículas en pugna cada una de las cuales
antes de obedecer al perverso catalizador trataba en última e íntima instancia de mantenerse en la anterior suspensión para no caer en un mortecino y odiado equilibrio. Hizo un gesto muy particular, torciendo la boca
y lanzando un guiño de desprecio hacia el auricular ira-
cundo. Luego, sin yo saber por qué, puso su mano sobre
mi hombro y apretó mi clavícula al tiempo que alzaba
los hombros para indicarme que no me preocupase por
aquellos sonidos desenfrenados y ridículos; yo no sé si se
daba cuenta de que —al igual que el niño con un instantáneo contacto de su dedo se complace en romper la rota-
ción de la peonza— toda aquella contradictoria catálisis
había de resolverse al simple contacto de su mano para
depositar en su ánodo —volvió a apretar la clavícula y
luego lo hizo en el arranque del cuello— todas las
partículas de mi inquietud. Así debió ser: en mi fuero
interno creo recordar el retroceso, el abandono del miedo
hacia un recóndito refugio donde se ha escondido la feminidad y donde aguarda con extraña confianza —ya
no teñida por el fastidio, es más bien la predestinación—
el momento en que se libre el combate del himeneo.
Luego desapareció, haciendo chascar el mechero al tiempo que calló el teléfono y en aquel cuarto en desorden
se hizo el silencio que sigue a la consumación de todo
ensayo. El ensayo estaba hecho —qué duda cabe—, mi
cuerpo había manifestado cuál era su polaridad. Ya no
le volveré a ver hasta muchos días más tarde —en la
fonda de la carretera— y, sin embargo, a pesar de las
muchas vicisitudes que ha de conocer en el entretanto,
mi virtud se perdió en aquel breve episodio. Tal vez él
lo sabía y luego lo ratificó. Un mes más tarde la misma

mirada segura e indolente —pero que ni siquiera estaba
interesada en el resultado de su moción— parecía dirigirse hacia aquel secreto mutuo y aquella tácita complicidad
que desde el momento del ensayo vino a unirnos en el
terreno de los sobreentendidos: «Ya ves qué poco esfuerzo era necesario. Ya ves cómo, en el momento opor-
tuno, una mano sobre el hombro puede bastar para abrir
los ojos de una persona en semejante trance», como si
nada fuera más natural que aquel sobrio y eficaz remedio, como si nada fuera más fácil y pueril que aquel
combate que desde niño —se diría— sabía librar con
aplomo, tranquilidad e, incluso, cortesía. Ahora, en
cambio, me estoy refiriendo indirectamente al atractivo.
Es probable que ése fuera el verdadero remedio, no el
epiceno agradecimiento a una gesta caballeresca; me estoy
refiriendo también a aquella despreocupación, envuelta
en la piel de una insuperable e impenetrable reserva que,
al igual que le permitió hacer el ensayo con tanta economía le había de acreditar ulteriormente, sin otra docu-
mentación, para el cobro de sus honorarios: «Tal es mi
nombre, nunca me ha gustado perder el tiempo.» Así lo
veo yo ahora: todo un poder arcaico y ruin que avanzaba
hacia nosotros por el triunfo injusto de sus armas y que,
añadiendo el desprecio a la soberbia y la iniquidad a la
rapiña, pretendía al término de la lucha incorporarme a
su causa con la intervención del espurio y vicario portavoz, detenido en un instante por un gesto despreocupado
y viril, una mano que apretaba mi cuello mientras en la
mesita moruna el teléfono descolgado vociferaba boca
arriba como un animal vencido —que alardeaba de su
poder para reducirme a la obediencia—, para abrir mis
ojos, deshonrar mi sospechosa virtud y mostrar el camino de mi vocación rebelde. Entonces comprendí que
sin haber anticipado ni arriesgado nada había adquirido
una naturaleza, no una segunda —como suele decirse—,
sino la única que podía albergar mi cuerpo y que en
los claustros en penumbra, con las amonestaciones susurrantes, habían tratado de ocultarme y que ahora era
merecedora de una rehabilitación y una indemnización,
tras tantos años de injusta condena. Pero entonces ya

estamos en octubre, en una Región invadida a todas
horas por la oscuridad, cañoneada desde todos los subur-
bios y habitada por unos pocos supervivientes soñolien-
tos que a deshoras corren de sótano en sótano para cargar los últimos carros con unos colchones y mantas y
escapar por la carretera de la sierra. El hombre que allí
mandaba se llamaba Julián Fernández, un hombre enérgico —hijo de una asistenta de Región— pero no muy
despejado y que para salir de aquel atolladero no se le
ocurría otra cosa que encerrar a la gente bajo llave; al
señor Robal en una habitación, a Adela y a mí en otra, y
en otra al pobre Juan de Tomé que, con su gabardina
mugrienta, trataba de convencerle de organizar una junta
que entregase la ciudad a mi padre dentro de las condiciones más honorables. Nunca se había movido de Región,
ni sabía cómo salir de ella; los que sabían hacerlo estaban, a la sazón, luchando por otros parajes: Ruán y los
alemanes en la vega de El Quintán, el viejo Constantino
en el Puente de Doña Cautiva y, más al norte todavía,
entre El Salvador y el hotel de Muerte, los únicos que
de verdad conocían la montaña... él y Mazón y aquel,
¿cómo se llamaba...? Asián, yo creo, pero que en verdad
sólo parecían preocupados de su propia salvación. Eso
fue, en última instancia, lo que movió a Fernández, no las
desgraciadas gestiones del pobre Tomé, convencido de
que ninguno de sus antiguos compañeros iban a sacrificar
su seguridad por echarnos una mano. Ya no se trataba
de compasión —creo yo—, sino de la fidelidad a un
principio común a todos ellos y cuya deleznable realidad
se iba a demostrar claramente en las próximas semanas.
Si aquello fue así, ¿por qué aquella guerra...?

—Pero ¿cuál es ese principio? ¿Por qué los únicos?
¿Qué seguridad es ésa? ¿Qué tienen que hacer aquí la
compasión ni la fidelidad? ¿Quién le ha metido eso en
la cabeza? *.

* El Doctor sabía muy bien a lo que se refería y podía, con
cierto conocimiento de causa, hacer patentes ciertas reservas a
las que evidentemente deseaba sustraerse. Pero en cuanto Doctor
y en cuanto mentor accidental no podía por menos de interrogarse —y de interrogarla— acerca de una conducta que, habiendo dejado tantos puntos oscuros, no servía para justificar

»No lo sé. No lo he sabido nunca. Yo solamente he pretendido explicarme unos hechos que pasaron con arreglo a unos principios que entonces debían ser válidos. De otra forma no comprendo el sentido de esa guerra, qué es lo que defendían, en qué se diferenciaban de mi padre. Como le digo, nos encerraron en el último piso, en una habitación del servicio abarrotada de muebles inútiles del antiguo palacio. Un soldado hacía guardia en el rellano de la escalera. Allí estuvimos, sin salir durante un mes (la camarada Adela y yo). La camarada (Adela) era una mujer robusta, disciplinada e intransigente que en toda la guerra no se cambió una falda negra

una decisión tan grave como su viaje. Aun cuando a veces se trataba de leyenda y otras veces de realidad lo cierto es que existía una finca que en tiempo fue propiedad de Alejandro Cayo Mazón; existía también una fotografía de su pupilo y una requisitoria —que podía comprobarse en cualquier hemeroteca— del Juzgado de Región reclamando la comparecencia de aquellos reos en rebeldía. La sentencia no se hizo pública; solamente el señor Rubal, el único de ellos que fue aprehendido, fue sentenciado a la pena capital y desapareció en las sombras de la postguerra al poco tiempo de terminarse la guerra, llevándose consigo los secretos del sumario. Pero en aquella sentencia en rebeldía —y en la fotografía ulteriormente, que no correspondía a la época de la guerra— estaba implícita la supervivencia de unos reos que, veinte años después, fueron dados por muertos. Aparte de la leyenda del Numa existían, además, los disparos y —como consecuencia confirmatoria— la inviolabilidad del bosque a partir de una revuelta evocadora del camino que el Doctor conocía muy bien a través de una imagen imborrable: una vez hubo de seguir al guarda (semejante a un estampa piadosa y caminera, un chambergo de peregrino y una espalda encorvada por sus muchos años o por el peso de un inmenso gabán) hasta un lugar extraño, metido en el fondo de un valle, unas pocas casas de piedra en seco cubiertas de pizarra y paja, escondidas entre la arboleda, de donde salía humo, para asistir de parto a una dama que ocultó su identidad tras un velo negro. Le habrían visto volver, al final de un verano, dos o tres años después, sin guarda ni mulo ni alforja, ni cabás, repentinamente flaco, desencajado de cara y la ropa estropeada, aunque con un paso más resuelto y una apostura más recia. Cuando a la vuelta de aquel viaje entró en su casa y vio a su madre —la viuda le había esperado todo el verano, sentada a la mesa de despacho de su padre que conservaba el olor de papel engomado, con el puño cerrado apoyado en la mesa sobre una factura impagada y, con una altiva sonrisa de triunfo, la mirada clavada sobre la puerta que tarde o temprano se tenía

y una blusa blanca, sin mangas, que dejaba al aire unos
brazos enormes a los que no afectaba el invierno. Se
diría que había nacido para aquella situación: una sola
muda, una sola habitación y un mismo y permanente
enojo. A veces me he preguntado si no se trataba de una
nueva encarnación, disimulada bajo un nuevo disfraz, de
esa migratoria persona que tan desafortunada influencia ha ejercido sobre mí con el peso de su desmedida
censura. (Adela), segura estoy de ello, era un ser ganado por la revolución proletaria e incorporado al Comité de Defensa para celar mis pasos, lo mismo que en
el internado. Unas semanas más tarde, bajo el peso de

que abrir— tal vez tenía tomada su decisión. Pero es probable
también que aquella actitud le determinara a cerrar la puerta
de nuevo y volverse a Región para alquilar un coche; cuarenta
y ocho horas después abrirá de nuevo la puerta, empujando hacia el interior una muchacha muy tímida y humilde, para decirla:
«Ahí tienes a la nueva señora de la casa» y cerrar la puerta tras
ella. Todos los años, por las mismas fechas y en cumplimiento
de un compromiso, hacía aquel viaje doble para visitar al niño
y vigilar su salud y para sanear sus pulmones de aquel ambiente
de papel engomado y formaldehido que respiraba todo el año.
El niño vivía en la casa de los guardas, separada de la otra. Acostumbraban a llegar a la caída de la tarde y a hacer noche en la
casa. A la mañana siguiente le miraba la garganta, las pupilas y le
auscultaba el corazón. No parecía crecer día a día sino un tanto
cada año en el espacio de una noche. Luego la guardesa le lavaba
y peinaba, le embutía en un traje de ceremonia y ambos, cerca ya
del mediodía, subían a ver a su madre en la otra casa. Era una
entrevista breve que no duraba más de un cuarto de hora, en un
salón gigantesco y vacío, con el suelo combado, al fondo del cual
la señora enlutada, la cara cubierta con un velo negro, sentada
en un sillón de mimbre que situaba al otro lado de un ventanal
para ocultarse de su vista con los rayos de luz que entraban por
él. «Buenos días, Doctor, ¿qué tal viaje hizo usted?, ¿cómo se
encuentra el chico?» «El chico está fuerte, se ve que le prueba
el aire de la sierra.» «Un poco pálido, ¿no?» «Ha salido poco el
invierno; cosa de bronquios, un par de catarros fuertes.» «Pero
nada serio, ¿no?» «No, nada serio.» «Y su educación, ¿conoce
las reglas?» «La educación... quizá convendría...» «Buenos días,
Doctor, muchas gracias por su visita.» Era un niño que apenas
hablaba pero en cuya mirada no había el menor indicio de debilidad, ni la más leve súplica: impenetrable, enigmático y huraño
parecía estar tan lejos de solicitar ayuda como de reprocharle su
incapacidad para prestarla porque era incapaz de comprender aquella compasión con que podía mirarle el Doctor ya que, no habiendo

la derrota, se convertirá en Muerte a fin de saldar con
los beneficios de un burdel la deuda que ha contraído
con la sociedad de los vencedores. Un poco más tarde
se transforma en mi madre política —una señora autoritaria y lacónica— para reconciliarse definitivamente con
aquella gente de orden de la que en el fondo de su alma
nunca renegó. Si todas esas personas no son una sola y
única me parece un despilfarro de la naturaleza y de la
sociedad emplear tanta gente para cumplir una sola
función: velar por mi conducta y tratar por todos los
medios de tenerme sujeta al orden que encarnan. No sé
de dónde partió (de Adela) la idea de llevarme con ellos,

salido de allí, no tenía la misma idea acerca de su soledad. La
última vez había tenido la sensación de que alguien —por el lindero del bosque, el horizonte anaranjado de tanto en tanto por la
silenciosa y lejana tormenta que descargaba en la sierra— le había
estado siguiendo, escondiéndose tras los árboles. Era una sensación ya vivida pero no recordada, uno de esos estímulos que
—como los aerolitos que cruzan la estratósfera y se funden con
su roce— entran en el campo denso de la memoria pero no llegan a caer en ella, dejando una estela de dudosa luz en una zona
convexa y sombría de la razón, que posteriormente se unirá a
aquella visión casi olvidada, una noche templada en los alrededores de la clínica, unas palabras de funestos augurios y un aliento
de un ardiente y violento verano. Una presencia oculta, zumbona
e inaprensible, que parecía delectarse en hacerle llegar, a todo lo
largo del camino, ciertos guiños de la luz y algunos cucús apenas
perceptibles para demostrarle que estaba dispuesta a seguirle hasta aquel lugar secreto. No sabía el Doctor si era el octavo o nove-
no aniversario pero fue antes de la llegada de la República. Le vio
primero bajar las escaleras con porte tranquilo y resuelto, el mismo
día de su llegada, una última tarde de una primavera precoz, vestido con el traje oscuro de ceremonia; pero cuando le vio apretó
a correr, cruzó junto a él sin mirarle en dirección a la casa de los
guardas y la puerta de la finca. Luego oyó un único y débil
sollozo en el piso de arriba. En el salón de recepción, apenas iluminado por la luz del crepúsculo, su madre yacía en el suelo, debajo del mueble, observando (su velo se había despojado de su
cara por primera vez) el techo de la habitación con la supina,
muda y absorta atención de quien en los reflejos de la luz sigue
los avatares de un juego en el que ha perdido todos sus envites
y agotados sus recursos. No le volvió a ver hasta bien entrada la
guerra, diez u once años después, en un pasillo del Comité de Defensa, vestido con una guerrera militar con las insignias de capitán y una pistola al cinto. No supo qué había pasado entretanto,
tal vez entre esos dos momentos no media otra cosa que la fuga;

en la sospecha de que mi presencia y mi testimonio
podían dar lugar a graves consecuencias en la ciudad
recién conquistada, a la hora de la represión. Pero esa
sospecha desgraciadamente se hizo extensible también
a Juan de Tomé, y a otros, en el sentido de que sus
oficios de última hora fueron interpretados como un
acto de traición. Más tarde vine a apercibirme de que
yo había sido su anzuelo y su último recurso de apelación. Fue a través del mismo hilo telefónico y fue
sin duda su voz, llamándome angustiada en auxilio
suyo, quien vino a disuadirme de un deber y de un
afecto que ya no representaban nada para mí. Yo no
lo sabía pero aunque lo hubiera sabido tampoco habría
acudido. Eso es lo trágico, eso es lo que se elevará en
aquel momento a los más altos altares del egoísmo criminal, lo que me arrastrará a ese falso martirio a través
del cual —paradoxalmente— recobraré por la vía de
la doblez ese puesto en la sociedad al que no tenía ningún derecho. Fue una comunicación única que decidió
las dos suertes; me lo imagino, vestido con la gabardina
mugrienta y las manos atadas a la espalda, rodeado de
pistolas y guerreras de cuero, y la mirada atenta en el

como si al abandonar la casa hubiera seguido corriendo hasta el
año 1938 para detenerse en el único edificio donde él tenía cabida. Es con certeza el destino el que —aprovechando un instante sin equilibrio y la poca visión de unos ojos cubiertos con un
velo negro— impulsará esos pasos infantiles por encima del armario donde se guardaba la famosa medalla, para trazar la carrera de
un huérfano, un cabecilla y un desertor. De debajo del mueble
solamente sobresalía una pequeña y arrugada cabeza, como la de
esa tortuga que en posición invertida ya no pugna por enderezarse
y ahorra todo movimiento para prolongar una agonía cierta; se
había desprendido su velo y —encaramado en el armario—
el hijo de María vio por primera y última vez la cara de su madre: nada más que dos ojos desmesurados, verdosos y alucinantes, alojados en ese montón de podredumbre de que extraían su
alimento. Luego tres pasos, tres patadas furiosas y un grito de
estupor serán suficientes para lanzarle a esa carrera desenfrenada
y fatídica, ese interminable viaje a la noche del odio y la soledad
para huir de cuanto le rodea y olvidar la faz de su madre, sepul-
tada bajo el armario, la mano crispada sobre la moneda de oro,
convertida por la enfermedad en una sangrienta calavera salpicada
de mordeduras negruzcas, dos bolas luminosas encima de un bo-
quete que despedía un intenso tufo de mucosidades.

oficial que con los auriculares puestos no hacía sino
dar voces para reclamar silencio. Supongo que él también
fue testigo de la misma escena, supongo que no necesitó
recurrir a los celos o a cualquier otra cosa para escabullirse del cuchitril de la centralilla y venir al gabinete
donde yo esperaba para apretar mi hombro, hacer un
gesto de qué-más-da e intentar distraídamente encender
el chisquero. Pero de eso vine a convencerme mucho
más tarde, cuando purificada por el falso martirio la grey
de los vencedores quería —sobre un catre de estudiante,
en una pueril habitación repleta de muñecos de trapo y
trofeos universitarios— hacerme olvidar todas las estaciones de aquel supuesto calvario. Fue en los salones
de té de aquel primer año de posguerra, en compañía
de aquellos engatillados y dicharacheros capitanes que
habían servido con mi padre y que, entonces, se creían
con derecho a tres meses de vacaciones, frivolidad y
flirteo, antes de incorporarse a sus privilegiadas posiciones, cuando comprendí que ni siquiera el saber que
se trataba de la voz de Juan hubiera sido capaz de
alterar aquella decisión provocada por un maligno movimiento de hombros que (pero entonces, bajo el influjo
de los nuevos uniformes, el gusto del pan blanco y del
café de Guinea, la horrenda inocencia que parecían des-
tilar aquellos muñecos para devolverme durante el sueño
a una infancia blanca, su imagen había volado a una
zona dominada por la incredulidad, el imposible y el no
reversible, para quedar preservada por un preparado que
el destino y el amor combinan para inmunizarle de todos
los ataques de una certeza ineficaz e inoperante) quería
sellar su suerte. Porque cuando la certeza le refiere —en
un salón de té, en un paréntesis entre los lugares comunes
con que, después de tres años de trincheras, aquellos
militares sabían distraer a una mujer— que se trataba ni
más ni menos que del asesino de Tomé, hay todo un
registro imperecedero que ya no le hará caso y que
prefiere cargar sobre sí aquella culpa o alterar la única
imagen que permanecerá fija en el seno de su depravación. Unos días después —no por ser días de calma
era menor la incertidumbre; nunca fue mayor el pá-

nico ni siquiera cuando atravesamos los frentes, que
durante aquellas tardes encerrada en un pequeño dormitorio con los cristales forrados de papel, sin poder
hacer uso de la luz eléctrica, con los oídos atentos al
ajetreo de todos aquellos que se preparaban para la
fuga, temiendo en todo instante que aquella infeliz y
espontánea decisión de unirse a ellos pudiera ser olvidada, traicionada y abandonada en un cuarto cerrado
con llave donde la habían de encontrar, humillada y de-
fraudada, los testigos de su desacato— los últimos contingentes que defendían la vega del Torce abandonaron
sus puestos para refugiarse en Región y unirse al éxodo
del Comité. Algunos de ellos durmieron en la misma
casa y, entre otros, aquellos dos hermanos alemanes, probablemente los últimos supervivientes de aquel batallón
Theobald que venía luchando sin interrupción desde finales del 36. Casi venían descalzos, con las polainas sueltas; nos sacaron por fin del cuarto y nuestras camas fueron ocupadas por los heridos. Nos repartieron por la
ciudad, a mí me tocó (lejos por fin de Adela) el sofá de
un salón todo cubierto de colchones, donde dormían
más de veinte personas custodiadas por un centinela que,
sentado a la puerta, hacía prolongar el cigarrillo durante
toda la noche, apagándolo y devolviéndolo al bolsillo
después de cada chupada. No sé el tiempo que estuvimos
allí, más de una semana seguramente. Todos los días una
pequeña caravana de fugitivos, a la hora del crepúsculo,
abandonaba la ciudad haciendo uso de cualquier medio
de transporte pero en cualquier caso —no sé por qué—
sin atreverse a abandonar el colchón. He visto andar colchones de la formas más inverosímiles pero el resultado
debió ser siempre el mismo: cuando del hotel de Muerte
volví a Región toda la carretera estaba salpicada de
restos de colchones, forros y borras mucho más resistentes y perdurables que los frágiles propietarios que se
esfumaron de la faz de la tierra. La casa se fue despo-
blando poco a poco hasta que no quedamos allí más que
el centinela —parece que no tenía más que un cigarrillo
por noche, un cigarrillo que fue menguando con cada
fecha hasta quedarse en un cucurucho de papel del tamaño

de un mondadientes—, el más joven de los alemanes y
yo. Era un joven atractivo y tímido, que llevaba la tragedia en los ojos; desaparecía por el día, no se apartaba
del naranjero, para volver a dormir cada noche con más
polvo encima; el polvo de aquel alemán era, como su
pelo, distinto del de los españoles, de un color verdoso.
Ya no quedaba ningún colchón y aunque supongo que
en Región debía haber muchas camas vacías venía siempre
a dormir a un mismo rincón del suelo, acostado contra
el zócalo de cara a la pared y cubierto por una manta
gris. Doctor, en aquel rincón del suelo, bajo aquella
manta gris, devoró el alemán mi flor.»

«¿Estaba presente el centinela? No lo sé pero no
me extrañaría que así fuera. No tenía por otra parte
mayor importancia porque, en resolución, aquel testigo
obligado de mi primera noche de amores tenía la misma
conciencia que esos muñecos vestidos de hindú que acu-
clillados en los escaparates de las expendedurías de café,
alternativamente se llevan a los labios una taza con la
diestra y un habano con la siniestra. Sólo que carecía de
taza, en vez de turbante se tocaba con una boina y en
lugar del habano no podía llevarse a los labios sino un
escuálido cucurucho de papel de fumar. Y aunque durante
muchos años no podré recordar cómo se llamaba, un
día —apenas sin acordarme de él— me volvió la certeza:
se llamaba Gerd, era alto como yo y debía tener cuatro
o cinco años más. Sus ojos tenían un color verdoso indefinible, parecido al del agua estancada. La primera noche
no hicimos sino dormir abrazados, debajo de las dos
mantas para aprovechar mejor nuestro mutuo calor. Pero
la segunda noche dormimos abrazados e hicimos el amor.
Yo no podía mirarle a la cara sin sentir mucha pena.
Hablaba muy poco, había perdido un hermano un mes
antes pero no asomaba a su cara el deseo de venganza.
Debía creer en la predestinación y esperaba la misma
suerte que su hermano, sin impaciencia ni desesperación, como el final de una aventura que no deparaba
otra solución. No tenía ninguna prisa en abandonar
Región ni el menor deseo de unirse a una de aquellas
caravanas pero en cambio durante los dos días que

estuvimos juntos en aquel salón no se preocupó sino
de mantener el orden y la limpieza en aquello poco
que tenía a su alcance; se quitó el polvo, cosimos las
polainas, se lavó, limpió el arma y me regaló una navaja alemana que no pude conservar. Aquella primera
noche apenas se movió echado boca arriba, mirando
el reloj de tanto en tanto y dibujando en la pared
con la punta de la navaja. «Qué pena das, Gerd» —yo
no podía menos de pensar cuando lo miraba de soslayo— «qué poco van a brillar esos ojos. Qué cara tan
serena tienes: qué lástima Gerd, qué poco van a tar-
dar en meterte una ráfaga en el pecho.» De forma que
a la segunda noche cuando sin decir nada ni pedir
nada volvió hacia mí la cabeza le besé en la boca e
hicimos el amor. No creo que aquello fuera distinto
del abrazo anterior, del beso en la boca o del impulso
que incita a la mejilla insomne a buscar el latido de
ese cercano y armonioso pecho pero cuando se carga
tanto el acento sobre ese acto aislado, sin parar mientes en lo que le precede ni en lo que le sigue, es con
objeto de poner de relieve la importancia de una cosa
que el hombre, en el fondo, desearía que no la tuviera. En cambio en aquel gesto de indiferencia mientras
el teléfono aullaba, en el breve pellizco que descubrió
una nueva naturaleza al romper la gaseosa crisálida donde la larva se había desarrollado, nadie va a reparar y,
sin embargo, allí empieza todo. Yo creo que en mi breve
romance alemán aparte de la piedad y el deseo de profesión de la catecúmena tuvo mucha importancia el temor
a que aquel primer fruto fuera recogido por Julián Fernández, el interés en engañarle anticipadamente y en defender mi castidad con una rendición anterior. El lance
fue interrumpido por la orden de marcha que perento-
riamente vino a traernos un civil en un momento en que
nos ocupábamos de remendar una casaca. Se refería sólo
a mí y, con toda evidencia, había sido cursada por el
propio Fernández; apenas tuve tiempo de echar a la
maleta ese último resto de ajuar —dos blusas, un abrigo,
una falda y una combinación desteñida y zurcida—, mantenido en situación de uso que la más expoliada fugitiva

conserva en su largo camino hacia el exilio. Abandonamos
Región aquella misma noche, un coche pintado de kaki
y ocupado por Julián y los suyos y una camioneta del
ejército cubierta con una lona camuflada, a cuya cabina
me subieron a mí entre cuatro soldados. Marchábamos
muy despacio, con las luces apagadas y al cruzar por las
últimas casas le vi correr por la cuneta, sosteniendo el
naranjero. No hizo ningún ademán para pararnos, echó
el fusil en la caja y luego saltó él. Trataron de expulsarle,
detuvieron la camioneta y fueron hacia él con las armas
montadas. Yo oí, detrás de mi cabeza, el ruido de un ce-
rrojo; dijo sólo cuatro palabras, en un español apenas
comprensible y al punto volvieron todos a la cabina. Un
poco más lejos el coche que marchaba delante de nosotros nos detuvo y no sé por qué permanecimos para-
dos durante un largo rato. Volvieron a dar marcha atrás
y de nuevo entramos en Región donde permanecimos
toda aquella noche y la mañana del día siguiente. Julián
Fernández había venido a verme, en el cobertizo donde
hicimos la noche, pero sorprendido por la presencia del
alemán se limitó solamente a decirme que bajo ningún
pretexto abandonara la cabina de la camioneta. Sentado
en la caja y apoyado en mi mismo espaldero Gerd permaneció toda la noche cerca de mí, tan cerca que a través
del tabique de tarima podía oír cómo se cortaba y limaba
las uñas con un instrumento de bolsillo. Decidieron salir
a plena luz, la tarde del día siguiente. Era un día de sol,
muy despejado y bastante frío. Yo no había visto la calle
tan cerca, y con sol, desde una eternidad. Cuando la camioneta arrancó volví la cabeza hacia atrás para ver por el
ventanuco la casa donde me había alojado durante casi
un año; cuatro o cinco hombres salían en aquel momento del portal —y aquel matrimonio Robal entre ellos—
con ese aire de pacífica resignación y limitado gozo con
que los internos de un hospital de menesterosos salen a
disfrutar del sol de invierno. Y entonces a sabiendas que
ante mí había un viaje, un viaje largo y sin compromisos,
me sentí libre, transportada, me atrevo a decir que feliz.
El viaje no tuvo muchas incidencias al principio; los de la
camioneta no tenían otra preocupación que verse lejos de

Región y reconocer aquella gente dispersa e indefinible que de vez en cuando nos cruzábamos en la carretera. Se decía que el coche delantero pretendía llegar a El Salvador sin pasar por El Puente, haciendo uso de un camino que alejándose del río remontaba las lomas de su margen izquierda y que por tanto debía estar en manos de la gente de Constantino. En un cruce nos volvimos a parar y Julián, en persona, vino a nosotros. Estaba vestido de paisano, con botas medias y cubierto con un capote militar. Con él venía un hombre de pelo blanco, enfundado en una gabardina abotonada hasta el cuello, que se dejaba conducir como un ciego. Le ayudaron a subir a la cabina mientras otros dos soldados y yo nos vimos obligados a trasladarnos a la caja y acomodarnos entre los embalajes, las cajas de munición y las mantas, y reanudamos el viaje por aquella carretera de tierra, a través de unos campos desiertos, tras la nube de polvo del coche de Julián que pronto se perdió de nuestra vista. Pronto me dormí con la cabeza apoyada en su hombro, sentada contra el testero de la caja y las rodillas abrazadas con su mano izquierda cogida entre las mías, esa única forma decente de ser libre que la niña había previsto ya en el dormitorio comunal del internado. Tuvimos infinitas paradas, no sé cuántos pinchazos, por exceso de la carga el motor se calentaba en aquellos repechos desolados. Me despertó un ruido —no un resplandor—, un inverosímil redoble de tambor seguido de un olor a ropa quemada. Gerd había disparado cuatro o cinco balas por debajo de la manta y, en la oscuridad, el cañón humeante asomaba debajo del agujero en esa actitud acechante de la víbora que después de morder e inocular su veneno asoma su cabeza de debajo de la piedra para cerciorarse del resultado. Frente a mí un soldado que parpadeaba con un solo ojo trataba, agachando la cabeza y echando atrás la espalda como un borracho, de mantener un equilibrio imposible hasta que se derrumbó sobre las mantas que cubrían las cajas de municiones. Cuando lo levantaron para echarlo fuera yo ya no quise mirar, la cabeza hundida en su pecho, con el olor de la pólvora entre los pliegues de la manta. Fue un viaje largo y penoso; muy entrada la noche bajamos a descansar en unos caseríos y apriscos abandonados, en una nava inculta en las terrazas inmediatas al río. Enfrente de nosotros y no muy lejos la hoya del río quedaba iluminada por el resplandor del combate cuyo fragor nos acompañó durante todo aquel difícil sueño.»

Se trataba del combate que en la primera decena de noviembre libraba la División 42, a las órdenes del viejo Constantino, para despejar la cabeza de puente que el enemigo logró establecer a la altura de Doña Cautiva, habiendo llegado a cortar la carretera de la Sierra. La tropa de Constantino, secundada por los fugitivos que todos los días llegaban de Región, inició el contraataque el día 5 en la dirección sur-norte sin el apoyo que la poca gente de Mazón podía prestarles si se decidían a despegarse de los voluntarios apostados en el Ferrellán y El Salvador y correr en ayuda de sus compañeros en el sentido de las aguas del río. Entre ambas fuerzas no existía otra comunicación que la que llevaron a cabo, siguiendo instrucciones de Fernández, algunos contingentes que habiendo escapado de Región eludieron el combate en El Puente haciendo uso de aquel camino. El combate, que se prolongó hasta los primeros días del año 39, fue el último que libraron los dos ejércitos, ya que a partir de él la guerra se redujo a aquellas operaciones de persecución y limpieza contra las bandas dispersas del ejército republicano que optaron por refugiarse en el monte, escondiendo las armas y enterrando la munición, y que quedaron súbitamente paralizadas antes de la victoria final por la repentina muerte del general Gamallo. Fue uno de esos contraataques masivos, lanzados con insospechado brío y sostenidos con temple, que aún cuando no pueden conducir a nada —ni siquiera en el caso de una victoria táctica— es preciso organizar y ejecutar en las horas postreras de una campaña cuyo resultado ya nada es capaz de alterar. Su objetivo inmediato era la reconquista de El Puente de Doña Cautiva y su última finalidad la eliminación de todas las fuerzas enemigas en la orilla

derecha del río al objeto de agrupar y constituir un reducido núcleo de resistencia, aguas arriba de aquel punto,
que lograse contemporizar hasta la llegada de una paz ho-
norable. Pero era una idea que el vencedor no estaba
dispuesto a compartir. En el mismo mes de noviembre el
primer objetivo fue alcanzado, se reconquistó el puente
—en la más encarnizada lucha que se libró en la provincia
en toda la guerra— y las tropas republicanas llegaron a
realizar una penetración de varios kilómetros por la carretera de Burgo Mediano. Y eso fue todo. Gamallo, el general rebelde, ocupó sin disparar un tiro una Región abandonada en los primeros días de diciembre y, seguro ya
que había encerrado los restos del ejército del gobierno
entre la montaña y el grueso de sus fuerzas, inició una
campaña de usura sin preocuparse de las ganancias territo-
riales, dispuesto a llegar, a fuego de mortero y tiro de
fusil, a las más recónditas breñas y a clavar su bandera
en lo alto del Monje. Pero en esa última campaña de aniquilación las fuerzas de la república vendrán a demostrar
que, en la víspera de su extinción, habían aprendido a
aglutinarse en un ejército, que sabían defender la posición
tan bien como su adversario y que estaban dispuestos a
hacerle pagar muy caro su último antojo. Se prolongará
más de lo previsto y por un nuevo sarcasmo de esa delirante guerra un accidente imprevisto frustrará su fin, impedirá la aniquilación total del vencido y detendrá a la
infantería victoriosa, con el pie levantado para hollar las
serranías vírgenes.

A finales de noviembre, después de la reconquista de
El Puente, volvieron a encontrarse y reunirse casi todos
los capitanes republicanos que desde finales de verano
venían luchando aisladamente. Bajo el mando supremo
de Constantino se decidió un plan de retirada hacia el
norte que consistía en aceptar la batalla de aniquilación
y mover el ejército con el grueso de las fuerzas en contacto permanente con el enemigo al tiempo que otros des-
tacamentos, capitaneados por aquellos que conocían el terreno, se habían de despegar de él para despejar y mantener franco el camino de la sierra. El plan no se ejecutó
porque la obstinación y la resistencia de Constantino con-

virtieron aquella retirada en una batalla inmóvil en la que, además de ser totalmente aniquilados, se vieron envueltos y perdidos, por mantener el enlace y la continuidad en un territorio tan alargado y que el viejo no quiso acortar, muchos de aquellos grupos móviles que pudieron encontrar su salvación en el monte. De forma que a la postre solamente un par de grupos muy exiguos, veinte o cuarenta personas en total, alcanzaron a contemplar el día final de la contienda, de pie en un risco (las armas ocultas en unos peñascales) observando con los prismáticos aquellas soleadas, lejanas y humeantes llanuras donde el vencedor estrenaba e imponía su ley.

Cuando en la noche del 17 de noviembre la pequeña columna del destacamento de Mazón a la que se habían unido los fugitivos, quiso vadear el río, unos doce kilómetros aguas arriba de El Puente, junto al Molino donde el curso del agua se divide en varios brazos y una presa, entre marjales y yerones, en un punto donde ya no esperaban encontrar no un enemigo, sino ni siquiera un vecino, fue sorprendido por una lluvia de bengalas azules que disparadas desde la ladera de enfrente rompieron las tinieblas para descubrir fugazmente esa secreta, imperturbable y siniestra paz de la montaña, apenas turbada por la quimera destructiva de los morteros y las voces de los moros. Casi la mitad de la columna fue detenida con el agua por la cintura y abatida antes de alcanzar la orilla: los demás, deslumbrados por la fugaz iluminación, corrieron a refugiarse tras las paredes del molino, como los insectos hacia el zócalo cuando repentinamente se enciende la luz delatora, la respiración contenida, la mirada como las antenas paralizadas en un simulacro mortuorio, el dedo cerrado en el gatillo en actitud expectante. Algo después, desde la ladera en sombras, comenzó el fuego de los howitzers sobre el molino que a la mañana siguiente no era más que un montón de piedras sin otro movimiento que la caída del polvo, el derrumbamiento y crepitar de las vigas de madera calcinada. Todo el día 18 permanecieron —Eugenio Mazón, los alemanes y un centenar de los suyos— escondidos entre las urces, entre los crestones de cuarcita parda que normalmente al río bajan

en forma de dientes de sierra, vigilando los coches disimu-
lados por el ramaje y espiando cualquier movimiento de
la ladera opuesta mientras apilaban sus peines y frotaban
con saliva el cañón del fusil, a la usanza de los guardas
del bosque. Al llegar la noche, de mata en mata, se fueron
transmitiendo la orden de retirada, dispuestos a seguir
el camino a pie después de alcanzar y superar la cota de
los navarros y los moros. Volvieron a llover sobre ellos
las bengalas, los espaciados, secos y flatulentos disparos
que jalonaron su ascensión como los crujidos de una ve-
tusta y podrida escalera. Durante dos días el combate se
prolongó con fuego de mortero y ametralladoras pesadas
cruzado entre dos combatientes que se ocultaban en las
laderas opuestas. En la noche del 19 los moros cruzaron
el río por el mismo punto por donde había intentado
Mazón y protegidos por el fuego de elevación de los howitzer, asentaron sus posiciones para el ataque al molino.
Pero por aquellas fechas llegó a su cénit la penetración
republicana por la carretera de El Puente a Burgo Mediano y las avanzadas navarras que operaban al norte de
este punto empezaron a temer su posible incomunicación
por lo que demoraron el ataque para dedicar mayor atención a la vigilancia de sus líneas. La intensidad de la lucha
en El Puente obligó también a Mazón a distraer su defensa para mirar hacia el sur y la llegada de ambas fuerzas, inadvertidamente, a las proximidades de un puente
romano no hizo sino aumentar la confusión —exagerada
por los sucesivos cruces del río que ambos bandos llevaron a cabo— de aquellos combates que se prolongarán
hasta los últimos días del año. A los dos días de iniciar
Gamallo el contraataque de Burgo Mediano las avanzadas navarras —que gozaban de una cierta autonomía,
espoleadas por el ímpetu del meritorio— hicieron lo propio; pero mal administradas y debilitadas por la vigilancia de un sector muy extenso fueron rechazadas ante las
ruinas del molino. Las dificultades para comunicarse entre
los diversos sectores y la aparente holgura de medios del
enemigo que hacía suponer semejante revés indujeron al
mando nacional a creer que las fuerzas de Mazón, Julián
Fernández y Constantino había entrado en contacto a

lo largo de una línea contínua que barría más de cuatro
kilómetros de frente. La firmeza ante el puente romano
y el molino vinieron a confirmar una hipótesis que, de
acuerdo con los principios de la batalla de aniquilación,
se tradujo en el refuerzo de la avanzada con una brigada
de moros y varias piezas Schneider del 15,5. El día
5 de diciembre se reanudó el ataque al molino, a lo largo de dos líneas convergentes que partían de las posiciones en el puente romano. El día 7, al atardecer, los moros
cruzaron de nuevo el río a bragas enjutas mientras los alemanes que ocupaban la carretera de Región eran atacados
frontalmente y obligados a retirarse por la misma senda
que una quincena atrás había utilizado Mazón. Era un
atardecer despejado y frío cuando el sol se ponía tras las
cumbres, después de la silenciosa explosión que parecía disipar la guerra: un golpe de brisa se había llevado
—definitivamente hacia el sur— el eco de los disparos y
la metralla para restaurar el rumor del agua y (mientras
el céfiro ondulaba los capotes caídos) los ladridos «irrea-
les, sonoros y regulares, timbrados por esa triste y resig-
nada desolación» * con que los perros se llamaban y
buscaban, de serna en serna y de ruina en ruina, para
reanudar el coloquio que el fuego había momentáneamente interrumpido. Estaban los alemanes descansando tras
unos arbustos cuando oyeron muy lejos —quizá más lejos
de la realidad porque aquel sonido apagado que parecía
flotar en su propio eco suspenso, venía timbrado por
otra lejanía que la de la distancia—, más allá de las lomas vespertinas y más allá del imaginario instante roto
y mutilado por mil explosiones pasadas, voces y gritos y
restos de canciones irreconocibles que parecían subir a las
alturas en un fugitivo minuendo, el último eco de la agonía que el viejo e inmóvil gramófono en equivocada rota-
ción había arrancado de las aguas rumorosas y las ramas
silbantes, del plateado sueño de los guijarros y los susurros de las hoces, el aliento de aquella belicosa sierra que
al cabo de diez siglos volvía a ser hollada por los mismos
intrusos que vinieron a acuchillar a los caballeros rubios
con sus aceros curvos y sus lanzas de fresno y que hoy re-

* Faulkner.

petían su misma algarabía, con ruido de ferralla y música de arrabal, para acompañar el definitivo rictus de la muerte. Durante toda la noche se sucedieron los combates: avanzadas de moros bajo sus amplios capotes que sólo sabían correr encorvados y que la noche vomitaba, embriagados de coñac y griterío, para abandonarlos ante las tapias del molino, ametrallados por esa ráfaga de una Vickers, que tras el primer instante de aturdimiento, los devolvía a la serena quietud de la muerte. Grupos de dos y tres que trataban de alcanzar el portalón, cubriéndose tras los cadáveres de sus compañeros, amontonados sobre ellos como los sacos de grano bajo la luna en la era batida por el fusil del alemán. Hasta que a la hora del alba todo calló otra vez, las voces, los disparos, el eco propio de la guerra que más que de las bocas de fuego parece salir de la misma tierra, deseosa de participar en el estruendo como el público vocinglero de un espectáculo obsceno, para dar paso a ese atónito instante de calma que (al compás de los amargos, lejanos y desafinados acentos del viejo gramófono —el borbollar del agua unido al canto de despertar de los últimos pájaros del año escondidos entre los salgueros) sólo en el seno de una guerra es posible disfrutar. No eran shrapnels sino disparos de perforación (las piezas Schneider de tiro rápido que nadie sabía entonces ni de dónde ni para qué tiraban) que rebotaban mansamente en la terca e inamovible topografía demasiado dormida para despertar por tan superficial barahunda, que comenzaron a caer sobre el terreno recién conquistado por sus legiones. A la mañana siguiente, tras un repliegue de cobertura, embriagados por un coñac barato y alentados por el frecuente e inútil apoyo artillero, trataron de nuevo de forzar la entrada de las ruinas y desalojar a los alemanes y los hombres de Mazón —reconfortados por unos sorbos de alcohol y unas pastillas de tabaco que encontraron entre las calzas de los cadáveres— de su reducto. Un cerrado grupo de ellos —los turbantes amarillos, los capotes colgantes, las ingrávidas pisadas— avanzó hacia él clavando una mirada invisible pero palpable; disparó una ráfaga entera, sin mirar apenas, hundiendo la cabeza

en la culata tras el orgasmo del plomo veloz cuya trayectoria —y trepidación— era casi capaz de sentir hasta
que las balas se perdían entre los paños colgantes; pero
cuando de nuevo levantó la vista el grupo se incorporaba,
ante el cañón caliente, como una emanación y materiali-
zación del humo mágico. Disparó de nuevo dos veces,
bajando la mira, haciendo saltar la tierra a treinta metros
de él pero cuando el eretismo cesó, al disiparse la neblina del humo apareció el grupo blanquecino, las cinco figuras encorvadas con la misma imperturbable, quizás es-
tática, y contradictoria actitud de avanzar. Entonces se
puso a gritar; se irguió sosteniendo el Bren; unas últimas
balas, como el postrer estertor de un animal que trata de
mantenerse tras el colapso, salieron del cañón para cla-
varse en el suelo cerca de sus pies hasta que soltó el arma y echó a correr hacia ellos, arrastrando los pies y gritando en alemán, tropezando con los capotes, las cabezas
y las escorzadas miradas que después de la muerte seguían
interrogándose acerca de un grotesco y ridículo yo. Cuando apuntó el alba del día 9, con el ronquido de un motor
ralentizado que aguardaba en la carretera, apareció la figura de un hombre harapiento y sucio, con un naranjero
bajo el brazo, sobre las ruinas del molino. Con pasos cansados pero sin prisa —en la carretera apareció otro que
silbó y agitó los brazos para llamarlo— fue levantando
los cadáveres con la punta de la bota para darles la vuelta y pasar sobre ellos con cuidado de no pisarlos, apartando las piedras de los muros demolidos —casi transparente, ese primer color virgen del día que tras doce horas
de descanso nocturno acierta a despejarse del polvo milenario. El cadáver se hallaba tendido en la orilla y cubierto de barro, con los pies en el agua. Un perro famélico de
color de lana le olfateaba con el hocico entre sus pantalones. El perro gimió, un breve lamento se desvaneció
en el vacío glauco del agua y el alba. Lo sacó del agua, lo
volvió de cara y lo acostó en la hierba helada. Con un
poco de agua del río le lavó la frente, le sacudió el barro
y le atusó el pelo. Quiso estirar sus brazos y trató de cerrarle los ojos; luego, acercándose a su oído le dijo algo
muy bajo, en alemán. Su cara se había aligerado; con la

caída del pómulo y la boca entreabierta su gesto se había vuelto tenebroso y sus ojos verdes y turbios habían perdido la serenidad para contemplar hipnotizados —sesgados por esa secreta y supina aquiescencia con la muerte— el vértigo donde había desaparecido. Giró su cabeza para encontrar de frente la mirada sesgada pero sus ojos esquivaron su intención, clavados y vitrificados en el punto fijo que la muerte les había asignado. Otra vez le habló en alemán y quiso besarle, pero no pudo sentirlo próximo ni su pensamiento logró acercarlo. Entonces llegó hasta él el tufo que el perro había dejado sobre el cadáver. Se levantó con calma, después de pasar la palma por su cara, quitó el seguro del naranjero y se volvió al río para lanzar un agudo y sostenido silbido. El perro levantó las orejas detenido un instante entre interesado y receloso, sin saber si dar crédito al nuevo y dudoso amigo. Luego dio un salto, levantando y echando hacia atrás las patas traseras, para desplomarse boca arriba con todo el cargador en el lomo mientras el tableteo se repetía en un tono más grave ascendiendo hacia las laderas con el vaho de las aguas.

«Había dejado de temblar pero mis ojos estaban a punto de romper a llorar porque antes de conciliar el sueño le vi muchas veces abandonado en una ribera del río, acribillado a balazos y cubierto de sangre y barro hasta el pecho. Yo creo que fue la primera vez en mi vida, y quizá la única, que no lloré por mí, sino por él porque sin haberle llegado a amar no lo daba por perdido para mí sino por él mismo abandonado, malgastado y perdido como un nuevo José que enajenado por el amor fraterno hubiera optado por el sacrificio sin prestar atención a sus sentimientos para consigo, sin dejarlos siquiera hablar, y por eso seguramente las lágrimas no acertaron a brotar.

»Yo creo que aquella misma noche llegamos a El Salvador; la estancia allí fue muy breve, dos o tres días todo lo más, lo bastante para que, sin la protección del alemán, Julián Fernández me hiciera su amante en esa cama de los pináculos, bajo el retrato de ese señor. Cuanto más nos retirábamos más recelaba de sus compañeros; aquí estuvimos casi solos con los conductores de los coches y unos pocos soldados que había convertido en su guardia personal. En El Salvador le debieron tender una trampa, yo nunca supe lo que pasó y lo único que llegué a percibir fue que tenía el propósito de detenerse allí lo menos posible, convencido de que Mazón y Asián y todos los demás, le estaban aguardando. Lo que no sabía es que también estaba allí Constantino quien, herido en la cabeza y en una pierna, había sido transportado en camilla desde El Puente. Yo ni siquiera bajé de la camioneta; nos detuvieron junto a la iglesia y le obligaron a bajar. Un desconocido, mucho más tarde, subió al asiento del conductor y metió el coche en el portalón de la fonda donde nos alojamos varios días, los hombres y las mujeres mezclados, durmiendo en los pasillos, las habitaciones y las escaleras. Hay cosas que como no sirve de nada recordarlas la memoria las guarda en un cajón de sastre, convencida de que nunca más volverán a tener un uso o que sólo han de servir para un remiendo. Yo creo que lo supe aquella misma noche, pero no logré sentirme cerca de él ni le eché de menos porque todas mis fuerzas y mis sentimientos parecían afanados en guardar el calor de mi horno como si temieran la próxima extinción de la llama que lo mantenía encendido. Pero, además, mi vocación me estaba diciendo que no había hecho sino empezar, poco menos que vestirme con las prendas impolutas del neófito que va a ser introducido en los misterios que ha elegido; había algo en mi interior que repugnaba aquella situación porque, sin querérselo confesar, temía que los verdaderos misterios no alcanzasen otro nivel que el de las ceremonias de iniciación, pero yo misma —no en balde educada en un colegio religioso y en cierto modo intoxicada de una mentalidad que se defiende de lo que desconoce con el desprecio— lo atribuía al miedo y la fugacidad de una pasión que no admitía otro equilibrio ni otra temperatura que los del horno. Había algo que temía un desarreglo profundo —algo que no podía de-

jar de lamentar la clase de llanto que siguió a la muerte
de Gerd y que no por estar abrumado y silenciado por
la sumisión al deseo sexual dejaba de sentirse sincero,
limpio y decente, el verdadero tabernáculo donde se guardaban los aceites para alimentar la llama— y que no veía
tras el chisporroteo lujuriante de partículas incandescen-
tes (vapores viciados por el anhelo, esperanzas sumergi-
das en la pasión, ideales retraídos por el apetito), sino
unos tejidos desgarrados al rojo por la llama masculina
y que al ser retirados de aquel soplete horrendo que los
había cortado a su antojo habían de mostrar en sus heridas informes y en sus fragmentos irrecomponibles la naturaleza destructora de la prueba. Era una conciencia moral una vez más, una conciencia decente e íntegra pero tan
inoperante para detener la catástrofe como esos comités
de objetores de conciencia que pretenden salir al paso de
una conflagración mundial, quizá la única parte del cuerpo que se conoce a sí misma y que además de anticipar
el futuro daño —sin saber ponerle remedio— se complace en acusar y avivar el dolor de la carne donde se
desarrolla el conflicto. No hay duda de que es lo único
que —sin inhibirse, sin abandonar la carne que la aloja—
no se tambalea cuando todo lo demás empieza a vacilar:
al tiempo que los residuos de aquella educación son tras-
ladados, ante el próximo incendio, al sótano de los resentimientos, los viejos tejidos destruidos, las paredes del
horno recubiertas de una carbonilla refractaria y los fragmentos de una persona que se creía formada dividida
ahora en sus componentes simples e inertes, tratan de
recomponer su naturaleza con una infantilización, una
vuelta —por así decirlo— a la edad ninfa sin memoria
que sabía asimilar el más completo desamparo, la más
amarga desilusión y el olvido más negro en un limbo
intemporal, un trance anodino en una hora —para el
organismo que lo tiene todo en el futuro— desalojada
del tiempo. Nunca he comprendido por qué el amor llega
tan tarde a la cita con la persona y por qué, por consiguiente, se complace tantas veces en destruir de un mano-
tazo insolente y extempóreo toda una organización anterior. Debe ser porque el proceso previsto por la natura-

leza antepone el amor al deseo sexual por lo mismo que
ese guiso que no ha sido salado cuando estaba al fuego
no entregará su sabor cabal por mucha sal que se le eche
en el plato. Ese es el purgatorio de quienes transgredi-
mos su regla, ni conoceremos su sabor ni nos libraremos
del vicio para calmar el hambre con una alimento atroz.
Lo comprendí mucho más adelante, después de mi matrimonio; el amor y el deseo sexual se excluyen tras la primera prueba; el deseo y el acto sexual constituyen la
única defensa contra la amenaza de un amor que ya en
la adolescencia desfiguró su fisonomía, desgarró sus tejidos y destruyó la integridad de su persona. Me imagino
que quien sabe conservar una porción de aquel amor —si
es que esa mezcla de veneno y explosivo admite la conservación— debe sufrir una acción recíproca e inversa, re-
cluido en su gozosa y aberrante castidad. Tengo para mí
que la niña se prepara en secreto a ese sacrificio porque
una cierta y arcana adivinación le enseña a esperarlo todo
de la edad núbil y a restar importancia a los sucesos de
la juventud; por eso es más serena, más sabia y... más
hipócrita; y todas las ceremonias y ritos que anteceden
a la pérdida de su virginidad no son sino la preparación
abreviada para esa vuelta a la infancia —si es madre como
si no lo es— en que se traduce su carrera cuando alcanza
el clímax del sacrificio. Hay un instinto en ello, un mecanismo de defensa que la naturaleza ha reglado en secreto para atajar los efectos de una posible destrucción; no
es sólo la infantilización, sino la vuelta también a ciertos
refugios inconscientes que la niña creó en otra edad y al
abrigo de la lucha amorosa, donde oculta su fracaso y
clausura sus penas cada vez que el orgasmo viene a des-
vanecer esas aspiraciones a la fusión masculina puramente ilusorias. Cada edad tiene su terreno acotado, sus aspiraciones, sus peligros y su clima, hablando en términos
masculinos; pero cuando se intenta saltar —y la mujer
lo intenta siempre, carente de una acotación precisa— de
una edad no saturada a otra en la que no se aprovechó
el espíritu, ridiculizado y vapuleado por una serie de reveses, retrocede aún más a una edad ambigua, epicena y
pueril, poblada tan sólo de alegrías playeras; pero enton-

ces sí que el tiempo ha pasado, el salto no lo mide el tiempo, sino el terreno que se ha querido pisar. He llegado a pensar que mis primeros amores no tuvieron otro efecto que lanzarme fuera de mi edad a una suerte de anacrónica y lasciva ingravidez, de senilidad prematura —si la senilidad es eso, hastío, desesperanza, falta de curiosidad— que sólo conoció su propio horror cuando se vio acompañada de las arrugas. ¿O será acaso esa pérdida del miedo que —se diría— es lo único que nos sujeta a la edad y nos coarta esa curiosidad demente? Vivíamos —bueno, ¡vivir!— en el hotel de la Muerte, a bastantes kilómetros de las líneas de fuego cuando inopinadamente fuimos atacados por una unidad de reconocimiento que sin duda desconocía que en aquel pequeño y escondido chalet se habían refugiado los restos del ejército enemigo. Sonaron unos disparos y corrimos al sótano, Muerte y yo y un par de mujeres más, mientras ellos salían por la puerta trasera armando los fusiles. Porque el resto del tiempo no hacían sino jugar. Una vez, tiempo atrás, después de llamar, había abierto tímidamente la puerta y asomé la cabeza en aquella habitación secreta donde no entraban las mujeres, donde los antiguos y nuevos miembros del comité se reunían casi siempre de noche a la vuelta del campo. Había tanto humo que al principio no vi nada, los haces rectilíneos de la lámpara de carburo colgada de un garfio sobre la mesa camilla donde el viejo Constantino, la cabeza vendada y un ojo tapado con un retazo negro, jugaba un solitario. Pero había dinero en la mesa y otras cartas sueltas, muestras de una partida interrumpida. Eugenio Mazón tumbado en un catre cerca de la puerta dormía y roncaba boca arriba con la mano caída en el suelo sobre una novela barata. Asián, que venía del baño con una toalla al cuello y un vaso en la mano abrió la puerta por detrás de mí: «¿Qué haces tu ahí? ¿Qué estabas mirando?» «Quería ver si había vuelto... Anoche.» «Y si no ha vuelto, ¿qué?» En el fondo de la habitación, sobre una palangana, empezó a hacer gárgaras. Después de vaciar cada buche se volvía a mirarme para repetirme aquello: «¿Qué puede pasar si no vuelve, eh? ¿Qué crees tú que puede pasar?» Luego cuando terminó las gárgaras se acercó al espejo para observar las órbitas de sus ojos y las manchas de su cara mientras yo espantada y boquiabierta no podía mover un dedo, plantada en el umbral, hasta que el viejo volvió hacia mí su único ojo: «¿Quieres cerrar esa puerta y largarte de una vez?»

«Pero me dijo que para vencer el miedo no hacía falta valor ni serenidad ni lucidez; era cuestión de soledad. Allí, el ciclo que la niña había iniciado con la conversación telefónica, entre incertidumbre y esperanzas, lo cierra la mirada del viejo con una nueva certeza y una necesidad mucho más apremiante de vencer al miedo que de alcanzar el amor porque el miedo es siempre real y el amor... una invención especulativa para superar aquél sin querer combatirlo. Fue un combate muy breve, los rodearon por todas partes y los acribillaron como a conejos, pero algunos debieron escapar, dejando cuatro o cinco cadáveres cerca de la casa; por lo que aquella misma noche, en previsión de un nuevo ataque, abandonamos el hotel en los coches para refugiarnos en los senderos de la montaña durante unos días prudenciales. Me acuerdo del tiempo que permanecí acurrucada junto a la pared posterior de la casa, oculta por la esquina, espiando mucho rato después de haber cesado los disparos del arbusto donde el intruso se había refugiado. Los demás cruzaron corriendo y silbando entre sí, como colegiales que iban a repetir con el fusil lo que en las calles de su niñez habían aprendido a hacer con la pelota, la piedra o la intención. Vi de pronto cómo más allá de la cerca se incorporaba y corría hacia mí, sin armas, la guerrera desabrochada con un gesto de alegría. Aún tuve tiempo de pensar que aquella expresión de juventud, alegría y triunfo ya no tenía cabida más que en el otro bando y por eso me he quedado con la idea de un hijo de familia, a punto de saborear en su primera juventud los frutos de su entusiasmo y de su triunfo. Se oyeron en el mismo instante un par de disparos perdidos pero con extraordinaria agilidad saltó por encima de la cerca y fue a refugiarse entre las matas a pocos metros de mi escondrijo. Su cabeza sobresalía por encima de los tallos y una cara muy joven, vuelta hacia el sol de poniente, con una expresión de malicia y un par de guiños me hizo saber la complicidad de nuestra mutua situación. Fue una tarde soleada y fría, muy larga; unos pocos pájaros negros volaban sobre nosotros, ensayando sus graznidos vespertinos y su tímida acrobacia invernal. De repente la casa y sus alrededores quedaron desiertos y me sentí completamente sola, en compañía nada más de aquella cara semioculta que sin atreverse a abandonar su escondite insistía en sus guiños. Comprendí entonces lo del miedo y no quise —o no pude— llorar ni temblar porque me sentí embriagada, la cabeza turbia envuelta en un caos apacible y luminoso, acompañado de breves sonidos solitarios y distantes, del que a medida que las horas se alargaban temía no poder librarme. No sé si dormí; de nuevo levanté la cabeza cuando se repitió un breve silbido y, al tiempo que un grajo abandonaba un roble, le vi de nuevo correr tras los arbustos de la cerca, asomando tan sólo la cabeza. No creo que fuera una ilusión, provocada por el vuelo del pájaro, aunque mis ojos se hallaban nublados por un sopor desconocido. Me acordé otra vez de esa inmemorial situación infantil del niño que abre los ojos para encontrarse en el jardín, abandonado de todos sus compañeros de juego y espiado por mil ocultas miradas que trata de adivinar a través de las hojas temblorosas. Cuántas veces ese juego, angustiado el niño por la impotencia y la soledad, termina en lágrimas y burlas, una serie de cabezas que salen de entre las ramas para afearle su cobardía y reprocharle la rotura de las reglas. Las reglas... las reglas... ni siquiera la alumna precoz que un día se escapa con el profesor de gimnasia se verá nunca en situación de eludirlas porque tratará, en último término, de regir con ellas su subversión y sus desatinos. Cuando pienso en ello, Doctor, me pregunto qué es lo que hago aquí y para qué vine si es imposible reconstruir toda aquella juventud que había de incapacitarme para una madurez ulterior; no pretendo reconstruir nada ni desenterrar nada, pero sí quiero recobrar una certeza —lo exige una memoria viciosa, amamantada por su enfermiza mitomanía— que es lo único que puede justificar y paliar mi cuarentona desazón. Ha pasado tanto tiempo y ha sido tal mi soledad

que he llegado a dudar si todo aquello ocurrió como lo
he dicho. Hay algo en nuestra conducta que todavía no
obedece a la razón y que, en secreto, confía en el poder
de la magia. En el poder de la voz que unida al sentimiento será capaz de atraer al amado llamándole con insistencia. Y al poder de la mirada y el puro poder obceca-
do de la repetición: cuántas veces cree el amor que ha
de reencontrar al amado en aquel solitario banco donde
lo vislumbró por primera vez, una tarde lluviosa. Y que
insatisfecho y contrariado vuelve las culpas a una razón
venal y un tiempo implacable que sólo la esperanza má-
gica logrará vencer. Ya no cree en la carne ni quiere creer
en la edad y se niega a reconciliarse con la muerte y no
desea sino que le devuelvan al limbo fétido de una edad
en que todas aquellas partículas andaban en armonía.
Yo no sé muy bien para qué he venido porque no me conozco, cada día me conozco menos, siento cada día más
relajada mi autoridad sobre aquellas partículas que antes
del conflicto sabían marchar de consuno y hacer gala de
un orden y una disciplina únicos, pero que desde la guerra se han puesto a guerrear cada cual por su cuenta, para
ridiculizar el mando y destruirse en mil acciones esporádicas. Supongo que vengo por todo eso, en busca de una
certeza y una repetición, a volver a pisar el lugar sagrado
donde al conjuro de un perfume y un exorcismo resuci-
tarán los héroes desaparecidos, los que inocularon en mis
entrañas estériles las células cancerosas de su memoria,
para recuperar su presa postrera. Por el contrario, yo he
llegado a la conclusión que el tiempo es todo lo que
no somos, todo lo que se ha malogrado y fracasado,
todo lo equivocado, pervertido y despreciable que hubiéramos preferido dejar de lado, pero que el tiempo
nos obliga a cargar para impedir y gravar una voluntad
envalentonada. Pero sólo hubo un momento —repito—,
un solo momento en el que batallan el amor y el miedo,
en el que el tiempo se esfumó; cuántas veces he vuelto
a la cama esperando del hombre que puesto que no
podía devolverme el sabor de aquel momento fuera
al menos capaz de hacérmelo olvidar, para en las horas
de penumbra de un cuarto cerrado a través de cuyas

persianas llegaban a la alcoba los ruidos de una actividad
callejera, no encontrar sino la corrupción, la pesadumbre del pasado y la pereza del futuro. Cuántas veces
intenté hacer este viaje y cuántas me quedé a medio
camino, vencida y estupefacta, aturdida por tantos impulsos contradictorios y críticos ninguno de los cuales
se demostró lo bastante enérgico para dirigir mis pasos
y para distraerme de una vez de aquella parpadeante
juventud que con el alejamiento cobró tan falsa pro-
porción, como las luces de esa ciudad rutilante que
para el pasajero que se despide desde la bahía parecen
ocultar tantos secretos que pasaron desapercibidos cuando pisaba sus calles. He pensado recobrar una parte de
mi salud a cambio de una mutilación —el único desaire
se dirige a un amor propio obligado a malvender su joya
más preciada para pagar la deuda de un antiguo chantaje. Chantaje, sí. Esa fotografía apareció muchos años
después, entre viejos papeles; no recordaba haberla
tenido nunca y me costó cierto trabajo reconocer unos
rasgos que yo conocí en una juventud menos demacrada y atormentada. No, no se levante, estoy segura
que usted la conoce tan bien como yo. Nunca lograré
averiguar por qué procedimiento llegó hasta mi escri-
torio, una de esas materializaciones del deseo que pugnaba por devolver a una retina atormentada por los
esfuerzos de una evocación imposible y contrariada por
una imagen deformada, torcida e inmóvil que había
sido impresionada en una película defectuosa, pero que
la mente no podía apartar de sí. También las reglas de
la memoria son así cuando se trata de un asunto que
no concierne a la razón; apenas suministran otros datos
que una serie de gestos atroces y rasgos exagerados,
mil veces repetidos e hipertrofiados en una recurrente
sucesión de decepcionantes contrastes. Pero, en cambio,
guardará intangible la cabeza de aquel joven, caída sobre mi regazo en una tarde muy clara y fría de enero
o febrero. Tardé mucho en llegar hasta él, caminando
a gatas y echándome al suelo cada cuatro pasos. Cuando
llegué a la cerca casi me había olvidado de la cabeza,
del combate y de los pájaros. Estoy segura de que algo

me dijo; algo, con una voz apagada, y yo pasé a su lado: agitó la mano y trató de enderezar el cuerpo porque sus fuerzas ya no podían con la cabeza, en una postura violenta e insostenible. Yo le quise ayudar, sostuve su cabeza y fui a pasarle el brazo por la espalda cuando levantó la mirada, lanzó un profundo eructo y su cabeza se desplomó en mi regazo con un enorme y repentino vómito de sangre, sangre negra, ardiente, vertiginosa y chispeante como la colada de un horno, apresurada por abandonar aquel cuerpo exánime para buscar a ciegas otro alojamiento más duradero. Tuve un escalofrío y quedé alelada en aquel final apacible de una tarde fría, vaciada y paralizada en aquella menstruación horrenda con que vino a inaugurarse la fase adulta de la mujer entronizada en la pérdida del miedo y los misterios de la desolación. Una mano salida de detrás rodeó mi espalda, retiró el despojo de mi regazo y me ayudó a incorporarme cuando el sol ya se había acostado y la helada se anunciaba en el parpadeo de la estrella de occidente. Volví a despertarme en la cabina de la camioneta, con un sabor en la boca a sangre coagulada y el zumbido del motor en los oídos. Nos detuvimos cerca del río para que otro tomara la dirección: «Vete despacio. Puedes ir sin luces», le dijo. Los demás pasaron a la cabina y nosotros nos acurrucamos debajo de las mantas en el fondo de la caja. Me dijo que me quitara aquel mono embadurnado con la sangre del muerto y que todavía despedía un olor acre y denso y que en cierto modo obraba como una barrera, un sello en lacre impuesto por la guerra y el azar a nuestro mutuo anhelo. Fue en la caja de la camioneta, marchando hacia la sierra una noche fría y despejada que asomaba por los agujeros de la lona y el hueco del fondo; fue al compás de un motor ralentizado y renqueante, entre los crujidos de la madera y los suspiros del cambio de marcha; fue entre el aroma sutil y acerbo de las mantas húmedas cuando el amor de aquel hombre me vino a demostrar que el tiempo puede no existir, fundido en su totalidad entre todos aquellos instantes que acuden en tropel —cuando en el horno colmado de tantas sustancias

necesarias para combinar en la fusión el producto final se
introduce al fin la llama—, todos los instantes pasados y
futuros de ese largo y penoso proceso de formación de la
mujer que se resumen, anticipan, actualizan y estallan
cuando el hombre decide introducir la llama que robó al
cielo; acuden en tropel y en la medida en que su anhelo
se ha visto engañado por los fraudes de la esperanza descubre con incomparable —y ay, única— lucidez que todo
aquel torbellino de emociones sepultadas y premoniciones
remotas que nunca saldrán a la luz gozan de un momento
de repentino resplandor; un momento a través del cual
las estrellas de una noche de febrero y los crujidos de la
madera y las sombras de los olmos de la carretera no forman parte de un mundo extraño, distante y hostil, sino
que constituyen el ornamento excepcional de ese presente
fuera del tiempo donde un alma acrisola el orden pasajero del universo.

»Ya lo creo que duró poco. Dura lo que el miedo tar-
da en volver. Otra clase de miedo que nace de dentro,
de un interior al que el éxtasis no ha servido sino para
que germinaran recelos, inquietudes y sospechas. Entonces se entra, por decirlo así, en el terreno comercial porque ese interior asustadizo y colérico empieza a sospechar la mixtificación; la mujer lleva dentro un apetito de
reclusión —no pudor— que la impide entregarse cuando anda cerca. Qué frecuente es entonces levantarse de la
cama con la sensación de haberse sacrificado en vano por
haber querido negociar con un gitano, habiendo pagado el
precio convenido para descubrir que todas las nueces estaban podridas. Qué frecuente es tener que volver a esa
reclusión involuntaria, bajo el mandato del temor, en la
que el amor sexual se ejecuta como uno de los términos
de un contrato con el tiempo que el miedo avala; y qué
raro tiene que la mujer haya tenido que recurrir al pago
en dinero cuando el trueque que ella desea le es, por naturaleza, negado. Me veo una mañana envuelta en las
mantas y la mejilla pegada al cristal para contemplar cómo
al pie de la ventana cargaban la camioneta con unas cajas;
trato de entender cómo puede el hombre —las mismas
manos, los mismos ojos, la misma camioneta— haberse

alejado tan rápidamente; cómo la misma atención y la misma intensidad que me tomaron en aquella caja se puede volver ahora, tres o cuatro días después, hacia un menester tan distinto. Qué capacidad de olvido, qué fuerza para separar las funciones, qué voluntad y qué orden para hacer cada cosa a su tiempo; me veo entonces y me he seguido viendo vuelta de nuevo a la cama para morder el borde de la manta y evitarme a mí misma una explosión de lágrimas que me revelara la pobreza de mi condición. Es cierto, yo no soy la que yo conozco porque la imagen que tengo de mí ha sido trazada en la soledad, purificada por el abandono e idealizada por el amor propio pero no se corresponde ni con la imagen de la joven que no acudió al teléfono pero sí al rincón del alemán, ni con la mujer que por conservar su secreto y preservar su decencia dejó agonizar a Juan de Tomé, en un sótano sin luz, consciente por fin del camino que debía tomar; ni siquiera con la de esa pobre mujer que, habiendo andado el camino vuelve al sótano y al hotel de Muerte convencida de que, una vez más, es preciso rectificar. Después perdí la noción de las cosas; una mañana primaveral, quizá la primera mañana risueña tras aquel invierno tenaz, estaba yo a la puerta del hotel, después de fregar, secándome las manos en un delantal cuando vi en la carretera la columna de boinas rojas. Llevaban las mantas enrolladas al pecho, los fusiles al hombro y el segundo o tercero de la fila, encorvado bajo el peso del equipo, la bandera de dos colores. Registraron la casa, aunque toda su atención parecía acaparada por los pollos del corral. Matamos unos pollos y abrimos una docena de botellas de vino; cuando acabaron de comer se fumaron un cigarro en la hierba y reanudaron la marcha. Antes de ocultarse en la revuelta de la carretera nos saludamos con los brazos. «Esta historia ha terminado», dijo Muerte. «¿Terminado? ¿Qué es lo que ha terminado?», pregunté yo, a aquella cara que no comprendía nada. Todavía, puestas así las cosas, qué no hubiera dado en aquellas horas por participar de esa condición masculina que casi siempre encuentra un placer en sus actos, que rara vez —y menos en el amor— siente el deseo suicida de desaparecer y sublimarse en aras de

una simbiosis sexuada, que cuenta siempre con una naturaleza tan íntegra que no necesita ni el caparazón donde
alojarse y un sexo que no tiene por qué aniquilarse o
rebajarse para recibir lo que siempre ha considerado una
deuda. Volví a salir a la puerta, después de fregar, para
contemplar los pocos pollos que quedaban y una pareja
de perros que se perseguían y olfateaban por entre la ropa
recién lavada. Todavía aquella noche la pasé casi en vela,
arrimada a la ventana de atrás para escudriñar en las montañas la llegada de una luz. No hubo nada. Era un silencio
terrible, mucho más terrible que el eco y el resplandor del
combate, porque todo lo que venía a sugerirme era que el
monte, al igual que mi cuerpo, había quedado desierto,
abandonado y olvidado. Volví a recuperar el miedo, el
miedo necesario para abandonar una ilusión desesperada,
pero ¿qué podía hacer? Yo sabía que había nacido de
dentro para informarme de que, gracias a su traición,
aquel monte y aquel silencio y aquella soledad y aquel
despecho eran los únicos gananciales del matrimonio delirante con el hombre que había demostrado su intención
de no volver, que quizá ya no existía y que —quizá también— no existió nunca. Esa idea me ha atormentado
de tal manera que ha venido a constituir la ordalía de mi
feminidad, la señal de maldición que dejó en mi cuerpo para sellar un compromiso y arrebatar al invasor el
fruto que él se había cuidado de hacer madurar.

»¿Qué no sabías que no quedé encinta? Por supuesto
que lo sabías, ¿quién sino tú lo había de saber? Mirando
la montaña nevada y, después de que tú te fuiste, dejando correr a la fantasía detrás de unos perros famélicos
comprendí que precisamente me habías abandonado porque no había quedado embarazada y que el hijo que no
se engendró te hubiera obligado a aceptar una solución
que más tarde despreciaste. Tú no podías saber que mi
padre había muerto y pudiste presumir, por tanto, que
quedaba una solución para nosotros dos. Tampoco sabías
que todavía vivía Juan de Tomé a quien disteis por
muerto en el sótano del comité. Y entonces me sentí herida, engañada y mortificada porque tu abandono me
vino a demostrar que yo no valía ni como tabla de sal-

vación. Y me sentí por primera vez avergonzada de este
inútil cuerpo mío que jamás ha querido dar lo que se ha
pedido de él. Y el hijo que no fue engendrado lo llevaré
en lo sucesivo como el estigma de una naturaleza imper-
fecta y estéril y como el fallido vínculo que nos hubiera
podido unir, aún cuando hubiera vivido mi padre. Luego
no tendré más remedio que seguir la búsqueda de ese núcleo ausente de mi ser donde debió engendrarse aquel
desmemoriado, ese núcleo que tú te llevaste o que de-
jaste incapaz para producir la glándula necesaria. En lo
sucesivo qué no tendré que sufrir para sacar de su atonía
a ese órgano paralizado, a qué intemperancias del cuerpo
no tendré que doblegarme y a qué insufribles comedias
me veré obligada a asistir, como esa ordinaria y desplazada madre de la debutante que entre bastidores, incapaz de apreciar la calidad de la declamación, calcula las
posibilidades del éxito por los aplausos que la rodean.
Porque no era solamente un hijo: era el pasado, eras tú
y ese núcleo ausente donde residen las virtudes generatri-
ces y se condena el elan del futuro, recubierto de una
carcasa coriácea que sólo representa un pasado protector.
Porque con el hijo sin duda hubiéramos llegado a constituir esa molecular combinación fuera de la que tú y yo
no éramos sino símbolos abstractos que carecían de representación física en el cuaderno de la naturaleza y por
eso, a medida que se fue demostrando la esterilidad fui
acariciando con mayor ternura la idea denigrante de edificar mi vindicativa supervivencia en el adulterio de aquel
núcleo vacío. Pero entonces todo fue a peor y vine a suponer que el desmemoriado a quien yo buscaba —aquel
que había de engendrar, alojar, concebir y alimentar como
tuyo para que, mediante una transposición mística tú re-
sucitases en el seno de la trinidad que te arrancaría de las
sombras— obedecía órdenes, participaba de tu misma
indiferencia y se negaba a acudir a mi presencia. Entonces deseé —y supuse— que había de nacer solamente
para que tú pudieras morir y para restituirme un hogar
en el que en lo sucesivo no faltaría más que el padre; en
el que madre e hijo podrían haberse fortalecido lo suficiente como para cerrarle la puerta —si un día pretendía

volver—, deseosos de no perturbar su paz con la presencia de un desconocido. Pero, en cambio, mientras él no naciera yo tenía que esperarte, yo no podía aspirar a mucho más que eso, la espera, el adulterio, la conservación pacata y pervertida de un culto inútil mucho más allá de los límites de la esperanza, de la edad y de la razón. Cuando volví a Región la poca gente que seguía allí me abrió sus puertas; aún brillaba la lumbre en la cocina de la vieja Adela y (yo creo que era lo único de todo Región que la guerra no había alterado) en el pasillo en sombras el chico jugaba a las bolas con la misma atención que en el año 36. No sabía a ciencia cierta quién podía ser, porque hay una forma de llorar, ahogada y contenida que no delata la edad ni la voz ni el sexo; pero yo estaba segura de que no era el niño: no hacía sino jugar con las bolas y de tanto en tanto alzaba hacia mí una mirada muy singular, una mirada que procedía de un temor olvidado, pero no resuelto, y que había cristalizado en sus ojos, detrás de los lentes, con ese tenebroso reflejo del vacío que asomaba a su expresión cada vez que apartaba su atención de las bolas y las chapas. Le había visto un par de días antes de ser conducida al Comité y al cabo de dos años le volvía a ver en el mismo abandono, jugando en el pasillo o en el centro de la cocina mientras la vieja Adela intentaba con suspiros reavivar un fuego muy pobre. Pero tuve un sobresalto y yo creo que lo adiviné; el niño dormía, pero Adela no estaba en su cama; entonces corrí a la cocina y encontré abierta la trampilla de la leñera; percibí un suspiro y un quejido, envueltos en el acompasado y zumbante latido de las tinieblas. Alumbrándose con un candil en el suelo, Adela tenía su mano sobre su frente, cubierta con un paño húmedo. He vuelto a revivirle y encontrarle mil veces, echado en un camastro y cubierto con unas mantas que despedían el olor de la fiebre, con ese profundo y lejano estertor de los pulmones con que se anuncia la muerte. En una cara ardiente y afilada, la boca abierta y dos cavidades en sus pómulos, unos labios hinchados apenas se movían; pero llegó a verme, segura estoy, y entonces de aquella boca inmóvil, con ese sonido gutural del ventrílocuo que no puede mover los la-

bios, salió mi nombre y tras un lapso, última sublimación
de una respiración moribunda, salió también el tuyo. Yo
despaché a Adela: «Se está muriendo», dijo, pero pienso
que era eso lo que yo quería. No sé el tiempo que duró,
acompañado de la música y las canciones callejeras. Pero
entendí que era sólo para mí; lo quise sorber y esconder
y guardar no sólo como única recipendaria de aquel pós-
tumo legado, sino —aunque existía en cierne el presentimiento de que no volvería a ser pronunciado ni escuchado todavía estaban mis pistilos abiertos, aún cuando había
pasado el momento de la fecundación, por la estratagema
de un clima engañoso— para que en mí germinara la palabra, el nombre blanco, mortuorio y frágil que revolo-
teaba sobre un fondo de canciones de marcha; no sé si
yo lo maté apretándole contra mí para extraer de él los
últimos residuos de tu presencia, para ahondar y buscar en
el estertor de unos labios exangües envueltos en el halo
de la muerte, aquel último núcleo recóndito de donde había salido tu nombre, aquel último aire moribundo que tú
transubstanciaste en tu nombre para hacerme llegar tu
voluntad y que en lo sucesivo no pararé de buscar entre
lágrimas y sábanas húmedas, en los espasmos amorosos de
un deseo que —en el ínterin— si no aprendió a olvidarte
supo al menos vengarse en mi cuerpo con la imposición
de una receta imposible: estaba para siempre unido a
aquel aliento enfermo, al aroma mortuorio que en el más
acá el deseo destila para impedir el éxtasis en el más allá
donde desapareciste, el aliento de ese ángel de la muerte
que vela todas las noches de amor dispuesto a bajar la
mano y cumplir la sentencia si en algún momento son
transgredidas las reglas del juego y las cláusulas impuestas en el tratado de la camioneta que había de regular y
mantener un orden desequilibrado y un apetito inmitiga-
do, el ángel que aleteó ingrávido, sonoro y fétido en el
sótano donde agonizó Juan de Tomé para soplarle tu
nombre y sellar mi sumisión a un interrogante intemporal
lo bastante firme para garantizar mi voto y lo bastante
dúctil para no trocar en desesperación una condición atada
a tu memoria, trabada por la incertidumbre e imposibili-
tada para la regeneración. «Ahora todo ha terminado»,

dijo Muerte, pero yo no supe reconocerlo mientras dentro de mí perduraron encendidas las brasas de aquel fuego en espera de que un nuevo soplo viniera a animarlo, pero ahora que considero este puñado de cenizas he optado por devolverlas al punto donde años atrás debían haber sido aventadas, en vez de venir a calentar una esperanza ficticia o ser abrigadas en un hogar extraño. No pude venir antes porque aún abrigaba alguna esperanza y la esperanza, por encima del tiempo, se da la mano con el temor para anticipar un nuevo desengaño que altere de nuevo los límites de mi desgracia. He venido, pues, cuando he alcanzado ese límite para saber hasta qué punto he sido impura e hipócrita o en qué medida he sido víctima de una ficción: en qué medida el amor, el miedo y la memoria a las que quise ser fiel no son más que esa ficción infantil que tú, al aniñarme, me indujiste y que, al romper la virginidad del éxtasis, al situarte fuera del tiempo y de la muerte y al incapacitarme para el consuelo y la regeneración, me obligaste a abrazar con todos los votos de castidad, humildad, pobreza, renuncia y sacrificio que voy a romper hoy para restituirme a la edad de unos primeros y tal vez últimos anhelos sin memoria, sin amor, sin pasado, sin miedo y sin esperanza.»

No era aún de día cuando el doctor despertó. Había oído esos ladridos desolados de «un perro que a tales horas también cree en los fantasmas» *, envueltos en un olor especial, aquel aroma combinado del salitre y la fetidez orgánica, primer síntoma de las noches de venganza. Se levantó inquieto pero antes de llegar a la mesa tropezó un par de veces con sus zapatillas. Entonces le llegó el ruido del motor y un reflejo del resplandor de los faros asomó por el ventanal. Buscó el vaso y contempló el desorden de la mesa, intacto durante varios años, los montones de papeles, carpetas y libros donde no había puesto los ojos desde no sabía cuándo. En el borde de la mesa estaba aún la fotografía. No era una tarjeta. Se caló los

* Nietzsche.

lentes y con manos temblorosas la observó con atención:
una fotografía de carnet con los bordes arrugados y ama-
rillentos, una cara aguda y una mirada oblicua pero no
particularmente penetrante, dignificada y entontecida por
un punto de anacronismo. En el revés tenía una inscripción a lápiz medio borrada, un nombre del que sólo la
primera sílaba era reconocible y una fecha que había sido
tachada. «Olvidó usted el salvoconducto. No le iba a servir de nada pero de cualquier forma se le ha olvidado. Se
le ha olvidado también que las cosas son como son y que
nadie es capaz de volverlas atrás. Si hemos aceptado tu
ley es porque el que venga a cambiarla impondrá una
más dura. Deja las cosas como están y no la permitas llegar. Aquellos que no se conforman con su desgracia, en
esta tierra nuestra, acarrean la catástrofe. Deja las cosas
como están y cumple con tus compromisos de la misma
forma que nosotros acatamos tu mandato.»

Los pasos de arriba sonaron con mayor violencia y de
nuevo prorrumpió en voces. «Cálmate, hijo, cálmate.» Se
bebió una copa de castillaza; luego fue al baño y llenó
un vaso de agua donde echó una pastilla. Mientras revol-
vía observó la noche por la ventana, el primer resplandor
en el horizonte, y pensó que debía estar subiendo la
presión; soplaba el viento del norte para llevar hasta allí
el aroma del espliego y los mirtos del monte. Luego dio
una vuelta a la casa para comprobar que todos los cierres
estaban echados. Se asomó a la ventana del despacho y
tanteó la reja. Luego se detuvo a escuchar. Los pasos se
habían detenido y sólo de tarde en tarde se oía un suspiro. «Cálmate, que ya queda poco.» Cerró la puerta,
echó la barra y apretó el candado. De una escarpia detrás
de la puerta descolgó una llave del tamaño de una pistola. En el piso de arriba volvió a comprobar la firmeza
de los cierres. Luego encendió la luz del rellano; era una
puerta más fuerte que las demás, al final del corredor,
cerrada por una barra de acero que la cruzaba en dia-
gonal. Golpeó con los nudillos y esperó. No se oyó el
menor ruido, la habitación estaba encendida y por el res-
quicio inferior asomaba una raya de luz azulada. Volvió
a repetir la llamada y entonces se oyó un gemido.

—¿Qué te ha pasado? ¿Qué te ha pasado? ¿Por qué has gritado tanto?

Los sollozos, entrecortados, se hicieron contínuos.

—¿Qué te pasa, hombre? ¿Por qué lloras?

Con sumo tiento descolgó la barra, dejando el vaso en el suelo. Metió la llave y dio una vuelta a la cerradura cuidando de no hacer ruido, sosteniendo la empuñadura con ambas manos. Luego aplicó el oído a la puerta.

—Dime, ¿estás acostado?

Cogió el vaso con la izquierda y abrió la puerta de un golpe. Estaba en el fondo del cuarto, acuclillado en un rincón, con las manos cogidas sobre la nuca tapándose los oídos con los brazos. Estaba descalzo, con las piernas abiertas salpicadas de barro y estiércol. Despacio, levantó hacia él sus gafas no tanto con objeto de mirar como de ser visto. Tenía la cara bañada en lágrimas, la boca abierta y el labio inferior, mojado por ellas, temblaba convulsivamente; un halo sombrío y morado parecía nacer de sus lentes para envolver su cara con un desordenado reverbero. Inmóvil, tras tres o cuatro vacilaciones, pareció crecer en lugar de incorporarse, como si hinchado repentinamente de un gas se hubiera liberado de sus amarras para ocupar toda la altura del rincón. El doctor dejó el vaso en el suelo.

—Espera, espera —le dijo.

No veía; detrás de los gruesos vidrios de sus lentes no había sino una turbulenta y delicuescente mezcla de brillos y lágrimas, temblor y furor. No dijo nada tampoco, de la boca abierta emergió ese género de sonido hueco y débil, como el de un conducto obturado, que no era más que el aborto de otro cualquiera.

—No, no era ella. Espera. Te digo que no era ella. Créeme. ¿Cómo crees que te iba...?... hijo...

La puerta se cerró de nuevo bajo su peso. Antes de que su vista se nublara alcanzó a ver aquellos ojos; detrás de los vidrios había también una amorfa, iridiscente sustancia donde fosforecía el acecho anterior al asalto, que con su quietud, severidad y dureza reflejaban el consenso de una conciencia oculta a la venganza de aquella sustancia.

Cuando su cabeza fue golpeada contra la pared sus lentes cayeron al suelo y de su boca salió la palabra «hijo», como si caída y palabra fueran las dos acciones de un mecanismo. Volvió a repetirla —mecánicamente, el sonido que fue repetido con la gradual disminución del muñeco que va perdiendo su cuerda— tres o cuatro veces al compás de los golpes de su cabeza hasta que, casi abatida, sus ojos rodaron por las órbitas para quedar mirando al suelo como dos bolas prisioneras que al desprenderse del mecanismo caen al fondo de las esferas.

El ruido de sus pasos descalzos sonó por el corredor hasta que cayó por las escaleras.

Durante el resto de la noche en la casa cerrada y solitaria, casi vencida por la ruina, sonaron los pasos apresurados, los gritos de dolor, los cristales rotos, los muebles que chocaban contra las paredes; los muros y hierros batidos, un sollozo sostenido que al límite de las lágrimas se resolvía en el choque de un cuerpo contra las puertas cerradas. Hasta que, con las luces del día, entre dos ladridos de un perro solitario, el eco de un disparo lejano vino a restablecer el silencio habitual del lugar.

Pantano del Porma, 1962.—Madrid, 1964

Indice